清代後期至民國初年
鹽務的變革

（1830-1918）

劉常山 著

文史哲學集成
文史哲出版社印行

國家圖書館出版品預行編目資料

清代後期至民國初年鹽務的變革（1830-1918）
／劉常山著. -- 初版. -- 臺北市：文史哲，
民 95
　頁：　公分. （文史哲學集成；514）
參考書目
ISBN978-957-549-683-8 (平裝)

1. 鹽稅 – 中國 – 晚清 2. 鹽稅 – 中國 –
民國 1-7 年.

567.4092　　　　　　　　　　95013089

文 史 哲 學 集 成　　514

清代後期至民國初年鹽務的變革

著　　者：劉　　　常　　　山
出 版 者：文　史　哲　出　版　社
http://www.lapen.com.tw
登記證字號：行政院新聞局版臺業字五三三七號
發 行 人：彭　　　正　　　雄
發 行 所：文　史　哲　出　版　社
印 刷 者：文　史　哲　出　版　社
臺北市羅斯福路一段七十二巷四號
郵政劃撥帳號：一六一八〇一七五
電話886-2-23511028 • 傳真886-2-23965656

實價新臺幣 三四〇元

中華民國九十五年（2006）七月初版
中華民國九十六年（2007）二月初版二刷

陳　序

　　常山兄自民國七十年開始注意鹽務，此後蒐羅閱讀相關書籍論著，日積月累，歷二十年，胸臆間有不吐不快之感，乃發憤著述，數年間論文陸續發表於本校《人文社會學報》。去年又將單篇論文融鑄成書，名曰《清代後期至民國初年鹽務的變革》，有緣一閱者，咸認富學術價值。

　　本書除緒論、結語外凡五章，分別為清代以前鹽制沿革、清代前期鹽制與弊病、清代後期的鹽務改革、民國初年的鹽務改革思想、民國初年的鹽務改革。從鹽的重要性、鹽稅的徵收到鹽稅之取消，重點在清代道光後到民初鹽務的變革。

　　俗話說，開門七件事，柴米油鹽醬醋茶。可見日常生活中鹽為生活中不可或缺的物質。在古代鹽的作用更大，甲骨文所見鹽與三牢、酒同為祭品，在社會上鹽與銅、鉛、錫、象牙、海貝象徵權力與威望。到西周仍是貴族間貴重威望的物品，常用於上層對下層的賞賜。要到春秋時代少數鹽產國家，鹽始普及於平民，並成為國家重要的財政收入。漢武帝時行鹽鐵專賣，鹽成此後二千年中國歷朝歷代重要稅源。

　　鹽既是國家重要稅源，則從鹽之生產、運輸到銷售，歷代政府無不竭盡所能加以控制，管仲行部份專賣，漢武帝行全部官專賣，唐劉晏行就場專賣制，宋代行鈔鹽制，明代行開中法，清沿明制。每一制度日久弊生，清中葉後，鹽務敗壞，道光以下，更

趨嚴重，於是有陶澍在兩淮的鹽務改革。但專商積弊，迄未革除。民初，有識之士張謇、景學鈐、左樹珍等倡議改革鹽務。然民初改革最具成效的卻是英人丁恩，他是民二善後大借款，在合同下受聘來到中國，出任鹽務稽核總所會辦，兼鹽務署顧問。他的改革主張「就場徵稅，自由貿易」，正與唐劉晏「就場徵稅，任其所之」契合。但丁恩只做到私鹽減少，鹽稅增加。「就場徵稅，自由貿易」成爲中國法律，則要到民國二十年。

　　本書參考史料豐富，徵引詳瞻，論辨明晰，文字精當，對上述諸問題都有深入剖析；鑑於鹽務之複雜，每章之末均有鹽務專有名詞釋義；全書又有表八個，不僅表現作者功力之深厚，更有助於讀者之閱讀本書，凡此均爲本書之特色。

　　本人與常山兄誼屬至交，二十餘年，同在逢甲教學研究，朝夕相處，析疑辯難，獲益良多。孔子說益者三友，「友直、友諒、友多聞」，常山兄足以當之。今見本書即將付梓行世，欣喜之餘，聊寫數語以爲序。

　　　　　　　　陳哲三　於逢甲大學歷史與文物研究所
　　　　　　　　　　　　　民國 96 年 1 月 31 日

自 序

　　開始與鹽結緣是二十多年前的事，當時在恩師李守孔教授指導下，撰寫碩士論文《鄒魯研究》，鄒魯曾在 1920 年至 1922 年間任兩廣鹽運使，為了弄清楚鄒氏在鹽運使任內的作為，四處尋找資料，一天翻閱中央圖書館（今國家圖書館）目錄卡，發現了一本鄒琳寫的《粵鹺紀實》，借出一讀，才知道鄒琳是鄒魯本家姪兒，在鄒魯擔任兩廣鹽運使期間，擔任秘書工作，日後利用相關檔案資料撰成《粵鹺紀實》一書，記載了清末民初廣東鹽務的變革，這本書對我的研究有很大的助益。在這樣偶然的機緣下，發現了研究鄒魯鹽運使階段的第一手資料，真是喜出望外。但是我的高興很快就消失了，因為書雖然是中文寫的，每一個字都認識，內容讀來卻是一知半解，許多專有名詞在一般辭典中找不到解釋，無法了解真正的意涵，當時配合了相關資料，完成了論文的撰寫，卻也在心中埋下了進一步鹽務研究的種子。

　　來到逢甲大學任教後，因為協助撰寫校史，與其他公私事務干擾，有關食鹽的研究受到影響而中斷，但是對相關資料的收集，與兩岸學者研究成果的觀摩學習一直延續著，師長與好友如曾一民教授、郭錫陽教授、胡志佳教授、李玉瑛教授知道我關心鹽務，都曾購贈圖書或代為影印資料，充實了我對鹽務的認識與了解，十分感謝。其間購得林振翰編纂的《鹽政辭典》，解決了我在閱讀鹽務相關著作時大部分的問題，林先生在辭書中〈鹽糊塗〉條曾

說:「糊塗者,明白之反對詞也。我國政務之紊亂秘密,無過於鹽,因紊亂而秘密,因秘密而糊塗,官商勾通,奸弊相習,以此為舞弊之具,以此為不傳之訣。以故千數百年來,鹽務隱於黑暗之中,敢言者苦不知其內容,而不能言,或言而不能盡;能言者非鹽之關係人,不欲言,即慮鹽之關係人之反對,而不敢言,於是鹽務一道,遂成黑幕中之專門學,非局外人所得問津,此鹽糊塗三字,是以至今猶未能削除也。」陳滄來也說:「平心而論,鹽那裡會糊塗,不過大家要把它弄到糊塗的地步,才好打混水來捉魚。」(詳見本書第七章)我認識到中國鹽務的複雜難懂,除了歷史悠久,幅員遼闊,食鹽種類繁多等因素,造成鹽務管理制度繁雜瑣碎,政府過度追求財政上的需索,導致食鹽管理機關與生產、銷售各個環節人為弊端才是鹽務難於研究的根本原因。這些年來逢甲大學在劉安之校長主持下,改善研究環境,充實設備,增購圖書,有了好的研究環境、充足的資料與好的工具書,困擾逐漸解除,在師友們鼓勵下,開始嘗試撰寫鹽務相關論文。

　　2002 年起,以生澀的筆寫出了〈善後大借款對中國鹽務的影響〉一文,刊登在《逢甲人文社會學報》上,特別要感謝創辦這份期刊的逢甲大學人文社會學院前任院長朱炎院長,與現任院長李威熊教授,讓我們有一個高水準發表研究成果的園地,兩位前輩學者對後學者不遺餘力的獎掖提攜,給後學者樹立了學習的典範;也要感謝當年審查這篇論文的委員,對論文提出了切中要點的改進意見,並且抱著鼓勵後學的角度思考,准予刊登這篇今天看來還有很大進步空間的論文,讓我有勇氣繼續在這個領域耕耘,幾年來陸續撰寫了與鹽務相關的論文五篇,相繼發表在《逢甲人文社會學報》上,今年覺得時機成熟了,將過去研究的部分成果,配合新的研究,綜合成這本小書,我相信過幾天回頭看,

這本書仍會有許多應該改進的地方，也希望學術界各位先進能不吝提出指教。

在這本書出版的前夕，最應感謝的當然是生我、養我的父母親，兩位老人家年近九十，仍然不時鼓勵我，關心我；我的兄姊，在我小時候照顧我，容忍我的調皮與無知；我的太太陳蕙珠，從來不曾要求什麼，上班辛勞工作後，總是默默的協助照顧兩位老人家，都在此表示真心的謝意。

求學過程中要感謝的師長實在太多，無法一一致謝。李守孔教授是我在中國近現代史領域的啓蒙老師，我永遠記得他敦厚的身影與對學生的關懷照顧；陳哲三教授自我研究鄒魯起，給我的教誨，讓我受益良多，開始任教後，和陳老師朝夕相處，時時鼓勵我，在教學、研究與待人處世各方面，都是我的榜樣，我的每一篇論文完成後，都煩勞老師指正缺失，老師都逐字批閱，多所指正，師母汪麗敏女士待我如子姪，時時關心我與我的家庭，恩同父母，永銘在心。

這本書初稿完成後，曾經請陳哲三教授、胡志佳教授、張志相教授抽空賜予校閱斧正，三位都在百忙中閱讀了我不成熟的作品，對拙著提出了建設性的建議，我也都將幾位的卓見融入書中，在此應致上我衷心的感謝，當然書中一切疏誤仍應由筆者負責。中文系黃敬欽教授，自我進入逢甲一起編寫校史，就時時關心我，他的多才多藝，是我欽慕學習的對象，在此致上誠摯的謝忱。我的每一篇論文發表前，摘要英譯工作，都麻煩李玉瑛教授，她細心轉譯後，我的英文摘要都贏得英文專業人士的肯定，在此再一次致謝。

本書出版之際，也要特別感謝文史哲出版社的彭正雄先生與其令嬡彭小姐，一切出版相關事務都由二位代勞，讓遠在台中的

我，不必南北奔波。

清代後期至民國初年鹽務的變革

（1830－1918）

目　錄

表格目錄：

第一章　緒　論

第一節　鹽的定義與重要性

所謂鹽，許慎說文解字云：「鹽，鹹也，從鹵監聲。[1]」段玉裁說文解字注釋爲：「鹽，鹵也。天生爲鹵，人生爲鹽。[2]」鹽下從皿，應爲古人以器皿盛鹽水，煎煮成鹽，故而謂「人生爲鹽」。辭海將「鹽」字解釋爲：「鹹也，古者夙沙初作海煮鹽。按鹽色灰白，味鹹，因常供食用，故亦特稱食鹽。[3]」

法律上所謂的鹽，依據民國三年三月四日公佈的〈製鹽特許條例〉第二條規定：「製造鹽類之各種物質，含有鹽化鈉四十分以上者」，均須獲得特許，始得製造，可見在法律上認定，只要含氯化鈉成分達百分之四十就算做食鹽，其製造、販賣都必須受到管制；到了民國十九年，財政部公佈〈檢查食鹽章程〉規定：「食鹽之含有鹽化鈉（氯化鈉）量應在百分之八十五以上；食鹽含有水分應在百分之十以下。」對食鹽中氯化鈉含量的標準已經提高[4]。

---

1 許慎原著、朱駿聲注，《說文通訓定聲》，藝文印書館民國 64 年 8 月 3 版，頁 186。
2 段玉裁，《說文解字注》，廣文書局有限公司民國 65 年 10 月再版，頁 592。
3 台灣中華書局辭海編輯委員會編，《辭海》，民國 89 年 5 月 10 版，頁 5043。
4 鹽務署編纂處編，《鹽務法規》第三類〈場產〉，鹽務署民國 15 年 5 月出版，頁 1；中國第二歷史檔案館編，《中華民國史檔案匯編》第三輯財政（二），江蘇古籍出版社 1991 年 7 月 1 版 1 刷，頁 1387；田秋野、周維亮合編，《中

近代化學對鹽有確切的定義，其說有二：

一、凡鹼類與酸類化合後，所生成之中和物質，名之曰鹽。

二、凡酸類中之氫原子被一金屬置換，或鹼類化合物中的氫氧根爲酸根置換所生成之物品，名之曰鹽。[5]

準此定義，自然界中酸的種類極多（如碳酸、硫酸），鹼的種類也很多，金屬元素也不少，所以在自然界中形成的鹽類非常多，日常生活中所指的鹽，係指食鹽，是化學中最簡單之鹽類的一種，主要成分爲氯化鈉（NaCl），其中的鈉是一種能突然爆炸的不穩定金屬，氯則爲酸性有毒氣體，兩者結合，便成爲人類不可或缺的食鹽，也是本文研究的對象。

純淨的氯化鈉，是晶瑩無色的，鹹味鮮美，結晶中若含有雜質，光線折射、反射後，就會變成白色。自然界所生產的鹽，往往含有氯化鎂、氯化鈣、硫酸鎂、硫酸鈣、礬土等其他鹽類及雜質，使得食鹽帶苦味或酸味，不爲人喜歡。其實，鎂與鉀也是人體不可缺少的元素，因此，嬰兒奶粉中含有三種成分的鹽：氯化鎂、氯化鉀、氯化鈉。氯化物是人體消化及呼吸作用必須的物質，例如胃中的胃酸即由氯在體內合成；如缺少人體無法自製的鈉，則身體無法傳送養分及氧氣、傳導神經衝動、與維持心臟的跳動[6]。成人身體裡約含有兩百五十公克的鹽，因爲鹽在人體運動、排

華鹽業史》，台灣商務印書館民國 68 年 3 月初版，頁 3。

5 張彭熹，《沈默的寶藏－鹽湖資源》，牛頓出版公司 2001 年 4 月 30 日初版，頁 3；周維亮，《鹽政概論》，鹽務月刊社民國 61 年出版，頁 2。

6 動物細胞利用細胞內外鉀與鈉濃度的不同，排出鈉元素的正離子，吸收鉀元素的正離子，產生電荷，細胞膜內爲負電荷，膜外爲正電荷，產生電流，平靜狀態下神經元軸突是極化的，當鈉離子進入細胞膜內，鉀離子排出時稱去極，所謂神經衝動就是沿著整個神經元的去極，因此神經傳導必須有鉀與鈉離子，也就是必須有足夠的鹽。參見 Pierre Laszlo 著，吳自選、胡方譯，《鹽：生命的食糧》，百花文藝出版社 2004 年 1 月 1 版 1 刷，頁 141-143。

泄時會不斷流失，所以我們每天必須補充流失的鹽，避免身體中的電解質不平衡[7]。但是食鹽攝取過量也會引起水腫、高血壓、心臟病、腦中風等病變，一般人對食鹽的攝取仍應適量[8]。

　　由生物化驗知道，動物體中含鹽較多，植物體中含鹽較少[9]。然則，一個人一年到底需要食用多少鹽才健康？這實在是一個不容易回答的問題，根據營養學方面的統計，人體一天大約需要 10公克左右的鹽[10]，不過需鹽量的多少，往往因國民習慣與個人狀況而異，張謇在民國初年，曾根據各國統計數字，每人年食用鹽量來推測中國食鹽的銷售量，他說：「世界食鹽平均額，最少者每人十斤，最多者十八斤，如日本是。荷蘭則十七斤，奧國則十六斤，法國則十四斤，德國、印度均十二斤，俄、意均十一斤。」[11]張謇的說法是各國食鹽每人平均消費量，事實上，一個人一年需鹽量，是依實際狀況而有很大的差異，住在熱帶地區或是從事勞動工作的人，需要多一點的鹽，因為他們要補充排汗時所流失的鹽分，如果流汗較少，又能夠大量食用紅肉的人，便不需要補充太多食鹽，因為動物體內就含有相當的鹽分[12]。美國食品藥物管

7　Mark Kurlansky 著、石芳渝譯，《鹽 —— 人與自然的動人交會》，台北市藍鯨出版有限公司，2002 年 5 月初版，頁 13。
8　安心編輯部著，林珮琪譯，《鹽療治百病》，世茂出版社 1992 年 3 月初版一刷，頁 199。
9　植物遇到鹽其細胞中的水分會被鹽奪走，造成植物的枯萎，除了少數能抗拒鹽滲透壓的植物能在海水中或含鹽份高的土地上生存，大多數的植物無法適應存活，參見高田英夫原著，張豐榮譯，《鹽與生物 —— 海洋生物開發的基礎》，經濟部國際貿易局民國 80 年 12 月 1 日出版，頁 9。
10　高田英夫原著，張豐榮譯，《鹽與生物 —— 海洋生物開發的基礎》，頁 22。
11　張謇，〈改革全國鹽政計劃書〉，張怡祖編，《張季子（謇）九錄》，台北文海出版社民國 72 年影本，頁 1026。
12　從事勞動工作者每日從汗水中約排出 3 公克鹽，非勞動者則僅排出 0.4 公克，參見鄭尊法，《鹽》，台灣商務印書館人人文庫，民國 62 年 6 月台一版，頁 19。

理局（FDA）對食鹽之檢討報告中稱：「鈉是人體必需成分，存於許多食物中。一個人每天需要食鹽量少於 1 公克……並且由於各人需要量差異很大，因此根據現在資料，仍然無法訂定最適當攝食量的標準。」美國國家科學院（NAS）估計，美國人平均每天食用的食鹽量為 6.0-18 公克，該院建議之安全食鹽量為 3-8 公克。世界衛生組織（WHO）亦呼籲，食鹽攝取量須保持每天 3-5 公克以下[13]。因此有人估計，每人一年需鹽量，從三分之二磅到十六磅不等，也就是一年需要吃鹽 0.2724 公斤至 7.266 公斤[14]。

　　鹽是包括人在內所有動物生理上必要的成分，動物體內都含有適量的鹽分，以維持體內液體的滲透壓，調節物質的可溶性，還能促進消化液的分泌，以增加消化率[15]。故而食鹽為日常生活開門七件事中唯一沒有替代品的必需品。遠在初民社會裡，鹽就為人類所重視，除了食用，在宗教、民俗等精神生活上，也少不了它。日本人認為撒鹽的手勢含有招喚神靈之意，鹽撒過的地方是聖潔的，相撲運動員在每場比賽之前，以此動作來淨化比賽場地；猶太教、基督教文化中，鹽都象徵著永恆不變，被視為神聖的物品[16]。有些地方食鹽成為交易媒介，例如在非洲阿比西尼亞（Abyssinia），鹽可以當作商業交易的工具，在雲南，自唐代起就有記載，當地人以鹽塊作為交易媒介，形同鹽幣[17]。羅馬人用

---

13 黃錦城，〈低鹽醃漬微生物之抑制技術〉，《食品工業》18 卷 5 期，民國 75 年 5 月，頁 31。

14 Mark Kurlansky 著、石芳渝譯，《鹽 —— 人與自然的動人交會》，頁 13。

15 鄭尊法，《鹽》，頁 16-17；周維亮，《鹽政概論》，頁 17-22；溫士勳，〈食鹽的探討〉，《食品工業月刊》31 卷 8 期 1999 年 8 月出版，頁 39-47。

16 佐伯富著、魏美月譯，〈鹽與歷史〉，《食貨月刊》復刊第 5 卷第 11 期，62 年 5 月出版，頁 32；Pierre Laszlo 著，吳自選、胡方譯，《鹽：生命的食糧》，頁 211。

17 Mark Kurlansky 著、石芳渝譯，《鹽 —— 人與自然的動人交會》，頁 19；有關雲南鹽幣請參考趙小平，〈試論滇鹽在商品流通中的歷史地位〉，《鹽業史

鹽作爲士兵的酬勞，時至今日，英文中的薪水（salary）一字，仍是由鹽（salt）轉化而來，士兵（soldier）也是拉丁文「sal」轉化爲法文「solde」，再轉化而來[18]。

　　鹽具備防腐功能，利用鹽水與淡水所產生的滲透壓可以殺菌，早爲古人所知，埃及人用鹽來保存木乃伊，並廣泛的應用在製造鹹魚、鹹菜；中世紀歐洲農夫甚至將穀物噴灑鹽水，以保護其穀倉不受一種稱之爲麥角症的黴菌感染而毀壞。鹽在今天日常生活中除了食用外，用途極爲廣泛，例如除鏽、滅火、製造冰淇淋、水煮蔬菜時讓菜的顏色保持翠綠等……。工業革命後，除了漁業、農業選種、畜牧業需要用鹽，舉凡冶金、皮革、玻璃、肥料、化學工業、醫藥製造、國防工業都需要大量的鹽[19]，現代製鹽工業上常引用的數字，鹽的用途高達一萬四千多種，鹽的需求量日益增加，工業先進國家，食用鹽常只占用鹽量的百分之十左右，工業用鹽則高達百分之八十[20]，用鹽多少，甚至可以作爲一國工業發達與否的指標，可見其重要性。

研究》2002 年第 1 期，頁 3-7；陳然，〈我國西南市場上曾流通的一種貨幣〉，《中國錢幣》59 期，1997 年 4 月，頁 63-66。

18 另一說法 salary 是給士兵買鹽的錢，見黃尚隆譯述，《糖、鹽與煤炭》，廣文書局民國 60 年 5 月再版，頁 24；Mark Kurlansky 著、石芳渝譯，《鹽 —— 人與自然的動人交會》，頁 63。

19 由鹽分解出來的氯可製造許多藥品，抗生素的金黴素即其一，據統計，1983年美國醫生最常開的 50 種藥品中，有九種含有氯分子；氯與石油中提煉的乙烯，合成聚氯乙烯（PVC），廣泛的用在日常生活中；火藥需要的硝酸鈉、製造軍用毒氣的氯，都需要鹽。參見 Pierre Laszlo 著，吳自選、胡方譯，《鹽：生命的食糧》，頁 157；時雨音羽著，邱思敏譯，《鹽與民族》，文翔圖書公司民國 70 年印行，頁 4；田秋野、周維亮合編，《中華鹽業史》，頁 12。

20 何維凝，《中國鹽業新論》，作者自印，民國 41 年 2 月出版，頁 19-26；Mark Kurlansky 著、石芳渝譯，《鹽 —— 人與自然的動人交會》，頁 13-15。

第二節　食鹽管理問題的產生

　　人類在舊石器時代，從事漁獵採集以維生，間接從動物體內獲得食鹽，從自然界直接獲得食鹽的需求較小。到了新石器時代，農業革命發生，將野生種植物逐漸轉化成人工種植的品種，人類的食物有了變化，食用穀物及蔬菜量增加，但是植物幾乎不含氯化鈉，必須補充食鹽，以維持人體內新陳代謝的進行。此外，農業革命後，畜牧業逐漸發展，人類馴化飼養動物，就必須供應動物生存所需要的食鹽，根據研究，一匹馬需要的食鹽是人類的五倍，牛則為十倍，因此人類為了自身必須補充鹽分，飼養家禽與家畜都必須供應牠們充足的食鹽，才能維持其成長之所需，人類開始需要尋找穩定的鹽源。

　　人是如何在自然界發現鹽的蹤跡？人藉由觀察動物的習性，草食性動物由於生理上的需求，會找尋有鹽的地方，人類只要跟隨動物的足跡，最後總能找到鹽或鹽泉水，獲得所需的食鹽[21]。由於人與飼養的動物都需要大量的食鹽，卻受限於古代對食鹽產地所知不多，與生產技術的落後，如何取得生活必需的食鹽，變成十分重要的工作，食鹽具備了重大的經濟價值與象徵意義，成為一項重要的交易商品，製鹽也成為人類早年發展的工業之一，掌控食鹽產地的人，往往也掌握了財富與權力。

　　以今日的技術來說，鹽的產地在地球上分布極廣，產量也

---

21 食鹽並不具揮發性的味道，野生動物是如何找到自然界的食鹽，人類至今也不明白，參見高田英夫原著，張豐榮譯，《鹽與生物 ── 海洋生物開發的基礎》，頁 24-25。

多，製造成本不高，但是古人對鹽源的掌握不如現代，製鹽技術落後，交通運輸也不發達[22]，中國歷代政府早已發現食鹽的無可替代性，常以專賣、重稅等手段，作為充實國家財稅重要來源，由於每人平均需鹽量固定，為免生產過剩，造成產銷失衡，更為了穩定稅源，食鹽成為古代最早由國家嚴密控管的商品，對食鹽的生產工具、製鹽工人、生產數量、產品的運輸工具、運輸路線、銷售地區、販售價格都有嚴格的規定[23]。生產成本不高的鹽，因重稅或專賣，中間剝削嚴重、運輸成本高昂等因素影響，價錢大為提高，輾轉販售到百姓之手，鹽價十分昂貴，而且品質不佳，人民常有淡食之虞。

明清以後，食鹽運銷制度經複雜的演變，引鹽必須在指定的州縣販售，這種按地區劃定銷鹽範圍的制度稱為「行鹽疆界」，行鹽疆界的產生，是按前朝的慣例，或交通路線的便利所確定，凡越區販售或購鹽，都屬於違法行為，即為私鹽。這就形成了最為人詬病的「銷區引岸」制，此制保障了鹽商在行鹽區中的專售權利，貪婪的鹽商，以各種合法與非法的手段賺取暴利，人民即使花高價，也不一定能購得品質優良的食鹽。

食鹽既為動物生存所必須，人人期望獲得物美價廉的食鹽，以滿足生存的基本需求。但是在歷史的發展歷程中，食鹽卻成為政府稅收之所寄，鹽商牟利之所出，加上古代交通不便，運輸成

---

22 地球上食鹽含量甚多，海水中含鹽量達 3%，總重量可達 45,400 億噸，另外尚有岩鹽與湖鹽，僅清海察爾汗乾鹽湖面積達 5000 平方公里，鹽儲量可供全球人食用 2,000 年之久，參見鄭尊法，《鹽》，頁 24；張彭熹，《沈默的寶藏 —— 鹽湖資源》，頁 18-19；房建昌，〈歷史上青海省的鹽業〉，《鹽業史研究》1996 年第 4 期，頁 46-49。

23 李明明、吳慧，《中國鹽法史》，文津出版社民國 86 年初版 1 刷，頁 3-4；郭正忠主編，《中國鹽業史》古代編，北京人民出版社 1999 年 4 月初版二刷，頁 690。

本過高，官吏與商人勾結牟利，「銷區引岸」制度的實行，製造成本低廉的食鹽，銷售到人民手上時已是生產成本的數倍，甚至數百倍，清末張謇曾經粗略估算，將煎、曬之鹽平均，每斤製鹽成本約六文錢。邊遠地區食鹽售價卻高達一百四五十文，便宜的也要三十文錢[24]，可以看出其中的差價很大；另以民國初年廣東海甲場為例，灘曬生產海鹽，平均每百公斤成本為 30 厘，售予鹽商的場價每百斤平均是伍角，（各月售價不同，低時每百斤 4 角，最高可達 7.1 角），[25]鹽商購得食鹽後，加上各種正稅、雜稅、運輸、管銷費用及利潤，消費者購買食鹽，每百斤平均為 8 元。因運輸成本不同，兩廣交界處的開建縣，每百斤售價 25 元，廣東省連縣更高達 40 元[26]，其與生產成本差價更超過千倍之多。由於產銷間差價太大，形成走私者甘冒法律制裁的風險，走私食鹽，為防止私鹽侵削鹽稅，政府訂定嚴酷的鹽法以制止走私，卻往往造成走私者官商勾結，鹽政之腐敗，鹽務的不堪聞問，互為因果，糾纏不清，惡性循環，至不可解決的地步。

　　中國政府因財政上過度依賴鹽稅，不斷在人人必須食用的食鹽上，增加各種形式的稅課，遇到鹽務問題，往往頭痛醫頭，腳痛醫腳，甚至新的方策不但未解決舊的問題，更增加問題的複雜性，造成治絲益棼的反效果。漢武帝實行的鹽鐵專賣，雖然解決了財政問題，卻造成人民生活的不便；明朝晚期實行的綱鹽制，形成了影響深遠的「專商引岸」制；清朝承襲「專商引岸」制，問題更加嚴重，乾隆中葉以後，報效數額大增，積引日多，欠課嚴重，嘉慶年間戶部奏銷冊中「帶徵」、「壓徵」、「接徵」等名目，

---

24 張謇，〈預備資政院建議通改各省鹽法草案〉，南通市圖書館張謇研究中心編，《張謇全集》，第二卷經濟，江蘇古籍出版社 1994 年出版，頁 90-91。

25 鄒琳編，《粵鹺紀實》第三編場產，文海出版社影印本，頁 67-71。

26 鄒琳編，《粵鹺紀實》第四編運銷，頁 150-157。

都證明了歷年鹽稅積欠現象，鹽法敗壞，官吏貪墨，陋規浮泛，私鹽盛行，積引日增，逋課日多，嚴重侵蝕政府稅收，導致鹽價上漲，官鹽壅滯，私鹽氾濫的惡性循環，影響國計民生至鉅。

鹽作為一種物質，表面上和其他物質沒什麼不同，但是因為鹽是所有動物生存的必需品，造就了它在人類歷史上的特殊地位，不僅民族的摶聚，國家的生成和鹽相關，國家財政的穩定，民生經濟的維持，都和鹽息息相關。由上所述，可知食鹽是人類存活不可或缺的物質，鹽看似平凡，對人類卻有獨特的作用，在日常生活中衍生出獨特的文化現象，在人類文明發展過程中，產生重大的影響。自古以來，人類因爭奪鹽源而引起戰爭，而鹽的製造、儲藏、運輸、徵稅、銷售所引發的複雜問題，有人以今日石油油田的爭奪、油源的探勘、抽取、運輸、提煉、銷售等的情形，來比擬古代鹽在世界上的重要性[27]，這種比擬雖不中，亦不遠矣！鹽務管理成為歷代政府所面對的重大問題，是一個值得關注的問題。

第三節　研究成果回顧與研究目的

由於鹽稅在中國歷朝政府稅收中都佔有相當的比重，鹽政的良窳，影響國家財稅頗鉅，歷朝都十分重視，因此在正史食貨志中對鹽稅、鹽務都有相當的記錄，會典、文獻通考等類型的書中也收集了許多鹽制資料，成為日後研究鹽務的基本資料；各產鹽區如兩淮、兩浙、長蘆、河東、四川編有鹽法志，也是我們了解

---

27 Pierre Laszlo 著，吳自選、胡方譯，《鹽：生命的食糧》，頁 233；Mark Kurlansky 著、石芳渝譯，《鹽 —— 人與自然的動人交會》，頁 19。

區域性食鹽產銷的重要資料；明清兩朝主管鹽務的官員，例如陶澍，在他的奏摺、書信中，有許多對鹽務的描述與改革的主張；關心鹽務的私家著作也不少，例如久任山東清吏司主管鹽務的王守基，關心鹽務的包世臣、魏源他們的著作，對鹽務問題了解十分深入，也是研究鹽務必讀的資料；明清時代一些筆記如水窗春囈中所談到的鹽務弊端或人物品評，都生動寫實，值得參考。清末民初，張謇、景學鈐等人關心鹽務，呼籲改革鹽政，寫成的鹽務著作極多，尤其景學鈐主編《鹽政雜誌》，將鹽務改革的重要作品編成鹽政叢刊，留下了許多鹽務資料。

近代研究鹽務的著作，如曾仰豐的《中國鹽政史》，是較早撰成的鹽務專書，簡單扼要，允稱開山之作，成為日後了解歷代鹽務發展的入門與必讀著作；何維凝撰寫的《中國鹽業新論》、《中國鹽政史》都具有參考價值；田秋野、周維亮合編《中華鹽業史》內容豐富，除了對歷代鹽政制度在前人的研究基礎上，做了進一步的研究，對台灣鹽務的發展，也做了初步的探討，另外周維亮並寫了《鹽政概論》一書，也具有參考價值。上述鹽務著作的作者，都是民國以後鹽務管理體系中的菁英份子，由於職務的關係，關心鹽務，收集大量歷代鹽務資料，公餘之暇或退休之後，寫成專書刊行，其中何維凝投身鹽業實務，大量收集典藏鹽書，號其書齋為「何斯美堂」，並以其藏書為基礎，撰成《中國鹽書目錄》出版，去世後，將藏書捐贈國家圖書館，嘉惠後學。

國內學者對鹽務的研究並不算多，在既有的研究成果中，以徐泓的研究最值得稱道，先後撰成《清代兩淮鹽場的研究》、《明代的鹽法》（博士論文），利用大量的鹽務史料與地方志材料，對明清時代兩淮食鹽生產、運銷，及明代鹽法變革，做了深入的探討，並先後發表了〈清代兩淮的場商〉、〈明代的私鹽〉、〈明代前

期的食鹽生產組織〉、〈明代的鹽務行政機構〉、〈明代後期的鹽政
改革與商專賣制度的建立〉等十一篇明清鹽務相關的論文，是國
內學者對鹽務研究最深入、成果最為豐碩的一位前輩。在徐泓指
導下，數位研究生以鹽務為主題，撰成碩士論文，播下了國內鹽
務研究的種子；梁庚堯的鹽務研究集中在宋代，撰有〈南宋四川
的引鹽法〉、〈南宋廣南的鹽政〉、〈南宋福建的鹽政〉、〈南宋淮浙
鹽的運銷〉、〈南宋的私鹽〉等與鹽政相關的論文。另外呂進貴〈明
代巡鹽御史的研究〉、羅麗馨〈明代鹽法及其對國計民生的影響〉、
楊久誼〈清代鹽專賣制之特點一個制度面之剖析〉、劉素芬〈乾嘉
時期（1736－1820）河東鹽法之變革及其財務效果之檢討、〉顏
義芳〈清代台灣鹽業發展之脈絡〉、陳慈玉〈日治時期台鹽的流通
結構〉、〈日據時期台灣鹽業的發展〉、何思瞇〈抗戰時期時鹽專賣
制度的建立與發展〉等文，都是國內學者與鹽務相關的研究成果。
除前述先進，筆者也自民國九十一年起加入鹽務研究的行列，先
後草成〈善後大借款對中國鹽務的影響〉（1913－1917）、〈丁恩與
中國鹽務的改革〉（1913－1918）、〈鄒魯與廣東鹽務的改革〉（1920
－1922）、〈張謇的鹽務思想與實踐〉、〈陶澍與兩淮鹽務的改革〉
等五篇論文。

　　大陸研究鹽務的學者不少，相關著作出版極多，遺憾的是本
人並未能收集完整。就手邊有的作品來說，最值得稱道的是郭正
忠主編《中國鹽業史》古代編，與丁長清、唐仁粵主編《中國鹽
業史》近代當代編，加上唐仁粵主編的《中國鹽業史》地方編，
合為至今最完整的鹽業通史；李明明、吳慧撰成《中國鹽法史》，
從鹽業政策的角度切入，簡單扼要；也有採斷代體例的，如戴裔
煊《宋代鈔鹽制度研究》、郭正忠《宋代鹽業經濟史》、劉淼《明
代鹽業經濟研究》、陳鋒《清代的鹽政與鹽稅》、張小也《清代私

鹽問題研究》、丁長清主編《民國鹽務史稿》等書，皆各有所長，值得肯定；區域性的研究如：王瑜、朱正海等著的《鹽商與揚州》、關文斌英文原著，張榮明主譯的《文明初曙－近代天津鹽商與社會》，都是筆者學習與參考的對象。相關論文極多，分別刊載於《歷史檔案》、《廈門大學學報》、《近代史研究》、《鹽業史研究》等期刊，其中以自貢市鹽業歷史博物館發行的《鹽業史研究》季刊，是以鹽業史研究爲主題的期刊，自貢市 1976 年出版《井鹽史通訊》，1986 年刊行《鹽業史研究》以來，刊載鹽業研究相關論文超過一千篇，其中不乏擲地有聲的著作，也是作者參考引述最多的一種期刊。相關作者中，郭正忠、陳鋒、劉淼、丁長清、劉洪石、張小也、汪崇篔、張榮生、劉經華等人的作品，都是本文常引用參考的。

外文著作與中國鹽務相關作品，本文參考的有：日本學者佐伯富著《清代鹽政之研究》一書，是研究清代鹽務一本必讀的佳作，此書大陸學者顧南、顧學稼曾譯爲中文，刊登在《鹽業史研究》1993－1996 年間。佐伯並撰有〈鹽與歷史〉、〈鹽與中國社會〉等文；英文著作本文參考的有 S. A. M. Adshead《The Modernization of the Chinese Salt Adminstration, 1900－1920》一書，是書打破朝代界限，以 1900 年到 1920 年，二十年間中國鹽務的變化爲研究範圍，主要探究丁恩在中國從事鹽務改革前的鹽務狀況，到丁恩離職後中國鹽務改變的程度加以檢討，是一部值得參考的書[28]。

由於鹽務相關檔案頗多，專書、論文研究成果極爲豐富，鹽務相關名詞對初習入門者不易瞭解，在廣大的資料堆中，應如何

---

28 何漢威，〈阿謝德：《1900 至 1920 年中國鹽政的近代化》〉，一文中對其書優缺點有直率的評論，見香港中文大學《中國文化研究所學報》第 9 卷第 1 期，民國 67 年出版，頁 277-281。

尋找，怎樣切入，才能順利登堂入室，徐泓撰寫的〈清代鹽務史料〉一文[29]，應為入門必讀之作，文中將海峽兩岸典藏的鹽務檔案作了說明，並對兩岸與日本學者的研究成果也作了介紹，值得閱讀；大陸上海師範大學歷史系研究生何雅莉，收集二十世紀初以來，國內外學者從事鹽務研究的成果，撰成〈二十世紀中國古代鹽業史綜述〉一文[30]，分為先秦秦漢魏晉南北朝鹽業史研究、唐宋鹽業史研究、元明清鹽業史研究三段，對從古至今的鹽業史做了一次鳥瞰式的掃瞄；最近陳鋒以其多年研究清代鹽業累積的實力，寫出〈近百年來清代鹽政研究述評〉一文[31]，對百年來中國、日本及部分台灣學者對清代鹽政研究成果加以介紹，並對作品的內涵作了評述，雖然仍未達到完整的地步，仍是最值得後學者詳細閱讀的一篇佳作。

本書題目定為《清代後期至民國初年鹽務的變革》（1830－1918），所謂清代後期，是因清朝自順治元年（1644）入關，至宣統三年（1911）辛亥革命爆發，次年宣布退位，前後共 268 年，順治、康熙、雍正、乾隆四朝即長達 152 年，佔清政權統治中國歲月的一半以上，到道光元年（1821），傳國已歷 178 年，正好為國祚的三分之二，因此本文稱道光以後，清政權統治中國的後三分之一時間為清代後期。

道光皇帝即位以後，因傳國已久，官吏因循欺矇，吏治敗壞，弊病百出，在外患未衝擊之前，帝國已是千瘡百孔，內部問題已日趨嚴重。嘉慶晚年，鴉片大量輸入，對外貿易轉為入超，道光

---

29 徐泓，〈清代鹽務史料〉，《近代中國》139 期，民國 90 年 10 月，頁 36-51。

30 何亞莉，〈二十世紀中國古代鹽業史綜述〉，《鹽業史研究》2004 年第 2 期，頁 34-44。

31 陳鋒，〈近百年來清代鹽政研究述評〉，《漢學研究通訊》第 25 卷第 2 期（總 98 期），民國 95 年 5 月漢學研究中心出版，頁 1-12。

前期白銀大量流出，民間通用制錢，繳稅則以紋銀爲準，銀價騰貴，銅錢貶值，物價升高，人民負擔加重，田賦常不克如期繳納，政府財政支絀，爲了解決財用不足，理財成爲當務之亟[32]。鹽稅是清政府重要收入之一，積欠頗多，鹽務積弊已久，在道光皇帝支持下，先有陶澍在兩江推行鹽務改革，尤其在淮北實施票鹽法，是一次重要的鹽制改革，也是鴉片戰爭前，清朝政府未受外國政府干涉，主動投入的一次改革。旋因清政權內憂外患紛至杳來，外有鴉片戰爭、兩次英法聯軍之役，戰債賠款，爲數不小；內有太平天國事件，擾攘長江流域地區十餘年，不但打斷了陶澍的鹽務改革，而且江南財賦之區稅收大受影響，兩淮食鹽運輸孔道的長江航運受阻，淮鹽銷售大減，清朝面臨了兩千年未有的變局，在鹽務上被迫採取了一些臨時性的應變措施，形成了新的鹽務管理問題，「川鹽濟楚」打破了專商引岸制度，可惜清政府並未利用此一機會，徹底解決明代以來食鹽運銷的根本問題。清代末葉，地方督撫權力大增，滿清企圖利用官制改革集權中央，在鹽務管理組織上也做了調整，反因此造成督撫的離心離德，加速了清政權的覆亡。武昌起義，各省紛紛宣佈獨立，清政府的鹽政改革也隨之消弭無蹤。

　　民國成立，有識之士大聲疾呼鹽務改革，以解決專制時代壟斷不合理的鹽制，減輕人民以高價購食劣等食鹽的現象，但是保守勢力強大，鹽務改革派無法撼動既得利益者的堡壘，改革的計畫雖完整可行，卻一籌莫展，鹽務改革前途似乎一片黑暗，此時適逢民國成立後，中央政府財政竭絕，不得不向列強組成的銀行團借款，銀行團爲確保債權，要求以鹽稅擔保，聘請丁恩爲鹽務

---

32 郭廷以，《近代中國史綱》上冊，台北曉園出版社 1994 年 5 月初版 1 刷，頁 57-58。

稽核總所會辦，整理鹽稅。此時二次革命失敗，國內反對袁世凱勢力消退，中央政府權力大增，加上丁恩兼鹽務署顧問，對鹽務可無所不過問，在列強與銀行團強力支持下，丁恩以其在印度從事鹽務改革的經驗，大力改革中國鹽務，績效卓著，鹽稅大增，深為中國政府滿意，民國七年二月（1918）兩任任期屆滿，離開中國，在他任內雖然尚未達成食鹽自由銷售，與完全打破引界的限制，但是已經奠定了日後鹽務改革的基礎，本文所謂的民國初年，即以丁恩離職為斷限。

　　從清朝後期至民國初年，近九十年中間，政治變動劇烈，社會變遷迅速，外來思想引進繁雜，西方新技術引進快速，人民對食鹽的需求，並不因朝代的更替，社會制度的變遷而有所改變，朝野都有改革鹽務的呼聲，無論清朝統治時期內憂外患紛至前陶澍的改革，太平天國事件期間清廷臨時性的因應措施，或清末民初張謇的改革實驗，中華民國成立後，江蘇、浙江、四川、福建、廣東等省，已都有主動與被動改革鹽務的實際作為，張謇甚至利用他和袁世凱的特殊關係，並出任實業、工商總長，擬定計劃，糾集同志，積極推動鹽務改革，但是保守勢力強大，鹽務弊病並未盡除，人民仍無法獲得物美價廉的食鹽，直到丁恩出任鹽務稽核總所會辦，中國鹽務改革才露出一線曙光。本文試圖打破政治上朝代的更迭，在中國變動最劇烈的九十年間，透過幾次鹽務管理制度變革，尋找出改革成敗的原因與教訓，以供參考，並就教於方家。

　　清末民初關心鹽務的景學鈐曾說，鹽務問題複雜萬端，「一般學者向視鹽務為秘密，無從研究」[33]，其中重要因素即為鹽務

---

33 景學鈐，〈鹽政叢刊自序〉，景學鈐編，《鹽政叢刊》（上），北京鹽政雜誌社民國 10 年出版，頁 1。

專有名詞頗多,初學者多不易解,以致未能深入研究,作者本人亦爲此一困難困擾多年,爲便利讀者,特於行文時遇有鹽務專有名詞,加一粗線,在各章後加「鹽務專有名詞釋義」附錄,以利閱讀。

附 錄

鹽務專有名詞釋義（資料出自林振翰《鹽政辭典》與王守基《鹽法議略》，
不另加註）

1. 引鹽：明清兩代銷售食鹽必須取得戶部鹽引，才能到產鹽地
納課運鹽。以鹽若干斤爲一引，每引納課若干，引與課
之輕重各地皆不同。銷鹽之地域爲引地，或稱引岸，經
營鹽業者爲引商。引商既認繳一地之引稅，在其引界內
有專賣之權，謂之專商。凡已納引稅之鹽謂之引鹽，就
是官鹽，否則即爲私鹽。

2. 綱鹽制：綱鹽制爲萬曆年間，各處引岸皆被餘鹽、私鹽佔據，
正鹽壅滯不行，萬曆四十五年（1617），兩淮鹽法疏理道
袁世振建議，實行綱運制度，把過去運司掣鹽批數的
「單」，改爲「綱」，綱是依據鹽院「紅字簿」，依照順序，
刊定一冊，將淮南納過餘鹽銀二百餘萬引的鹽引，分爲
十綱，以「聖德超千古，皇風扇九圍」十字編爲綱冊，
每年以一綱行舊引，九綱行新引，既疏通舊引以救內商，
又出售新引以照顧邊商，是爲綱鹽制。

3. 帶徵：於額定徵收正課外，帶完他商欠課，是謂帶徵。帶徵
之法原爲恤商，卻導致非徒積欠帶徵，甚至額定之款亦
復不能完納，愈積愈多，商欠永無清完之日，是帶徵之
弊也。

4. 壓徵：原爲漕糧徵收時，將所欠額課分年補徵，如帶徵之年
又遇災傷，准予壓徵帶補，謂之壓徵，後鹽課也有壓徵
之事。

5.接徵：清代負責徵收稅款的官吏離職後，所積欠未徵之稅
款，由後任負責繼續徵收，謂之接徵。

6.票鹽法：明代山東、兩浙、河東等區，凡近鹽場各州縣，人
民多食未稅之鹽，引商不願前往納稅銷鹽，皆行票鹽之
法，不限專商，允許小額購鹽轉售，由官給票，量收課
稅。清初以給票行鹽不在額引之內，畫一引制，改票行
引，名曰票引，在鹽引照單上加用票鹽改引之戳記，以
便區別。道光年間，淮北引鹽壅滯，額課欠收，陶澍在
淮北改行此制。

第二章　清代以前鹽制沿革

　　中國歷史久遠，國土遼闊，歷代鹽務管理、徵稅制度迭有變革，同一朝代常有變化，同一時代也因地而異，十分複雜。以下按時間先後，分三個階段，先秦時期、秦漢至隋唐、宋代至明代，略述中國歷史上幾個重要朝代鹽制的變化，以明瞭清代以前鹽務管理制度流變之淵源。

第一節　先秦時期的鹽制

　　鹽是動物生存不可或缺的物質，中國歷代政府早已以專賣、重稅等手段，作爲充實國家財稅重要來源。

　　新石器時代以後，人類對食鹽的需求日增，誰能掌握食鹽產地，就能夠繁衍發展。中國考古發現的許多遺址都和鹽產地有關，例如新疆地區兩個主要文化帶，一個在塔里木盆地周圍，一個從烏魯木齊經天山南北到哈密一帶，大多分布在鹽池、鹽湖或鹽沼澤附近；河套地區的細石器文化與吉蘭泰、小花馬池、紅鹽池等池鹽生產地相關；西侯度、匼河、丁村、夏縣西陰村、馬家窯等遺址與解池產鹽地有關連性；長江上游巴蜀地區的遺址分佈也與川東產鹽地相關；沿海地區文化發展則與海鹽生產有關係。總體說來，在中國新石器時代到金石並用時代，所有的文化區都與鹽

源產地有明顯的對應關係[1]。

相傳中國古代製鹽業可以追溯到炎帝、黃帝時代。漢宋衷注、清孫馮翼集《世本》有「夙沙作煮鹽」的紀錄，清王謨輯《漢魏遺書鈔》《世本》則云：「夙沙氏煮海爲鹽」，注曰：「夙沙氏炎帝之諸侯，今安邑東南十里有鹽宗廟。」另注：「夙沙齊靈公臣，齊濱海，故以爲魚鹽之利。」由上述二注觀之，夙沙氏一說爲炎帝諸侯，在安邑，則爲製解池之鹽；一說濱海，爲齊靈公臣子，煮海水爲鹽，齊靈公爲春秋晚期的諸侯，在位時間是西元前 581 年至西元前 554 年。在古代傳說中，夙沙氏製鹽的時間及地望差異頗大，惟夙沙氏製鹽的傳說則一。[2]

中國古史的傳說時代，黃帝和蚩尤的戰爭，據說也和爭奪山西南部解池的的食鹽有關，傳說黃帝和蚩尤戰於涿鹿，涿鹿是現在的什麼地方，古史學者有不同的說法，錢穆認爲涿鹿在山西省解縣鹽池附近[3]，傳說中黃帝打敗蚩尤，蚩尤的屍體被支解，因此地名被稱爲解州或解縣，蚩尤的血流入鹽池化爲鹵水，故而解鹽常帶點兒紅色[4]，晉南有一種傳說，認爲後人食用帶有蚩尤血的鹽，一則見蚩尤罪惡深重，再則讓後世之人反省[5]。張其昀、陳然、

---

1 玄永棟，〈鹽源與人類文化的發展〉，《山東社會科學雙月刊》1994 年第 2 期，頁 89-91。

2 漢宋衷注、清孫馮翼集，《世本》，王雲五主編《叢書集成簡編》《世本》，台灣商務印書館印行民國五十五年台一版；清王謨輯，《漢魏遺書鈔》《世本》，嚴一萍選輯，《叢書菁華》，藝文印書館原刻影本，頁 15；另《鄧析子》〈轉辭篇〉「夙沙氏」作「宿沙氏」見叢書集成初編，北京中華書局 1991 年 1 版，頁 7。

3 錢穆，《國史大綱》，台灣商務印書館民國 64 年 5 月修訂二版，頁 7。

4 山西省的鹽因含有鐵，多帶紅色，見鄭尊法，《鹽》，頁 91。

5 沈括，《夢溪筆談》卷三〈辯證〉一，四部叢刊續編子部，台灣商務印書館民國 55 年影本，頁 4；柴繼光，《運城鹽池研究》，山西人民出版社 1991 年 10 月一版一刷，頁 8。

曾凡英等幾位學者，在他們的著作中都明白指出，黃帝和蚩尤的
戰爭是因食鹽而起，作戰主要目的是爭奪河東解池的食鹽，蓋鹽，
國之大寶，掌握解池的鹽，就掌握了對附近其他部落的控制權[6]。
此外，堯都平陽、舜都蒲坂、禹都安邑，這些古都的地點，據研
究都距離河東產鹽地不遠，古代的政治領袖，選擇適合種植又生
產食鹽的地區，建立政權，利用食鹽吸附或控制附近部落，或者
做為和附近部落交換物資，獲取財富的依靠，我們從前章所述新
石器時代人類食物的變化，與畜養動物必須充分供應食鹽才能生
存的說法，應可接受這樣的推論[7]。

　　三代以前，俗淳事簡，山海之利未有禁榷，應為中國食鹽無
稅制的階段。到了夏朝，《尚書》〈禹貢〉有青州「厥貢鹽絺」的
說法[8]，似乎將食鹽當作一種地方特產，貢獻給統治者，並未由國
家壟斷，或為一種變相的徵稅[9]；西周初年，太宰以九貢致邦國之
用，其九曰：物貢，包括漁、鹽、橘、柚之屬，對於鹽之產製運
銷，皆聽民自由，在產地設虞衡之官，掌其政令，並不與民爭利[10]。

6　柴繼光，《中國鹽文化》，北京新華出版社 1991 年 12 月一版一刷，頁 32-33。
7　石璋如，〈殷代的鑄銅工藝〉一文，論及殷商國都與銅礦所在地之關係，見
　　《中央研究院歷史語言研究所集刊》第 26 本，1955 年，頁 102-103。張光
　　直雖不反對石璋如的看法，卻提出「晉南除了銅礦以外，還有華北最豐富
　　的鹽礦，在中國古代的確是一個富有戰略性資源的地區。」的說法，認為
　　鹽源也是選擇國都的重要考量因素，見張光直，《考古學專題六講》，第六
　　講〈三代社會的幾點特徵 —— 從聯繫關係看事物本質兩例〉，稻香出版社民
　　國 82 年 10 月再版，頁 126-127。拙見以為，以鹽源的爭奪來解釋三代以前
　　國都的遷移，較具全面性，因為照現有考古資料，中國青銅時代始於西元
　　前 2100 年左右，約在夏代，亦即夏代以前不太可能因為銅礦而遷都。
8　簡朝亮撰，《尚書集注述疏》卷三〈禹貢〉，鼎文書局民國 61 年影本，頁 126。
9　曾仰豐，《中國鹽政史》，北京商務印書館 1998 年 4 月影印本，頁 3。
10　佐伯富認為，周政權令殷遺民去販賣食鹽，從中獲利，才稱呼販鹽者為商
　　人，原是固有名詞的商人，後來成為普通名詞。則周朝時已大量販售食鹽
　　以獲取利益，其說不知何所本。見佐伯富著、魏美月譯，〈鹽與歷史〉，《食
　　貨月刊》復刊第 5 卷第 11 期，頁 34；曾仰豐，《中國鹽政史》，頁 3-4。

《史記》〈貨殖列傳〉曰：「太公望封於營丘，地潟鹵，人民寡。於是太公勸其女功，極技巧，通魚鹽，則人物歸之，繦至而輻湊。故齊冠帶衣履天下，海岱之間，斂袂而往朝焉。[11]」似乎在西周初年齊國就因為富魚鹽之利，而強於他國。由於古史資料的不足，三代的鹽務管理與稅制，今日已難追究，惟夏、商、周三代，政府財政收入以實物型態呈現，寓稅於貢，鹽稅並非政府財政主要來源，但仍可看出，鹽在古代戰爭，和在華夏民族摶聚生成過程中的重要意義。

周平王東遷後的東周，是中國制度變遷劇烈的時代，周天子衰微，王室財政拮据，經濟力不足，以致政治影響力式微，而地方諸侯為了生存，各自從事稅制改革，晉國作爰田，魯國初稅畝，楚國書土田、量入修賦，鄭國實行丘賦制，目的都在增加政府財政收入，富國強兵，地方經濟快速發展而崛起的諸侯，爭霸天下，齊、燕、楚、晉、秦等國都有食鹽生產，皆能在春秋時期保有宗廟，甚至稱霸。其中齊國管仲推行新經濟政策，不但實行了「均地分力」、「與之分貨」，即按土地面積與肥瘠徵稅的辦法。在傳統稅賦之外，充分利用齊國濱海的地理優勢，靠漁鹽之稅充實財政[12]，史稱：「管仲既任政相齊，以區區之齊，在海濱，通貨積財，富國強兵。[13]」管仲「通貨積財」的方法是：「通齊國之漁鹽於東萊，使關市幾而不徵，以為諸侯利，諸侯稱廣焉。[14]」在食鹽生產、銷售方面，管仲建議桓公「官山海」，主張「海王之國，謹正

---

11 司馬遷，《史記》卷 129〈貨殖列傳〉第 69，藝文印書館史記會注考證影印本，頁 6。

12 宮崎市定，〈中國古代賦稅制度論〉，載杜正勝編，《中國上古史論文選集》（下），華世出版社 68 年 11 月初版，頁 792（全文見是書頁 749-795）

13 司馬遷，《史記》卷 62〈管晏列傳〉第 2，史記會注考證本，頁 4。

14 《國語》卷 6〈齊語〉，百部叢書集成原刻景印本，頁 11-12。

鹽筴。」管仲向齊桓公分析，「十口之家，十人食鹽；百口之家，百人食鹽。終月大男食鹽五升少半，大女食鹽三升少半，吾子食鹽二升少半，此其大歷也。」既然人人都需食鹽，「鹽百升而釜，令鹽之重，升加分彊，釜五十也；升加一彊，釜百也；升加二彊，釜二百也；鍾二千，十鍾二萬，百鍾二十萬，千鍾二百萬，萬乘之國，人數開口千萬也。[15]」

　　管仲認為農業為本，主張「孟春既至，農事且起」，「北海之眾，無得聚庸而煮鹽」，人民應於「十月始正，至於正月」，「請君伐菹薪，煮泲水為鹽，正而積之」，「成鹽三萬六千鍾」，除了供應國人食用，「修河、濟之流」，將食鹽「南輸趙、梁、宋、衛、濮陽，惡食無鹽則腫，守圍之本，其用鹽獨重。」桓公依管仲的建議，利益「不但百倍歸於上」，且因為政府不徵鹽稅，人民無逃稅之虞，「故民愛可洽於上也」，運銷他國，「得成金萬一千餘斤」[16]。從現有的資料看，管仲控制了齊國食鹽生產的時間，並將人民生產的食鹽「正而積之」，即全部收購，並統一管理運銷事宜。故而多數學者主張，管仲對食鹽是採取民製、官收、官運、官賣的部分官專賣制，也稱狹義專賣[17]。齊桓公採納管仲建言，將食鹽變成特殊商品，把食鹽官收，加價後銷往他國，形同在他國徵收鹽稅，國用以足，齊以富強。春秋時代產鹽之國，如燕、晉、楚、吳對食鹽產銷，仍採取放任私人經營，出現了許多經營食鹽致富的商人，都無法像管仲實施食鹽官專賣制，將財富集中於政府，

---

15 《管子》卷 22，〈海王〉第 72，頁 2；另〈國蓄〉第 73，頁 4 有類似的說法，四部備要子部，中華書局據明吳郡趙氏本影印，頁 128、頁 142；林振翰編，《鹽政辭典》，中州古籍出版社 1988 年 12 月 1 版 1 刷，亥 28 頁。

16 《管子》卷 23，〈地數〉第 77，頁 3；另卷 23〈輕重〉甲第 80，頁 15 有類似的說法。

17 曾仰豐，《中國鹽政史》，頁 2；羅慶康，〈春秋齊國與兩漢鹽制比較研究〉《鹽業史研究》1998 年第 4 期，頁 34。

成就了桓公的霸業[18]。

　　春秋、戰國時代是中國變遷快速的時代，為達到富國強兵的目的，各國相繼採取了各種新的制度，在經濟思想領域內，形成了兩種截然相反的主張，一種主張順其自然，國家不做過多的干預和限制；一種則強調國家應干預社會經濟。在各國逐漸建立中央集權的制度的過程中，經濟干預思想為法家所主張，也為統治者所採納[19]。管仲的食鹽專賣是經濟干預思想的重要代表，也是後世專賣制度的濫觴，他將財源集中在中央政府，為日後實行中央集權制的多數朝代所仿效，對中國日後的食鹽專賣制度影響深遠，管仲也被尊為鹽宗之一[20]。

第二節　秦漢至隋唐的鹽制

　　秦代的鹽業政策，史書並無明確的記載。《漢書》〈食貨志〉記董仲舒言：「至秦則不然，用商鞅之法，改帝王之制，除井田，民得買賣，富者田連阡陌，貧者無立錐之地。又專川澤之利，管山林之饒……又加月為更卒已，復為正一歲，屯戍一歲，力役三十倍於古，田租、口賦、鹽鐵之利二十倍於古。[21]」另外，《鹽鐵

---

18 馬新，〈論漢武帝以前鹽政的演變〉，《鹽業史研究》1996 年第 2 期，頁 9；
　　蔣大鳴，〈中國鹽業起源與早期鹽政管理〉，頁 4，
　　http://www.guoxue.com/economics/ReadNews.
19 林文勳，〈中國古代專賣制度的源起與歷史作用〉，《鹽業史研究》2003 年第
　　3 期，頁 12。
20 《管子》一書並非管仲所著作，成書年代是有爭論的，一般認為成書於戰
　　國以後，不過學者認為其書仍代表了部份管仲或管仲學派的思想。見張心
　　澂，《偽書通考》下冊，子部法家，台灣商務印書館民國 59 年 5 月台一版，
　　頁 763-769。
21 班固，《漢書》卷二十四上，〈食貨志〉四上，藝文印書館影本，頁 518。

論》〈非鞅篇〉引大夫言：「昔商君相秦也，內立法度，嚴刑罰、飭政教，奸偽無所容。外設百倍之利，收山澤之稅，國富民強，器械完飾，蓄積有餘。……鹽鐵之利，所以佐百姓之急，足軍旅之費，務蓄積以備乏絕，所給甚眾，有益於國，無害於人。[22]」由上述資料看，秦國自商鞅變法，鹽鐵收入大增，吾人雖不能論斷秦的鹽鐵販售制度為何，但是從商鞅變法內在精神上看，在經濟上採取重本抑末，應非鼓勵商人從事鹽鐵販售，商君書上說商鞅「一山澤」，將山澤產物由國家統一生產管理的機率較高，即實行官專賣制，才有史記貨殖列傳所說：「漢興，海內為一，開關梁，弛山澤之禁。」也才有：「文帝之時，無鹽鐵之利而民富。」的情形[23]。

　　漢初所施行開放自由的鹽業政策，到了漢武帝時有了重大改變。漢武帝用兵四方，封禪修陵，國用不足，據研究漢武帝僅北伐匈奴一項，自元光元年（西元前 133 年）六月至元狩四年（西元前 119 年），花費達 115 億多，為國家財政收入的 2.8 倍，其他征南越、伐大宛、封禪、修陵墓尚不包括在內[24]。元狩三年（西元前 120 年），御史大夫張湯承上旨，建議「籠天下鹽鐵」，四年，大農丞領鹽鐵事東郭咸陽、孔僅建議，行「鹽鐵專賣」[25]，認為「山海，天地之藏，皆宜屬少府，陛下不私，以屬大農佐賦。願

---

22 桓寬撰、陳宏治校注，國立編譯館主編，《新編鹽鐵論》〈非鞅篇〉，台灣古籍出版有限公司 2001 年 5 月初版 1 刷，頁 99。

23 秦所實行鹽鐵政策學者有不同看法，曾仰豐、羅慶康、羅威主張秦開放民營，抽取重稅；馬新、李明明、吳慧、郭正忠等人則主張官專賣。請參考曾仰豐，《中國鹽政史》，頁 4；羅慶康、羅威，〈漢代鹽制研究〉，《鹽業史研究》1995 年第 1 期，頁 54；馬新，〈論漢武帝以前鹽政的演變〉，《鹽業史研究》1996 年第 2 期，頁 10-11；李明明、吳慧，《中國鹽法史》，頁 33-37；郭正忠主編，《中國鹽業史》古代編，頁 29-30。

24 羅慶康、羅威，〈漢代鹽制研究〉，《鹽業史研究》1995 年第 1 期，頁 57-58。

25 司馬遷，《史記》，卷 30〈平準書〉，史記會注考證本，頁 22-23。

募民自給費，因官器作煮鹽，官與牢盆。……敢私鑄鐵器煮鹽者，鈦左趾，沒入其器物。[26]」遂命東郭咸陽、孔僅巡行郡國，在各地隨宜設置鹽鐵官署，據《漢書》〈地理志〉記載，全國先後設置管理官府共四十餘處，大多數是設在產鹽地，主管食鹽的生產，部分則設在不產鹽的地方，如蒼梧郡高要縣的鹽官負責食鹽的轉運銷售工作，並選拔鹽鐵家富者任為官吏，負責各地鹽鐵事務[27]。由於制度初立，又由舊商領鹽鐵事，行法非人，管理不善，導致生產成本不高的鹽，政府官鹽售價昂貴，且品質不佳，人民常有淡食之虞。元封元年（西元前 110 年），桑弘羊為治粟都尉，兼領大農令，針對上述弊端加以修正，置大農丞數十人，分部主郡，又設均輸、鹽鐵官，平均配運，調節鹽價，制度稍為完備，鹽價亦得平抑，國用以贍[28]。

漢武帝所實行的鹽制，從製鹽到運銷，都由政府掌控，完全國營，並不假手商販，稱為全部專賣制。武帝所實行的鹽制另一重大改變是，食鹽專賣收入原歸屬於少府，也就是屬於皇室所使用的財源，改畫歸大農令，變成軍國使用的財源，從此鹽稅逐漸在國家歲入中佔有越來越重要的地位。食鹽專賣有多重的政治目標，既可增加政府稅收，也有打擊因經營鹽鐵致富的地方豪強之意[29]，政策目標是多重的。但是不容否認的，全部官賣制其弊端也多，官府以低價收購鹽民生產的食鹽，轉手高價售出，強徵百

---

26 班固，《漢書》卷二十四下，〈食貨志〉四下，頁 527-528。
27 李明明、吳慧，《中國鹽法史》，頁 45；羅慶康、羅威，〈漢代鹽制研究〉，《鹽業史研究》1995 年第 1 期，頁 59。
28 班固，《漢書》卷二十四下，〈食貨志〉四下，頁 531。
29 桓寬撰、陳宏治校注，國立編譯館主編，《新編鹽鐵論》〈復古篇〉，代表官方意見的「大夫」有云：「總一鹽錢（鐵）非獨為利以也，將以建本抑末，離朋黨、禁淫侈、絕併兼之路也。」頁 87；楊華星、繆坤和，〈試論漢武帝時期的鹽鐵專賣〉，《鹽業史研究》2004 年第 3 期，頁 16。

姓從事食鹽運輸的勞役，加上官營事業效率不彰，官吏不良，鹽質苦惡，民煩苦之。昭帝始元六年（西元前 81 年），霍光輔政，詔賢良文學問民間疾苦，民間學者多主罷鹽鐵專賣。民間反對聲浪雖高，因爲國家財政仰賴過深，又沒有新的替代財源，會後雖然取消了酒的專賣，關內鐵官也廢除，仍不敢貿然取消食鹽專賣制度。事實上，終兩漢、魏晉、南北朝，除了少數時間與地區，對專賣制度做了調整，全部專賣爲此一階段食鹽產銷的制度[30]。

　　隋初依北周鹽制，開皇三年（583），罷除鹽禁，至唐玄宗開元十年（722）復行徵收鹽稅，其間凡一百三十餘年，爲中國歷史上罕見的有統一政府，卻不徵收鹽稅時代[31]。

　　唐玄宗天寶十四年（755），安史亂起，不但是唐朝歷史的關鍵轉折，也是中國鹽務管理制度的重大變遷的年代。由於地籍散亂，租庸稅法不行，平原太守顏真卿，因軍用匱乏，收購滄州所產食鹽，以官價販售於民，軍用饒足[32]。第五琦於肅宗至德元載（756）效顏氏作法，行榷鹽法[33]。乾元元年（758）正式頒布鹽法：「就山海井灶收榷其鹽[34]」，所謂「榷」，即「專略其利」的意思，也就是壟斷的意思[35]。在中央政府設置鹽鐵使司，長官爲鹽鐵使，地方置監院收榷、出糶民製之鹽，官定價格出售，禁止私

---

30 曾仰豐，《中國鹽政史》，頁 8；黃純艷，〈魏晉南北朝世族勢力的膨脹與鹽政演變〉，《鹽業史研究》2002 年第 2 期，頁 3-9。
31 曾仰豐，《中國鹽政史》，頁 5。
32 佐伯富曾分析，唐朝實行府兵制，由農民輪流當兵，故而不必抽取鹽稅，府兵制隨著租庸調法的破壞而崩潰，開始實行傭兵制，爲了維持傭兵，必須籌措大筆經費，開始實行鹽鐵酒等商品專賣，見佐伯富著、魏美月譯，〈鹽與歷史〉，《食貨月刊》復刊第 5 卷第 11 期，頁 34-35；歐陽修、宋祁撰《新唐書》卷 153〈顏真卿傳〉，洪氏出版社民國 64 年元月出版，頁 4856
33 司馬光，《資治通鑑》卷 219，台灣中華書局民國 54 年出版，頁 7002。
34 歐陽修、宋祁撰，《新唐書》卷 54，〈食貨志〉，頁 1378。
35 張九齡等撰，《唐六典》卷 20，台北商務印書館民國 65 年影印本，頁 8-9。

煮販售。形成民製、官收、官運、官銷的產銷模式，屬部分官專賣制[36]。惟第五琦所實行的鹽法不夠周密，私鹽充斥各地，劉晏繼起改革[37]。

唐肅宗寶應元年（762），劉晏復任戶部侍郎兼京兆尹，並充度支、轉運鑄錢、鹽鐵使，他認為：「官多則民擾，故但於出鹽之鄉置鹽官，收鹽戶所煮之鹽，轉鬻於商人，任其所之，自餘州縣不復置官。其江嶺間去鹽鄉遠者，轉官鹽於彼貯之，或商絕鹽貴，則減價鬻之，謂之長平鹽，官獲其利而民不乏鹽。[38]」可知劉晏主張民製、官收，食鹽生產後，由政府收購，加價後就場售予商販，商人購鹽後，聽其自由貿易，這是中國歷史上第一次政府與商人合作運銷食鹽的商專賣制，也稱「就場專賣制」。

歷史上對其改革評價極高，劉晏的就場專賣，簡化了專賣手續，精簡了鹽務機構，儘量減少鹽官，節省行政開支，利用商人從事運銷，提高運銷效率，降低貪污中飽，從此唐代皇親、官宦、功勳之家原來不用承擔稅負，這些不課戶在實行「就場專賣」後，也得負擔鹽稅，等於擴大了稅基，達到了稅賦公平的目的。食鹽直接和間接成本降低，市場鹽價低廉而且供應穩定，民無淡食之苦，國家稅收反而增加。劉晏大歷元年（766）初掌鹽務時，江淮鹽利一年不過四十萬緡，大歷末年（776）鹽利增加至六百餘萬緡，而通計一年政府稅賦共一千二百萬貫，鹽稅佔全國稅賦一半，十年間鹽利增加十餘倍，鹽價並未大漲，人民負擔並未增加，這都是劉晏「理財常以養民為先」的理念下，以「薄賦」為原則，認

---

36 曾仰豐，《中國鹽政史》，頁 8-9。
37 郭正忠主編，《中國鹽業史》古代編，頁 133-134。
38 司馬光，《資治通鑑》卷 226，頁 7286。

爲「戶口滋多，則稅賦自廣」的理念所致[39]。

進一步深入分析，劉晏改革鹽務制度制度成功的另一因素是個人因素。史書上記載，「晏所辟用，皆新進銳敏，盡當時之選。趣督倚辦，故能成功。」「其場院要劇之官，必盡一時之選。」可知他了解改革成功必須依賴適當的人才，對人才的揀選拔擢十分重視，但是他對官場上權貴推薦的人，劉晏也不得罪，加以任用，「俸給多少，命官之遲速，必如其志，然未嘗得親職事，是以人人勸職。」劉晏又對人性十分了解，常以爲：「辦集眾務，在於得人，故必擇通敏、精悍、廉勤之士而用之。」嘗言「：士有爵祿，則名重於祿，吏無榮進，則利重於名。故檢校出納，一委士人，吏惟奉行文書而已。」利用知識份子的成就感，不只來自於金錢俸祿，更來自於榮譽感與責任心，表現優異，升遷機會頗多，只要能激發知識份子的積極性與榮譽心，受禮教薰陶的士人，較少違法濫權，是以重用士人；胥吏則在仕途上缺少晉升機會，久居其位，難免藉機玩法圖利。由於劉晏頭腦清晰，處事明快，「其部吏居雖數千里之外，奉教令如在目前，雖寢興晏語，而無欺詒，四方動靜，莫不先知。」他領導的鹽務改革，「惟晏能行之，他人不能也。[40]」領導者本人明敏，執行者實心任事，改革成效自然呈現。

全部官賣制，官自煮鹽，官自賣鹽，利全歸政府；商專賣制，官僅收民製之鹽，轉交商人運銷，既不奪鹽民之業，亦不奪商販之利，就場糶商，縱其所之，自由運銷，無引界限制，邊遠地區商人不願運鹽銷售地區，由政府預儲之長平鹽，解決缺鹽與價昂

---

39 司馬光，《資治通鑑》卷 225，頁 7261；劉晏的鹽務改革及其成效，可參考吉成名，〈論劉晏鹽法改革〉，《鹽業史研究》2002 年第 4 期，頁 24-27。
40 司馬光，《資治通鑑》卷 226，頁 7285。

的問題，更重要的是他了解鹽政管理在於得人，而不在官多。可說事事慮及，面面俱到，制度美善，值得後世取法。王夫之在論劉晏時說：「其所取盈者，奸商豪民之居贏與墨吏之妄濫而已。」「榷鹽之利得之奸商，非得之食鹽之民也。」對劉晏的鹽稅政策讚許有加，認為「後世猶限地界以徇奸商，不亦愚乎。[41]」

　　劉晏所實行的食鹽運銷體制，給後世最大的啟發在於，任何商品在市場上流通，應尊重市場本身的調節機能，也就是十八世紀英國經濟學家亞當・史密斯（Adam Smith）在《國富論》（The Wealth of Nations）一書中所說，市場有一隻看不見的手，藉這隻看不見的手，調節「私人的利益與人類的慾望」，便可導入於「最適合於整體社會利益的方向」[42]。政府為了獲取鹽稅，建立食鹽管銷制度，原無可厚非，但是世界上並無萬能政府，如果過度干預，又未任用適當的人才管理鹽務，反而容易造成官商勾結，私鹽盛行。不如劉晏所實行抽稅後，放任商人自由運銷，為防止商人不運運鹽至偏遠地區，才以政府力量設置常平鹽倉，濟自由貿易之窮，免人民乏鹽可食。符合市場經濟的制度，加上執行得人，食鹽運銷問題自然迎刃而解。劉晏以後，鹽法管理日趨混亂，出現了鹽利虛估的現象，政府不斷加稅，鹽價不斷上升，官收不能過半，民怨沸騰，苦不堪言[43]。五代時期動盪分裂，各政權發展出「折博」、「蠶鹽」、「俵配制」、劃界銷鹽種種做法，對日後食鹽管理制度都有相當程度的影響[44]。

---

41 司馬光，《資治通鑑》卷 226，頁 7285-7286；王夫之，《讀通鑑論》卷 24，台灣中華書局四部備要本，頁 6-9。

42 Robert・L・Heibroner 著，蔡伸章譯，《改變歷史的經濟學家》，〈二.亞當史密斯的美妙新世界〉，志文出版社 2000 年 11 月再版，頁 49。

43 李福國，〈淺析唐代鹽的專賣制度〉，《玉溪師範學報》（社會科學版）第 11 卷 16 期，1995 年，頁 65-66。

44 郭正忠主編，《中國鹽業史》古代編，頁 218-230。

第三節 宋代至明代的鹽務管理制度

宋代食鹽運銷上承五代，主要為官搬官賣與通商兩種，細分之則包含了完全專賣、部份專賣、商專賣與自由貿易四種形式[45]。食鹽不由官搬官賣，商人以現錢購買鹽交引，再由鈔引商客運銷的做法，叫做「鈔鹽法」[46]。由於宋代是中國歷史上外患最劇烈的時代，強鄰壓境，戰爭迭作，沿邊軍需糧草供需量至鉅，且不可一日或缺；另一方面，政府掌握了大量茶、鹽，堆積如山，加上市舶司抽解的外國貨物，如香藥、犀、象之類，也充盈府庫，不得其用，亦如廢物。因軍事上的需要，為解決邊疆糧草運輸的問題，承繼了五代後唐「折博」制，以「入中」與「折中」的辦法解決問題[47]。所謂「入中」（宋代也稱中賣），即商人運輸芻粟於邊，以「要券」取鹽、緡錢、香藥、寶貨於京師或東南州軍，陝西則受鹽於兩池；「折中」，即按照商人運送貨物的遠近等差估價，於其他地方，以茶、鹽、香料等物折償商人之意。在此交換過程中，政府給商人的「要券」是一種有價證券，宋代叫「交引」或「交抄」，專門用來取鹽的叫「鹽交引」[48]，商人入中所形成的商運商銷制，也屬於鈔鹽制。此制對日後食鹽運銷制度影響頗為深遠。一方面官賣制收入屬於地方政府，通商則鹽利歸中央，由

---

45 戴裔煊，《宋代鈔鹽制度研究》，北京中華書局 1981 年 3 月新 1 版，頁 56；另郭正忠則認為，可再增加合同場制及陝邊關賣鈔鹽與福建落草鹽共六種。見郭正忠，《宋代鹽業經濟史》，北京人民出版社 1990 年 1 版 1 刷，頁 4。

46 郭正忠，《宋代鹽業經濟史》，頁 475。

47 一般學者多以為折博制度始於宋代，郭正忠考證應於後唐長興四年（933年），見郭正忠，《宋代鹽業經濟史》，頁 473。

48 戴裔煊，《宋代鈔鹽制度研究》，頁 1。

於折中制度的逐漸發展，致使鹽稅變成中央稅，宋徽宗崇寧（1102－1106）以後，官府給予鹽商許多優渥的待遇，商人大量購買鹽鈔，鈔鹽變成國家主要收入。南宋以後外患頻仍，戰爭迭作，軍費浩大，鈔鹽錢成為維繫政府財政的重要支柱；另一方面，鈔引商人在政府層層控制之下，成為官鹽的代銷者，鈔引成為明清以後合法運銷食鹽的憑據[49]，加上各地鹽價高低不同，為防止越界侵奪課利，有了官鹽銷售區禁止商鹽銷售的界限，引岸制也日漸浮現[50]。

明代建國，北元未滅，許多制度都與國防的鞏固相關。朱元璋仿唐朝府兵制，自京師至郡縣設衛所，為解決邊境糧餉運輸，沿襲宋制，行「開中法」。開中法就是讓商人入粟邊境，換取鹽引，憑鹽引到內地指定鹽場支鹽，在指定地區銷鹽，如此可省轉輸之費，軍儲之用充足。此制始於太祖洪武三年（1370），因大同儲糧自陵縣長蘆運至太和嶺，路遠費重。令商人自運米一石入大同倉，或運米一石三斗入太原倉者，給淮鹽一引，每引 200 斤[51]。開中法從山西開始實施，成效卓著，省民力，足軍食，更刺激了商業發展。次年即在全國推廣開來，遍及山西、陝西、河南、寧夏、甘肅、湖廣、北平、廣東等地。終洪武一朝，除上述各省，四川、雲南、貴州、山東、江西、廣西也都實施了中鹽法[52]。商人運糧換取食鹽，謀取利益，足跡遍佈全國。

---

49 郭正忠《宋代鹽業經濟史》，頁 483-484；郭正忠，〈宋代的鹽商與商鹽〉，《鹽業史研究》1996 年第 1 期，頁 6-7。

50 何旭艷，〈論蔡京變鹽法〉《溫州師範學院學報》（哲學社會科學版）第 23 卷第 5 期，2002 年 10 月，頁 37；戴裔煊，《宋代鈔鹽制度研究》，頁 73-78。

51 黃彰健校勘，《明太祖實錄》卷 53，中央研究院歷史語言研究所校印，民國 51 年出版，頁 1053。

52 李珂，〈從洪武中鹽法看鹽商的歷史作用〉，《歷史檔案》1997 年第 4 期，頁 77。

　　成祖永樂二十二年（1424）規定了開中的具體步驟，分為報中、守支、市易三階段。報中就是鹽商根據政府招商榜文規定的開中內容，將軍需物資送到指定地區倉庫交驗，領取相對數額的鹽引；守支是商人領到鹽引票證後，到指定鹽場憑引守候支鹽，因為守候支鹽的時間越來越久，手上持有鹽引的商人稱為邊商，無法久候，遂將鹽引賣給專門負責守支的商人稱為內商，守支得鹽後，多數內商並不自行運鹽至銷區，而是將鹽轉售予水商運銷，形成邊商、內商、水商分工的情形[53]；市易則是鹽商將鹽運至指定銷鹽區銷售。開中法不斷演變，已不限於邊徼衛所納糧換鹽，連遇到災荒賑濟、或支付官吏軍人月餉、營建北京宮室，也採用開中方式以應急需。所納物資也不僅米糧，以馬、茶、鐵等共 12 種實物上納，交換食鹽，給鹽地區也包含兩淮、兩浙、四川、長蘆等地，其間制度的演變相當複雜[54]，其中一項影響深遠的改變是，太祖時「監臨官及四品以上官員家人，不許中鹽營利。」有犯者，一經查獲，則治以罪。永樂年間，「聽令大小官員軍民人等皆中，不拘次支給。[55]」正統以後，政治腐敗，開中鹽引成為權貴、勳戚、武將、奸商等特權勢力勾結牟利的目標[56]。而其最大的影響是，引鹽必須在指定的州縣販售，這種按地區劃定銷鹽範圍的制度稱為「行鹽疆界」，行鹽疆界是按前朝的慣例，或交通路

53 徐泓，〈明代中期食鹽運銷制度的變遷〉，《國立台灣大學歷史系學報》第 2 期，頁 159-162；劉淼，《明代鹽業經濟研究》，汕頭大學出版社 1996 年 6 月 1 版 1 刷，頁 261-281。
54 劉淼，《明代鹽業經濟研究》，頁 224-228。
55 黃彰健校勘，《明太宗實錄》卷 109，中央研究院歷史語言研究所校印，頁 1403；汪砢玉，《古今鹾略》卷五政令，續修四庫全書史部政書類，上海古籍出版社 1995 年影本，頁 48。
56 高春平，〈論明中期邊方納糧制的解體〉，《學術研究》1996 年第 9 期，頁 56。

線的便利所形成，凡越區販售或購鹽，即為私鹽，都屬於違法行為。這就形成了最為人詬病的「銷區引岸」制，此制保障了鹽商在行鹽區中的專售權，貪婪的鹽商藉壟斷賺取暴利，人民即使花高價，也不一定能購得品質優良的食鹽[57]。

開中法是一個良法，卻日久生弊[58]。因灶戶繳鹽不足，鹽倉存鹽不夠支付給商人，內商取得鹽引，鹽場無鹽可支，只有在鹽場守候支鹽，權要守支十餘年者所在多有，一般內商守支久者，竟有從永樂中候至天順年間，父死子繼長達六十年，尚不得支者[59]。灶戶因為鹽課負擔沉重，繇役加重，天災頻仍，富人盤剝，產生貧富分化，貧戶生活困難，富戶貪求利益，遂卻將餘鹽（灶戶必須以所生產的鹽繳交正課，餘下之鹽稱餘鹽，仍須交場司收儲，其價倍於正鹽。）冒死私販，造成私鹽盛行，影響了正鹽的流通[60]。明朝政府乃特許守支商人，直接向灶戶收買餘鹽，打破了民製、官收、商運的系統，在法律上承認灶戶生產的餘鹽，可以透過商人銷售。隆慶四年(1570)，御史李學詩奏請罷官買餘鹽，穆宗批准，餘鹽自此可以自由買賣[61]。部分商人利用關係取得引

---

57 郭正忠主編，《中國鹽業史》古代編，頁 579-580。

58 李紹強在〈論明清時期的鹽政變革〉一文中對開中法逐漸敗壞的原因，有簡單扼要的分析，一.明朝政府改變了「得鹽利以佐邊計」的方針，以食鹽專賣獲取稅收，變成以搜刮為目的；二.權貴包辦開中，排擠正當商人；三.允許商人不必運糧開中，改納折色銀，予開中最大的打擊。載《齊魯學刊》1997 年第 4 期，頁 108。

59 徐泓，〈明代中期食鹽運銷制度的變遷〉，《國立臺灣大學歷史系學報》第 2 期，頁 144-148；李潛龍，《明清經濟探微初編》〈肆、明代鹽的開中制度與鹽商資本的發展〉，稻香出版社民國 91 年 7 月初版，頁 189-193。

60 徐泓，〈明代後期鹽業生產組織與生產型態的改變〉，沈剛伯先生八秩榮慶論文集編輯委員會編《沈剛伯先生八秩榮慶論文集》，聯經出版公司民國 65 年出版，頁 407-422。

61 徐泓，〈明代後期鹽業生產組織與生產型態的改變〉一文對餘鹽私賣合法化過程有詳盡的探討，見《沈剛伯先生八秩榮慶論文集》，頁 401-406；李潛

權，轉賣出去，坐收六錢之息，叫做「買窩賣窩」，開中的鹽利反為官僚特權所獨佔，商人久候守支，本金積壓，只有賄賂權貴，更增加成本，為了維持利潤，或在食鹽中摻和沙土，或多支食鹽，夾帶走私，造成官鹽品質不佳，私鹽盛行，鹽稅減少的惡性循環[62]。

　　萬曆年間，各處引岸皆被餘鹽、私鹽佔據，正鹽壅滯不行，到萬曆四十五年（1617），兩淮鹽課停壓三年，共欠上交銀課 200 萬多兩，積欠九邊糧銀 230 萬兩，兩淮鹽場守支積欠商人達三百餘萬引，兩浙鹽場積欠九十九萬一千五百餘引，開中停頓，鹽法已到了不得不改革的時候了[63]。故而有兩淮鹽法疏理道之設，命戶部專管鹽法的山東司郎中袁世振充任，全面整頓鹽法[64]。

　　萬曆四十五年（1617），明朝政府接受兩淮鹽法疏理道袁世振建議，實行綱運制度，把過去運司掣鹽批數的「單」，改為「綱」，綱是依據鹽院「紅字簿」依照順序，刊定一冊，將淮南納過餘鹽銀二百餘萬引的鹽引，分為十綱，以「聖德超千古，皇風扇九圍」十字編為綱冊，每年以一綱行舊引，九綱行新引，既疏通舊引以救內商，又出售新引以照顧邊商。因綱運制實施前，每引正餘鹽共重五百七十斤，納銀五兩六錢，改綱後每引減為四百三十斤，納銀六兩，為彌補商人減斤加價的損失，綱冊編定後，即永留與眾商，永永百年，據為窩本，年年照冊上數派行新引，冊上無名

龍《明清經濟探微初編》〈肆、明帶鹽的開中制度與鹽商資本的發展〉，頁 194-198。

62　弘治二年（1489）令兩淮運司守支客商成化 15 年（1479）以前無鹽支給者，許收買灶丁餘鹽。見汪砢玉，《古今鹺略》卷五政令，頁 57；徐泓，〈明代中期食鹽運銷制度的變遷〉，《國立台灣大學歷史學系學報》第 2 期，頁 149-151；汪崇篔，〈明中葉鹽政問題分析〉，《鹽業史研究》2000 年第 4 期，頁 11-12。

63　張家國，〈明代袁世振的鹽政思想論略〉，《黃岡師專學報》第 15 卷 4 期 1995 年 11 月，頁 62。

64　徐泓，〈明代鹽務行政機構〉《國立台灣大學歷史學系學報》第 15 期，頁 200。

者，不得參與銷鹽，形成售鹽引權世襲化[65]。綱法施行，將成化以來灶課折銀制度化，從此不但餘鹽由商人收買，大部分的額內正鹽隨鹽課按引繳銀，不再收納入倉，由商人直接收買，天啓年間（1621－1627）魏忠賢當權，明朝政府為充實國庫，全面改徵銀兩，確立了官不收鹽的商專賣制，也改變了唐代劉晏以來，民製、官收、商運、商銷的就場專賣制。明朝鹽制變成專商專賣，與「行鹽疆界」、「銷區引岸」配合，形成「專商引岸制」。鹽商從政府的代銷商變成政府特許的包銷商。這是中國鹽政史上一次劃時代的變革[66]。

綱法是為了解決積引與增加鹽課收入而設計，施行後，得到了短期的成效，自萬曆四十五年十一月四日開徵，即收銀十二萬有零，兩淮商人肩摩轂擊，爭相輸納，當時的人認為：「此法至輕便，至明白，至公普，至饒益，利無不收，弊無不除，不待行之數年，而即今鹽法已一旦豁然大通矣！」並將綱法和唐朝劉晏鹽法相比擬，「知取與，謂知所以取而民不怨，知所以與而民不乏也。[67]」但是專商永久佔據引窩，豪強買窩佔利合法化，長遠看來都有不良的作用，加上「世振誤用群小，人去而法已更矣。[68]」朝中閹黨專權，為所欲為，巧立名目，加引超掣，增加浮課，繼之遼餉、剿餉、練餉不斷增加，以致引價昂貴，私鹽盛行，鹽法一片混亂，崇禎六年（1633），兩淮累積欠稅又達二百餘萬兩。可見綱法只能濟一時之困，既不符合市場經濟的原則，反而以世襲專

---

65 李明明、吳慧，《中國鹽法史》，頁 245-248。

66 李紹強，〈論明清時期的鹽政變革〉，《齊魯學刊》1997 年第 4 期，頁 109；曾仰豐，《中國鹽政史》，頁 21-22；李明明、吳慧，《中國鹽法史》，頁 250-253。

67 孫承澤，《春明夢餘錄》卷 35《鹽法》，王雲五編四庫全書珍本，民國 65 年影本，頁 61。

68 孫承澤前引書，頁 61。

利特權，換取鹽商合作，專商不謀產品之改良，改進運銷之法，爲確保壟斷，更與官府勾結，報效浮費日增，又將浮費轉嫁於鹽價，以致引鹽昂貴，私鹽更爲盛行[69]。

綜上所述，吾人可知，中國歷代政府對食鹽稅收、產銷管理採取的措施，包括：無稅制、徵稅制與專賣制三種。無稅制實行的時間很短，除了三代以前，僅隋至唐初一百三十年間曾行之；徵稅制也鮮少施行，僅春秋戰國時代部分國家實行；歷代政府多視食鹽爲一特殊商品，實行專賣，專賣制成爲中國鹽制的主流，從管仲的民製、官收、官運、官銷的狹義專賣，演變爲漢武帝時期，官製、官收、官運、官銷的全部官賣制，到了唐代中葉，劉晏改行民製、官收、就場收稅後，轉交給商人運銷，稱爲就場專賣制，又發展成明代後期，民製、政府徵稅、專商運銷的商專賣制。上述鹽法的改變，顯現了一個特色，即多數政府從財稅的角度處理鹽務問題，又憚於煩勞，商人趁機控制食鹽產銷，謀取暴利，官吏則假藉權力侵漁鹽利，形成官商共同侵漁鹽利的共犯結構，政府稅收與食鹽消費者同受其害的局面。

研究明清兩代鹽業的徐泓指出，綱鹽法是專商憑藉政治權勢，經營食鹽專賣，支配了食鹽產銷，其經營方式寄生於政治權勢之上，不能獨立，使商業資本不能轉化爲產業資本。十七世紀至十九世紀正是西歐社會進行商業革命、工業革命時期，工商資本日漸壯大，脫離政治支配，轉而支配政治，中國商業資本累積後，從事高利貸，未能轉化爲工業革命的資本，仍依附於政治權勢之下，鹽業實行的商專賣制，爲官僚資本主義所占，是一個重

---

69 徐泓，〈明代後期鹽政改革與商專賣制度的建立〉，《國立台灣大學歷史系學報》第 4 期，頁 311。

要原因[70]。其影響就更爲深遠了。

此外，任何制度都必須由人來執行，劉晏的鹽務改革績效顯著，個人觀念正確，減少主管官署，節省管理開銷，免除妄濫貪墨；他個人任事明敏，用人得當，激發士人榮譽感，考核升遷公允，減少人爲干預，實行自由貿易，都是成功的原因；明代袁世振的綱鹽法，卻因「誤用群小」，導致本來就不完美的制度，短時間內就漏洞百出，難以爲繼。人的因素往往是制度推行成敗的關鍵所在，不可不慎。制度的優劣，古人並非不知，惟改革者要改變長久累積的制度與人爲的弊端，實在非常困難。

鹽務的好壞不完全由運銷的方式來決定，在於政府對鹽稅的定位，如果政府視鹽稅爲重要的稅負來源，以聚斂爲主要的考慮，無論何種運銷模式，鹽務弊病都會層出不窮。蓋食鹽在地球上存量極多，不具備稀有性，生產成本也不高，如果政府控制食鹽生產工具、生產數量、銷售對象、銷售價格、販售區域，並在產銷過程中抽取過多的稅負，導致生產價和市場價格差距過大，販售私鹽的利潤過高，私鹽橫行是很難防止的。

中國國土廣袤，狀況複雜，各地區的食鹽運銷制度，繁雜多變，難以詳述，本章僅選擇鹽制變遷的重要時點，略作敘述。食鹽爲人畜生存不可或缺的物資，在政府職能發展的初期，鹽制由三代以前聽人民自取自給，實行無稅制；發展到春秋、戰國時代，爲增加稅收，多數諸侯國視食鹽爲山澤之利，有關市之徵，在產鹽地徵稅後，任民自由販運；唯有管仲在齊，推行食鹽專賣，集權中央，必先集錢中央，方能富國強兵，稱霸中原。管仲這種由國家干預社會經濟發展的思想，到了秦漢大一統帝國建立後，爲

---

70 徐泓，〈明代中期食鹽運銷制度的變遷〉，《國立台灣大學歷史系學報》第 2
　　期，頁 162-164。

多數政府所採納，食鹽專賣制延續下來，清代建國，承繼了明朝的綱鹽制度，也承繼了這個制度的優缺點。

附　錄

鹽務專有名詞釋義（資料出自林振翰《鹽政辭典》與王守基《鹽法議略》，
不另加註）

1. 鹽筴：鹽筴即食鹽者的戶口冊籍。
2. 沸水：一說沸水即濟水；另一說沸水是煮沸水成鹽之謂。
3. 折博：南唐時商人以政府指定之金、銀、絲、帛換取食鹽或茶葉，日後發展爲宋代的折中。
4. 蠶鹽：後唐時於人民育蠶之時，按戶籍與地籍，將鹽先貸與民戶，迨民戶絲絹出時，以絹代鹽錢償還之謂，亦屬折博之一種。
5. 俵配制：即政府按戶計口，強迫配鹽，形同強徵鹽錢。
6. 鈔鹽法：商人以現錢購買鹽交引，而不折博實物，再由鈔引商客運銷食鹽的做法，叫做「鈔鹽法」。

第三章　清代前期的鹽制與弊病

　　清代統治時期，鹽稅收入仍爲國家重要財源之一，倚賴日深。清初由於蒙古內附，北邊並無強鄰，防兵無多，開中制度沒有存在的需要，因而廢除。行鹽之法有：官督商銷、官運商銷、商運商銷、商運民銷、民運民銷、官督民銷，其中以官督商銷行之爲廣且久[1]。各地食鹽銷售，多採萬曆以後留下的「專商引岸制」，商收商運，相關法令規章、管理制度也多沿襲明代，不過日久弊生，官僚、胥吏、船戶、商夥無不覬覦其利，浮費日增，官鹽滯銷，鹽課減少。本章將略述清代前期的鹽制與弊病，以爲清代後期鹽法改革之背景。

第一節　清代前期的鹽制

　　清朝入關，定鼎北京，到康熙元年（1662）四月，南明桂王在雲南被殺，前後十餘年，戰爭連年，社會不安，人口大減，經濟凋零，鹽稅徵收也大受影響[2]。佔領揚州後，提出「恤商裕課」

1　趙爾巽等撰，《清史稿》卷 129〈食貨志四、鹽法〉，續修四庫全書史部正史類上海古籍出版社 1995 年影印本，頁 458。
2　蕭一山，《清代通史》（一），台灣商務印書館民國 69 年 1 月修訂台五版，頁 362-363；陳鋒《清代鹽政與鹽稅》，中州古籍出版社，1988 年 12 月第 1 版 1 刷，頁 1-7。

原則，將存儲於垣內的積鹽歸還鹽商，並廢除明末新餉、練餉等加派，照萬曆年間舊額按引徵課[3]，目的在增加鹽稅收入，爲用兵之費。淮商爲繼續壟斷鹽利，與新政權相結合，協助清政府措畫鹽法，在官商互利的基礎上，鹽法多循前明之舊，稍做損益[4]。就清代承襲明朝鹽法部分而言有三：

　　（一）清初幾乎原封不動的承繼了明代的引額、引課，也就是
　　　　　繼承了明代鹽課收入數額。

　　（二）清代繼承了明代劃地行鹽和綱商壟斷的經營方式。

　　（三）清代繼承了明代的鹽政管理體制。

　　清代對明代鹽法也做了若干調整。首先，因爲北方邊塞情勢不同，無需大量儲存糧草於邊，在政權穩定後，廢開中法，裁撤邊商，保留綱運制度；其次，清代雖然保留了行鹽引界，不許侵越，但是進一步將大鹽區劃分成小鹽區，有時一縣由數個鹽商分區運銷，互不越界；其三，清政府懲於明代權貴勢要奏討鹽引，妨害商人運銷，破壞鹽法，嚴禁權貴官吏奏討，即使有官吏佔有引窩，也是用錢購買，照例納課；另外，清政府上下多認爲商運商銷才是食鹽產銷的正確方式，將山東、浙江部分地區課額較引鹽爲低的票鹽，一律改爲引鹽；最後，在食鹽生產方面，對灶戶製鹽的盤鐅，買入或廢棄都須經官府同意，灶戶煎鹽，應嚴守火伏法，即灶長掌管印牌，舉火則領牌，熄火繳回，嚴禁私煎，灶戶生產的鹽必須在供垣與場商交易。上述都是有清一代鹽務管理

3　黃掌綸等纂修，《長蘆鹽法志》卷一〈諭旨〉，北京圖書館古籍珍本叢刊 57，
　　書目文獻出版社影本，頁 1。

4　趙爾巽等撰，《清史稿》卷 129〈食貨志四、鹽法〉云：「清之鹽法，大率因
　　明制而損益之。」頁 458；徐泓，《清代兩淮鹽場的研究》，嘉新水泥公司文
　　化基金會民國 61 年 5 月出版，頁 187。

制度與明朝不同之處[5]。

　　清代鹽務管理是依官督商銷的體系設官分職。延續明代，在戶部有山東清吏司主管鹽務政令，由三名郎中，滿州二人漢一人，正五品，和六名書吏負責，職權僅止於頒給鹽引，按照地方上報的清冊，將各地銷鹽引數、徵稅數目與應完成的定額比較，審核解部課款，並依上述行鹽引數、課額進行考核，辦理考成，完成定額者，依例敘獎，不足額者依輕重議處[6]。

　　清代全國劃分為：兩淮、兩浙、福建、兩廣、山東、長蘆、遼寧七個海鹽區，河東、西北二池鹽區，四川、雲南二井鹽區，共十一個鹽產區[7]。銷售大致依照明代的行鹽疆界。因食鹽笨重，運輸多仰賴價廉的水路，山川也成為形成食鹽銷售的疆界的一大因素，不過清代劃界行鹽更加細緻[8]。

　　地方鹽官，以鹽務根本在場產，樞紐在轉運，歸墟在岸銷，故設長蘆、山東、兩淮、兩浙、兩廣各鹽運使司，并河東、四川、雲南各鹽道以司產運；設河南、陝西、甘肅、湖北、湖南、江南、江西、廣西各鹽道，以司岸銷，下有鹽務分司、鹽課司、巡檢司、批驗所等，由運副、運判、監掣同知等官員分別掌管，皆受成於

5　順治二年「諭各運司，鹽自六月一日起俱照前朝會計錄原額徵收」，趙爾巽等撰，《清史稿》卷 129〈食貨志四、鹽法〉，頁 459；張小也，《清代私鹽問題研究》，社會科學文獻出版社，2001 年 10 月 1 版 1 刷，頁 29。

6　托津等奉敕撰，《欽定大清會典》（嘉慶朝），卷 13，文海出版社影印本，頁 684；陳鋒，〈清代戶部的鹽政職權 —— 清代鹽業管理研究之二〉，《鹽業史研究》1998 年第 2 期，頁 3-13。

7　曾仰豐，《中國鹽政史》，頁 56。

8　趙爾巽等撰，《清史稿》卷 129〈食貨志四、鹽法〉，頁 458；阿謝德也認為在法定的行鹽疆界形成前，已經有了自然因素造成的行鹽疆界，見 S. A. M. Adshead《The Modernization of the Chinese Salt Adminstration,1900-1920》（Cambridge, Massachusetts Harvard University Press, 1970）頁 10。

鹽政[9]。其組織系統如下：

表一　清代鹽務職官系統表

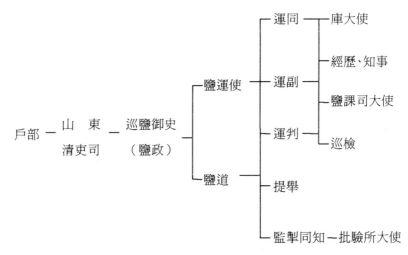

本表參考趙爾巽等撰《清史稿》卷 129〈食貨志四、鹽法〉繪製

　　鹽政一職，明代稱為巡鹽御史，初僅正七品。順治時置兩淮、兩浙、長蘆、河東巡鹽御史各一人。順治十年停派，十二年復置。康熙三十年（1691）增設福建、廣東巡鹽御史各一人。雍正六年改為正五品，名為鹽差。乾隆時改稱鹽政，其職權：「掌理鹽政而糾其屬吏徵收督催之不如法者，以時審其價而酌劑之，凡鹽賦之奏課與鹽法之宜更者以聞。」任期一年，專管一省鹽政事務，是一省掌管鹽務的最高官吏[10]。另外，地方行政系統的總督、州、縣等官，也有通商疏引、查緝走私之責，權力分散[11]。徐泓指出，

9　趙爾巽等撰，《清史稿》卷 129〈食貨志四、鹽法〉，頁 458-459。
10　趙爾巽等撰，《清史稿》卷 121〈職官志二、〉，頁 373。
11　通常州縣官負責疏引及緝私，不負責徵收鹽稅，但是山東和浙江一些地方的灶課就由地方官負責徵收，並解交鹽務官員；山西陽曲等 29 州縣引課也由州縣徵收。請參見瞿同祖著，范忠信、晏鋒譯，《清代地方政府》，北京

明代行中央集權，常將辦同一類事務的權力分散到幾個等級相差不多的機構，互相箝制。清代因之，戶部主管鹽務，督察院特派巡鹽御史監督之。巡鹽御史權雖重，因年年更換，任期太短，對法規不了解，稍入狀況，任期已滿，故賢者不足以有為，不肖者因而營私舞弊，對鹽法整肅不足以起積極作用[12]。權力分化，中央缺乏統一的鹽務主管機構，對明清中央集權君主專制有其意義，對日後推行鹽務改革，卻造成莫大的阻力。

地方鹽務行政與普通行政互不統屬，各有專責，但是鹽丁、灶戶作姦犯科，非關鹽法者，鹽務官員常袖手旁觀，鹽場、地方官各自為政，加之鹽政官員無管轄地方之權，文武員弁非其所屬，指揮不靈，疏銷查緝，漏洞百出。鹽政一職清初即時設時廢，或由總督、巡撫兼任。雍正九年（1731），令巡鹽御史歸總督兼管，成為總督的僚屬，不過巡鹽御史多由內務府官員特旨簡充，大多是皇帝親信，官品雖不高，卻能直達天聽，直接向皇帝打小報告，曹寅、李煦都曾任兩淮鹽差[13]，也因此歷任兩淮鹽政多貪腐斂財之人，總督對之亦莫可奈何，加之總督事繁，無暇顧及，鹽務仍由巡鹽御史自理，乾隆三十三年（1768）定例：「尋常事件仍聽鹽政自行陳奏，其有關係錢糧，俱令總督會銜。」但是總督與鹽政

法律出版社 2003 年 6 月 1 版 1 刷，頁 243-246。
12 徐泓，〈明代的鹽務行政機構〉，《國立台灣大學歷史學系學報》第 15 期，頁 198-200；據統計，自順治元年至咸豐九年（1644-1859），擔任過長蘆巡鹽御史的官員共 158 人次，其中 7 人任職兩次，1 人任職三次，僅莽鵠立因勤政清廉，裕課有方，在雍正年間（1723-1735）先後五次充當此職。見芮和林，〈勤政清廉的長蘆巡鹽御史 —— 莽鵠立〉，《鹽業史研究》2000 年第 4 期，頁 36。
13 李煦在張伯行與噶禮互控案中，將張伯行在地方上的言行，詳細上報皇帝，可知其負有監督地方官言行思想的責任。見《李煦奏摺》，里仁出版社 74 年 8 月出版，頁 129。

各自為政，事權不統一的問題並未解決[14]。道光、咸豐以後，鹽已改由督撫兼任，各省鹽運使、鹽法道等鹽務官員，都成其僚屬，鹽務大權操於地方督撫之手[15]。此外，各省鹽政由督撫管轄後，又在各省區設置了督銷局、官運局等機關，鹽道的職權多為其侵奪，疊床架屋，事權分散，積弊叢生。

　　整體而言，有清一代鹽務管理，權力集中於地方鹽務官吏之手，中央僅有監督考核之權，無論鹽運司、鹽道，均受命於總督、巡撫，戶部山東清吏司無直接管轄權，年代一長，機構重疊，人員膨脹，浮費日增，效率遞減，弊端百出，各省各自為政，增加了日後鹽務改革的困難度。

第二節　清代鹽務的弊病

　　順治入關，親政以後，掃除明代弊政，勤政愛民，銳意圖治，清賦役以革橫徵，定律令以滌冤濫，蠲租省賦，任法嚴肅，凡大臣專橫，無不立正典刑，宿弊盡除，以成一代雍熙之治[16]。康熙在位六十一年，休養生息，民物恬熙，惡虛文，尚實際，敦行教化，不免失之寬弛。世宗雍正，綜覈名實，一清積弊，振飭綱紀，人知畏法遠罪，不敢萌徼倖之心。高宗在位中期以前，剛柔相濟，留心政務，社會安定，民生富裕。盛清君主，治道各有不同，但是對吏治的整飭都非常重視，常頒發諭旨，訓誡臣工，嚴禁苟且因循，貪位竊祿，甚至對幕賓、胥吏狐假虎威，都嚴加禁止，故

---

14 徐泓，《清代兩淮鹽場的研究》，頁 11。
15 郭正忠主編，《中國鹽業史》古代編，頁 676-679。
16 趙爾巽等撰，《清史稿》卷 5〈世祖本紀二〉，頁 98；蕭一山，《清代通史》（一），頁 386-388。

而乾隆中期以前號稱盛世[17]。在這樣的時代背景下，承繼自明代的鹽務制度，其原有的種種弊端，或因社會經濟的繁榮發展，或因吏治尚稱清明，暫時掩蓋不明，等到乾隆中期以後，好大喜功，生活奢侈浪費，大臣望風承旨，浮華不實，吏治敗壞，貪風大行，鹽務弊端逐漸顯現。以下分項略述清代中期以前鹽務弊端。

一、生產方面的弊病

政府體認到鹽是民生必需品，而且幾乎沒有替代品，但是如果大量生產，不但價格低落，又不易控制其銷售，必然影響稅收，遂限制人民製鹽，控制食鹽產量。明朝將專門從事食鹽生產的民戶編爲灶籍，凡在灶籍的人戶，即是灶戶，灶戶歸都轉運使司管轄，與地方民戶有別，灶戶的戶役就是替政府煎辦鹽課。爲確保食鹽產量與鹽課收入，凡編入灶籍民戶，必須世守其業[18]，其目的在有效的掌控具有食鹽生產技術的專門人才。

清朝政權建立之初，戰亂頻仍，社會不安，灶丁或死於戰亂，或逃亡他鄉，影響食鹽生產，爲了恢復食鹽生產，清政府採取了焙灶的措施。首先在順治二年（1645）廢除明代民以籍分的規定，但是灶丁仍是世襲的職業，表示對食鹽生產繼續控制[19]。順治年間又下令灶丁不得投充旗下或任胥役，以利招復灶丁回鄉從事製

---

17 孟森，《明清史講義》，里仁書局民國 71 年 9 月影本，頁 408-560；陳捷先，《明清史》三民書局 2004 年 1 月增定 2 版 1 刷，頁 233-235。

18 張廷玉，《明史》卷 77〈食貨一〉戶口，台北成文出版公司民國 60 年仁壽本，頁 32431；另徐泓在〈明代前期的食鹽生產組織〉一文中，對明代灶戶制度、灶戶的組織，有深入的研究，見台大《文史哲學報》第 24 期，頁 161-193。

19 清高宗敕撰，《清朝文獻通考》卷 21〈職役一〉，云：「前明之例，民以籍分，故有官籍民籍軍籍醫匠驛灶籍，皆世其業，以應差役，至是除之，其後民籍之外，惟灶丁爲世。」台灣商務印書館民國 76 年影本，頁考 5044。

鹽，甚至將招復灶丁多寡當作鹽官考核的一項標準，成效不錯[20]。對殘存的灶丁，則多方撫卹，蓋不論食鹽是煎是曬，過程都十分辛苦，而收入卻不多，難得溫飽，清政府為體恤灶丁，或出資賑濟貧灶、或蠲免逃亡灶丁課稅，海邊灶戶遇海潮侵襲，除動用鹽課銀予以賑卹，對海潮侵襲毀損的堤防，迅速修復，加高加固，使鹽業生產得以迅速恢復[21]。

康熙二十二年（1683）全國統一以前，軍需供應多仰賴鹽利，常以加斤、增引方式增收鹽課，由於亂後人口減少，食鹽銷路縮減，商人苦於賠累，鹽引積滯。康熙中葉，國家統一，社會安定，人口增加，食鹽市場擴大，原來加斤、加課所徵之銀，多次減免，鹽商獲利頗豐，《清史稿》〈食貨志〉云：

> 至是海內殷富，淮南寧國、太平池州等府，及兩浙、山東、
> 廣東、福建，先後增引，獲利三倍，不特額外照舊行銷，
> 且願先呈課銀，請將以前停引補還。[22]

雍正時清理鹽政，優恤灶戶，發帑銀賑災，寬待鹽商，蘆、淮鹽每引加斤五十斤，免納課銀，准各商將暢岸之鹽與滯岸通融代銷，乾隆初、中期，仍延續恤商政策，減輕鹽課，豁免灶課，添給薪本，增加耗鹽，興建長平鹽倉，食鹽的產銷暢旺。

中國食鹽產源有：海鹽、池鹽、井鹽、岩鹽等類。製鹽的方法包含：曬製、煎煮。曬製又有灘曬、板曬之分。如：奉天、直隸、山東、淮北、福建為灘曬；淮南、松江與浙江，有板曬也有煎煮；四川、雲南則用煎製，成本差別頗大，曬製成本最

---

20 陳鋒，《清代鹽政與鹽稅》，頁 17-18。
21 《世宗憲皇帝實錄》（一）卷 25，雍正 2 年 10 月庚寅，《清實錄》第七冊，北京中華書局 1985 年 8 月 1 版 1 刷，頁 393。
22 趙爾巽等撰，《清史稿》卷 129〈食貨志四、鹽法〉，頁 459。

低，煎煮成本最高[23]。各產鹽地因為地理條件、歷史背景不同，採用的製鹽法也不相同，我們並不能說那一種製鹽方法較佳。例如淮南鹽區，濱海地區地質多沙，盛水易漏，不能灘曬，自古以煎煮法製鹽為主，利用海埔地所生長的草為燃料，煎煮海水，早年購草成本不高，但是清末草價高漲，導致製鹽成本大增，影響銷售。

鹽稅項目繁雜，分場課、引課、雜項三大部分。場課是對食鹽生產者課稅，引課為消費稅，雜項是各種名目的附加稅。前兩者必須報部奏銷，為國家重要財政收入，又稱「正項」。雜項為鹽務部門與地方行政的財源，不須報銷，常被任意加徵，名目繁多。「場課」，也稱灶課，按各鹽區食鹽生產方式不同，分為灘課、鍋課、井課等。各鹽區徵收場課多寡不一，少則萬餘兩，多到十餘萬兩，全國共收 33 萬餘兩。從全國鹽課徵收總數來看，場課所佔比例不高，但是名目甚繁，長蘆場課包括：<u>邊布</u>、<u>白鹽折價</u>、<u>鹽磚折價</u>、<u>京山</u>、<u>節省</u>、<u>灘價</u>、<u>鍋價</u>、<u>鹵水折價</u>、<u>更名食鹽變價</u>、<u>皇鹽廠地租</u>、<u>白鹽廠地租</u>等，共十一項之多[24]。

上述場課名目，多沿自明代，清初續徵，日後有增無減，如兩淮通、泰、淮三分司所屬 30 場折價銀，順治十一年九月（1654）加徵 133 兩；廣東鹽田一項，康熙二十一年（1682）每畝加銀 2 分至 5 分不等；順治五年（1648），增加<u>倉基銀</u>一項，年徵 5000 兩[25]。

---

23 丁長清、唐仁粵主編，《中國鹽業史》近代當代編，北京人民出版社，1999 年 4 月第 1 版 2 刷，頁 12；丁長清主編，《民國鹽務史稿》，北京人民出版社，1990 年 9 月 1 版 1 刷，頁 68。

24 王守基，《鹽法議略》，〈長蘆鹽法議略〉，北京中華書局叢書集成初編，1991 年北京 1 版，頁 2-3。

25 郭正忠主編，《中國鹽業史》古代編，頁 786。

　　對生產食鹽的灶戶來說，鹽丁知識水準不高，無法獲得新知，從事製鹽技術的改良，降低生產成本，煎鹽所需的草價不斷增加，生活必需品的米、麥等物價日漸高漲，製成之鹽由政府規定價格售予場商，但是場價多年不變，影響灶戶生活，灶戶貪圖私利，私煎、多煎，違法將鹽私下售出，增加收入，以改善生活，形成「場私」。雍正十年（1732）署理廣東總督鄂彌達說：

> 粵東私販充斥，實由灶曬私賣所致。[26]

次年上奏中分析場私產生的原因，云：

> 查兩廣鹽政弊竇叢生，私鹽充斥，皆緣額定鹽價實不敷灶曬工本，若不姑容賣私，窮民衣食無資，勢必拋荒埋。……臣等竊查鹽場各灶，額價原輕，今雖准部咨行，每包加價一分五釐，亦僅足敷灶曬工本，灶丁偷煎私賣，尚可多得價值，即以廉場而論，官價不過一釐六毫零，若以私賣，每斤可得銀三釐。至官埠引鹽，則將課餉運腳各費併入定價，雖近場至賤之埠，亦係每斤五釐。若曬丁偷鹽私賣，每斤可多得一釐三四毫，百姓若買食私鹽，每斤可省銀二釐，故灶丁樂於賣私，而百姓亦利於買私，兵役巡丁不能寸寸把守，勢難堵禦禁絕。[27]

鄂彌達不但將場私產生的原因說的清楚，更將百姓購買私鹽的原因說的透澈。又如屠述濂在《請改雲南鹽法議》中稱：

> 因薪價日昂，原定薪本實有不敷，灶戶無項賠墊，不得不攙和沙土，以低潮充數交官，而賣給私販，則成本之外，

---

26 鄂彌達雍正十年七月初二〈奏陳灶曬各丁宜量增鹽價以杜私邁等鹽政事宜四條管見摺〉，《雍正朝漢文硃批奏摺彙編》22 冊，江蘇古籍出版社影本，頁 872-873。

27 席裕福、沈師徐輯，《皇朝政典類纂》卷 75〈鹽法六〉鹽課，文海出版社民國 71 年影本，頁 201。

得沾餘潤。故利於私販，不樂於交官，反偷煎淨鹽，以招
徠私販，此官鹽之所以潮雜，而私鹽之所以純淨也。私販
所買私鹽，無須完課，有利可圖，并上司事，分潤走漏，
梟徒益無忌憚，百十為群，塘汛不能堵截，私鹽成色既高，
價值較賤，小民只圖便宜，枉顧食私之律，此私鹽之所以
充斥，而官銷之所以日墮也。[28]

則將官吏與私販勾結也明白說出。

　　場私產生的原因還包括：鹽官的浮費勒索與場商對灶戶的剝
削。各場員年節、生辰俱有規禮，多寡不等，莫不以灶戶為砧肉。
場商假藉舉錢濟灶，借貸與灶戶，至買鹽給價時，加倍扣除，包
世臣曾說：

灶戶燒鹽，售予場商，而場商於停煎之時，舉錢濟灶，比
及旺煎，以大桶中其鹽，重利收其債，灶戶交鹽而不得值，
非透私則無以為生。[29]

　　可知場商除了以高利貸剝削灶戶，在稱鹽時，每引浮收三四
十斤，付款時又復勒令短價，拖欠不清。以至灶戶以品質佳的尖
鹽透私，以次鹽歸垣。

　　清朝政府為防止場私，要求各鹽場大使嚴格監督，順治元年
（1644）下令：

場灶照額煎鹽，大使親驗，按月開報運使，如有隱匿，以
通同治罪。[30]

十七年（1660）又令：

---

28 席裕福、沈師徐輯，《皇朝政典類纂》卷 76〈鹽法七〉鹽課，頁 253-254。
29 包世臣，《安吳四種》〈中衢一勺〉卷 3〈庚辰雜著五〉，沈雲龍主編，《近代
　　中國史料叢刊》第三十輯文海出版社影本，頁 7。
30 崑岡等修，劉啟端等纂，《光緒大清會典事例》卷 231，〈戶部鹽法禁例〉，
　　續修四庫全書，上海古籍出版社影本，頁 707。

> 鹽場設立公垣，場官專司啟閉，凡灶戶煎鹽，均令堆儲垣
> 中，與商交易，如藏私室及垣外者，即以私鹽論。商人領
> 引赴場，亦在垣中買築，場官驗明放行，儻有私販夾帶等
> 弊，該場官役，一併重處。[31]

雍正五年（1727），兩淮巡鹽御史噶爾泰題請在淮南實行火伏法。所謂火伏者，煎鹽子時起火，至亥時熄火謂之一伏火，在各場灶地設灶長、灶頭、巡商、巡役、磨對、走役稽查盤鑒口數，灶戶每戶發一印牌，由灶長收藏，灶戶起火煎鹽報明灶頭，向灶長領牌，懸於煎舍，煎畢止火，將印牌繳還灶長，灶頭照領牌繳牌時刻登記一簿，按時刻赴煎舍盤查，各灶煎鹽須逐時呈報，場大使核其開煎熄火之時，較其鹽斤多寡之數，務使盡入商垣，謂之火伏法[32]。

　　明末清初海鹽曬製技術進步，但是淮南因沙質土地，無法灘曬製鹽仍為煎鹽。清初廢除明代匠籍制度，灶戶脫離官府控制，對鐵製品販運也放寬，灶戶私製盤鑒的增加，雍正六年（1728）下令禁止。火伏法在灶長、灶頭、巡商、巡役、磨對、走役稽查下，又嚴查盤鑒口數，積極的控制食鹽產量，既不許產鹽缺額，更不許產鹽過限，對製鹽的管理可謂嚴密[33]。雍正六年，在兩淮鹽區率先實施保甲，「凡州縣場司，俱令設立十家保甲，互相稽查，遇有私販，據實首明，將本犯照例治罪，私鹽變價分別賞給，誣者治以反坐之罪。倘有徇隱等情，被旁人告發者，該州縣場司官

---

31 崑岡等修，劉啓端等纂，前引書，頁 707－708。
32 陸費垓編，《淮鹺分類新編》卷一〈通泰各場火伏〉，北京圖書館古籍珍本叢刊 57，史部政書類，書目文獻出版社影本，頁 848。
33 佐伯富認為，火伏法規定了各種尺寸鍋鑒每一伏火產鹽定額，即可控制鹽產量，見氏著《清代鹽政之研究》第二章〈鹽場問題〉，京都東洋史研究會昭和 37 年 2 版，頁 40-43。

照失察私鹽例參處。[34]」乾隆九年（1744）正式制定了保甲法條規，明訂十家爲牌，牌有頭，十牌爲甲，甲有長，十甲爲保，保有正。雇用的工人隨戶另注，層層稽查，由場員督察。如有私煎私賣，不及時稟報，一經發覺，首先治牌頭、甲長、保正之罪。保甲法與火伏法相互作用，又規定所有食鹽規定在公垣交易，制度可謂嚴密，加上《灶丁私鹽律》、《灶丁售私律》、《獲私求源律》等相關法令，場私不絕，就是人爲因素所致了[35]。

二、運銷方面的弊病

運銷方面的弊端甚多，分項說明之。

（一）引界劃分的問題

中國食鹽運銷畫分銷區始於唐代，當時僅是劃分河東鹽與海鹽的銷售區[36]，唐末五代因政治上的分裂，增加了食鹽銷區的分化，田秋野、周維亮曾分析銷區引岸形成的原因有三：

1.政治因素：自唐末五代藩鎮割據，各自爲便於徵收鹽課，將其勢力範圍化爲銷區，並不是對食鹽產銷有完整規劃，而商民浸假成爲習慣。

2.地理因素：往昔運輸系統在於水運，故銷區習稱爲岸，淮鹽行銷能遠及湘、鄂、贛、皖諸省，一因產量豐饒，再則因爲其銷區相當於五代時南唐之領域，亦恃長江運輸之利所以致之，部份銷區今日看來似有捨近求遠，不合常理者，以古代交通情況加以瞭解就豁然開朗了，如江蘇北部徐州五縣，近於淮北，而食魯

---

34 清高宗敕撰，《清朝文獻通考》卷 28，〈徵榷三〉，頁考 5106。
35 郭正忠主編，《中國鹽業史》古代編，頁 687-690。
36 司馬光，《資治通鑑》卷 226，建中元年「晏專用榷鹽法充軍國之用。時自徐、汝、鄭、鄧之西，皆食河東池鹽，度支主之；汴、滑、唐、蔡之東，皆食海鹽，晏主之。」頁 7286。

鹽，原因在此。

3.供求因素：視鹽源數量以定銷區範圍之大小，如福建、雲南等區所產僅符本區銷售，自無力濟銷他省[37]。

清代延續明代專商引岸制，經長時間演變，形成了如下的銷區：

表二　清代食鹽產區、銷區表

產鹽區	銷　　　　鹽　　　　區
長　蘆	直隸、河南
山　東	山東、河南、江蘇、安徽
兩　淮	江蘇、安徽、江西、湖北、湖南、河南
浙　江	浙江、江蘇、安徽、江西
廣　東	廣東、廣西、福建、江西、湖南、雲南、貴州
福　建	福建、浙江
河　東	山西、陝西、河南
陝　甘	陝西、甘肅
四　川	四川、湖南、湖北、貴州、雲南、甘肅、西藏
雲　南	雲南
奉　天	奉天、吉林、黑龍江

本表參考趙爾巽等撰《清史稿》卷 129〈食貨志四、鹽法〉繪製

銷區的劃分，原來有其歷史因素，與配合山川河流運輸便利而逐漸形成，到了清代，為了保障鹽課收入，和專商銷鹽的特權，甚至為利用形勢險要的山隘、關津，藉以稽查緝私，也成為劃分銷區的考量因素[38]，產區與銷區形成了一種特殊關係，鹽商只能在規定的鹽場買鹽配運，依照規定的運鹽路線轉運，在規定的區域內銷售，越界即為違法。如此層層節制，其目的在確保鹽稅。

上述產銷區的劃分有許多不合理之處，例如湖北歸州、巴東例食淮鹽，但是淮鹽由儀徵運至漢口，里程已達 1600 里，再轉運

---

37 田秋野、周維亮合編，《中華鹽業史》，頁 21-22。
38 王守基說：「其畫限分界，皆因山川形勢，有要隘以固藩籬，非偶然也。」
　　見〈兩淮鹽務議略〉，《鹽法議略》，頁 39。

至巴東、歸州又千餘里，且川江峽口，灘高水險，逆流而上，運
送艱難，運費每斤高達三四分；江南之鎮江等府，與淮揚相去甚
近，卻必須食用浙鹽；河南上蔡等縣，本有河東之鹽，又須食淮
鹽，造成人民購食價格較低鄰近銷區之鹽食用，形成「鄰私」。乾
隆元年（1736）大學士朱軾奏稱：

> 查商人行鹽，各有地方，州縣銷引，原有定額，是以舊例
> 不准越界買賣。但犬牙相錯之地，有此縣莊村插入彼縣地
> 界者，就近買食官鹽，即為犯禁，查拿拘繫，往往不免。
> 而本縣所設鹽店，或遠在數十里之外，小民食鹽無幾，欲
> 其捨鄰近易買之鹽，而遠求數十里之外，此必不可得之數
> 也。況水陸之裝載有難易，鹽斤之積儲有盈縮，而價之高
> 下因之，若必拘定所屬地界，甚為不便[39]。

乾隆時對沿襲已久引界的不合理，及由此帶來的弊病已有認識，
並討論解決之道，乾隆五十六年（1791）《上諭》云：

> 彼時以建昌距淮南二千餘里，離閩省邵武、汀洲等府不過
> 二三百里，運鹽程站較之淮南近至十倍，其鹽價自必貴賤
> 懸殊，欲百姓之捨賤買貴，捨近求遠，於情理亦未平允。
> 何以從前定例時，不將鄰閩府屬就近行銷？並恐他省亦有
> 似此者。……今據全德將前旨所詢數款查明覆奏……其摺
> 內稱：若將建昌一府改食閩鹽，恐撫州等府漸有私鹽闌入，
> 於通省鹽務有關，是以該處向係減價敵私，合通省綱力派
> 出公費貼補。……從前酌定行銷引鹽，全藉關津山隘，得
> 以稽查遮攔，若捨此久定之界，聽其就便行銷，則平原地

---

39 朱軾，〈請定鹽法疏〉，賀長齡編，《皇朝經世文編》卷 50，文海出版社影本，
　　頁 12-13。

面毫無阻隔，鄰鹽逐漸侵入，必至無所底止。[40]

由乾隆上諭得知：

1.乾隆皇帝了解引鹽畫界有不合理之處；

2.最初畫界有地勢上的考量，藉關津山隘，得以稽查遮攔鄰私，寧願減價敵私，不許聽其就便行銷，嚴防侵越，其最終目的在確保鹽稅徵收足額。

所以維護引岸制目的在確保稅課，特別是要保證鹽稅最重、佔全國鹽課最大比重，動關國計的淮鹽稅額，人民獲得食鹽品質的好壞、方便性與價格高低，並非清政府最優先考慮之事[41]。

（二）引額分配的問題

順治初，清廷曾採取「招商辦引，量力行鹽」之法，但是局勢逐漸安定後，各鹽區陸續頒布引額，依據明末最高數額而定，均較「萬曆則例」所定引額為高，列表如下：

---

40 劉錦藻撰，《清朝續文獻通考》卷 34，〈徵榷六〉，台灣商務印書館 76 年影本，頁 7871；楊久誼在〈清代鹽專賣制之特點 —— 一個制度面的剖析〉一文中分析鹽區的產生原因，認為鹽區的劃定主因為歷史及政治因素，而非經濟為主的考量，整體來說問題似乎不大，但是仔細看其分析之事例，似乎考慮的並不周密。例如所舉河東鹽自乾隆 57 年（1792）自由販賣後，可運銷至長蘆、兩淮鹽區，對蘆鹽與淮鹽構成威脅，並未考慮到河東鹽課歸入地丁，以無課之鹽侵灌鹽稅最高的兩淮鹽區，自然影響其市場競爭力；另外所舉永州、衡州、寶慶食淮鹽而不食粵鹽，則為收稅與管理的因素所致，清政府懼粵鹽進入此區，影響佔全國鹽稅之半的兩淮鹽課，遂有此不符合經濟原則的規定，總之，引地的形成原因複雜，實不易以一種原因概括之。楊文見中央研究院，《近代史研究所集刊》第 47 期，民國 94 年 3 月，頁 5-13。

41 楊久誼，〈清代鹽專賣制之特點 —— 一個制度面的剖析〉一文結論中也有相同的看法，見中央研究院，《近代史研究所集刊》第 47 期，頁 35。

表三　明萬曆引額與清初引額表

類別\鹽區	萬曆引額（大引）	清初所據明引額（大引）	清初改引（小引）	備　註
長　蘆	63,100	239,850	719,550	係就明大引一剖為三
山　東	96,100	154,579	463,737	係就明大引一剖為三
兩　淮	352,000	705,180	1,410,360	係就明大引一剖為二
兩　浙	220,400	444,769	667,153	係就明大引一剖為三
福　建	104,200	104,340	208,680	係就明大引一剖為二
河　東	292,000	584,000（小引）	409,933	比明引額減少

說明：明代鹽區大引有 400 斤與 600 斤之分，兩淮每大引 400 斤，長蘆大引每引 600 斤，清初以鹽包斤數太重，稱挈困難，且易於滋弊，改行小引，將原引一剖為三，每引為 200 斤。

本表引自郭正忠主編，《中國鹽業史》古代編，頁 743。

食鹽的消費量和人口數量成正比，明末清初因社會動亂，人口減少，依照萬曆時的引鹽數已屬偏高，清廷為解決軍事費用的不足，頻繁加引，造成引鹽滯銷。康熙朝三藩之亂時，財用不足，按照人口的增加行「計丁加引」，進一步造成食鹽行銷的壅滯。康熙二十八年（1689）直隸巡撫于成龍說：「長蘆新增鹽引，原因軍興需餉，暫議加增，數年以來，積引難銷。[42]……」雍正、乾隆兩朝引額增加更多，不過是以餘引或額外餘引名義增加。如雍正三年（1725）河東銷區頒領餘引 10 萬道，雍正六、七兩年又頒餘引 5 萬道，為正引的三分之一強，又如福建於乾隆七年（1742）

42　《聖祖仁皇帝實錄》（二）卷 143，康熙 28 年 12 月丙寅，《清實錄》第五冊，北京中華書局 1985 年 8 月 1 版 1 刷，頁 575。

頒餘引 403,162 道，額外餘引 123,000 道，與正引幾乎相等[43]。

　　餘引的出現一方面代表人口增加，食鹽需求量增加，鹽產暢旺，但是餘引和正引是有區別的，清政府原規定：「餘引盡銷盡報，不強求銷足，存剩餘引，仍繳戶部。」目的在避免強行派銷，造成引額積壓。惟有些銷區又將餘引配銷列入官吏考成，「銷不及額，照例報參。[44]」餘引便形同正引。此外有些鹽務主管官員，為表業績，盲目請引，不計商人能銷與否，造成商人賠累，人民間接也受其害，蓋因清代後期財政困難 食鹽滯銷，即使不領餘引，商人也必須將餘引的課額如數交足，謂之「銃銷」，商人未銷鹽也需繳稅，自然將此項費用轉嫁到消費者身上，其病仍在民[45]。官鹽價昂，人民轉食私鹽，官鹽滯銷，政府稅收也減少，商民交病，形成三輸局面。清代後期食鹽銷售壅滯，鹽課拖欠，都因此產生。

（三）引課雜項的問題

　　食鹽運銷有「引課」，是食鹽專賣制之下按引徵收的正稅。順治初，清廷針對明末鹽課，蠲免新餉、練餉、雜項加派[46]。長蘆鹽區「將一大引剖為三小引，每小引行鹽 205 斤，包索 20 斤，共行鹽 225 斤。每一小引徵銀二錢六分五厘七毫，三小引合算，共徵銀七錢九分七釐零，較明額少徵銀六分者，原因裁去浮課四分，寧餉二分。」兩淮鹽區，「一引剖二，歲改小引 1,410,360 引，每引無論引價餘課，無分淮南淮北，一例徵銀六錢七分五釐四毫

---

43 崑岡等修，劉啓端等纂，光緒《欽定大清會典事例》卷 226，〈戶部鹽法〉，
　　頁 655-656。
44 崑岡等修，劉啓端等纂，前引書，頁 656。
45 趙爾巽等撰《清史稿》卷 129，〈食貨志四、鹽法〉，頁 2。
46 《世祖章皇帝實錄》卷 6 順治元年 7 月，《清實錄》第三冊，北京中華書局
　　1985 年 8 月 1 版 1 刷，頁 68-69。

零。」另如福建鹽區，歲額行引 104,340 引，每引 400 斤，剖一為二，共該行引 208,680 引，按引計課，每引應納銀一錢九分四厘八毫零。由引課數可知，兩淮鹽稅較他處高許多。

上述各鹽區引課雖較兩淮為輕，但是自順治十年（1653）後，因軍事支出增加，財用不足，各項加徵不斷開徵，順治十三年戶部尚書孫廷銓奏稱：「臣等覆查，河東每歲輸納正課銀 130,155 兩，並賑濟鹽丁等五款雜項共銀 6,584 兩，俱照萬曆年間之例徵收。其餘天啟、崇禎年間，助工、練餉等項，亦應量加，今因軍餉不足，前經臣部題增鹽引十萬引，鹽課 32,000 兩，奉有諭旨欽遵在案。當遵照速徵解部，以助兵餉。」各鹽區情形類似，引課不斷加徵，康熙十四年（1675），平定三藩之亂時，戶部於《量增鹽課以濟軍需事案》內題明：「因需用錢糧之際，每引加增銀五分。」此外，長蘆鹽區順治初期，每引徵正課銀 2 錢 6 分 5 釐，康熙中期，每引徵銀已達 4 錢 6 分，乾、嘉時更增至 6 錢 3 分 3 釐。

隨著政府開支增加，財用不足，在鹽稅中附加各種雜項，名目繁多，例如：「銅斤腳價」、「河工銀」、「坨租銀」、「領告雜費」、「緝費」、「歸補緝費」、「平飯銀」、「口岸汛工銀」、「灘鹽公所經費」、「歲修官道銀」、「內外帑利」等，多達數十項。且中央與各省，只要有需要，任意在運銷時增加雜課。同一項雜課，初徵時並不算多，日後不斷增加，如「領告雜費」一項，嘉慶九年（1804）以前，每引攤銀八厘，清末增加到四錢，是原徵收的五十倍[47]。正課、雜項不斷的增加，食鹽成本也隨之增加，鹽價昂貴，人民無力購食，影響民生；鹽商銷售困難，積壓資金，造成虧空成本，倒閉者所在多有，影響經濟。鹽稅重，鹽價高，私鹽泛濫是必然

---

47 林振翰編，《鹽政辭典》，申 60 頁；寅 59 頁。

的結果[48]。

三、人為的弊病

（一）陋規浮費問題

　　清代鹽法承繼明朝，對食鹽生產運銷的掌控較明代更嚴，設立了許多鹽務管理機關，層層節制，目的原在杜絕私鹽，確保鹽課收入，卻造成機關疊床架屋，鹽吏上下其手，貪瀆勒索，侵擾州縣，盤剝鹽商之弊。鹽務陋規與官吏中飽的情形十分嚴重，成為官府非法的經常性收入，從鹽政各衙門，到總商、地方官、參與緝私的兵丁，都要從鹽商處獲取利益，貼補費用，「各衙門額規千頭萬緒，鹽院、鹽道等官固其本管官，額規絕不可缺，而行鹽地方，文官自督撫以至州縣雜職，下及胥吏，武官自提鎮以至千把，下及兵丁，莫不皆有額規。[49]」雍正時，僅兩淮一地鹽商繳給地方官衙的各項雜費（即官吏朘削，包含節禮，饋送等陋規），一年 150 萬兩，此外尚有淮南至江廣一帶地方衙門的匣費 130 萬兩，官吏私收 50 萬兩，「天下鹽課每歲約計四百萬兩，而此四百萬之外，商人所出之浮費，更有倍於此者。第浮費雖出於商，而鹽價仍取償於民，是商民兩困也[50]。」浮費竟與正稅相同，據說清代外官自督撫至州縣陋規優厚，不另貪求者已稱操守廉潔，以兩江總督為例，陋規年達 30 萬兩，其中三分之一來自淮南鹽務[51]。所有鹽官除了正俸由政府支付，養廉銀、心紅銀及一切鹽務衙門

---

48 陳鋒，《清代鹽政與鹽稅》，頁 109-頁 125。

49 盧詢，〈商鹽加引減價疏〉，賀長齡編，《皇朝經世文編》卷 49 戶政 24，文海出版社民國 55 年影本，頁 1754。

50 〈鑲紅旗漢軍張鎬雍正三年十月奏摺〉，《雍正朝漢文硃批奏摺彙編》第 6 冊，頁 375。

51 金安清，《水窗春囈》卷下〈外官廉潔〉條，北京中華書局 1997 年 12 月湖北 2 刷，頁 59。

的飯銀、幕友束脩、筆墨紙張，全由鹽商支付。兩淮鹽運使每年例送規費，離任外調，鹽商還得送上一筆重賄[52]。浮費之多，於此可見。據研究，乾隆朝兩淮鹽商報效及輸納佔其銷售收入的42.47%，比例不可謂不高[53]。

雍正即位後，對浮費的泛濫十分了解，雍正二年（1724）諭令：「加派陋規，弊之在官者更大。若不徹底澄清，勢必致商人失業，國帑常虧。夫以一引之課，漸增至數倍有餘。官無論大小，職無論文武，皆視為利藪，照引分肥，商家安得不窮困？賠累日深，則配引日少，配引日少，則官鹽不得不貴，而私鹽得以橫行。故逐年之課難以奏銷，連歲之引盡皆壅滯，非加派之所致歟！」由此上諭，可見雍正對鹽務弊端的了解，官鹽壅滯，私鹽盛行，固然不是加派單一原因造成，但也非浮費一項原因造成，而是許多原因相加相乘，造成的惡性循環。

雍正下令對陋規浮費改革，兩淮鹽區自雍正元年至十二年（1723－1734），共裁革浮費 1,247,380 兩；王守基談到山東鹽區時說：「當初鹽政運司衙門規禮，動逾鉅萬，雍正元年裁革，酌留給各官養廉及書役工食，以資辦公。[54]」實際上雍正裁革浮費又分兩類：第一類為實裁，把不應有的陋規浮費裁去，核減鹽引成本，如：湖廣鹽革除陋規，每包減去鹽價六厘；第二類為裁減歸公，將官吏向商人勒索的陋規，轉為國家收入，使國家鹽課增加，如福建鹽區本係商辦，僅徵鹽課銀 76,900 餘兩，雍正元年，經督

---

52 朱宗宙，〈明清時期揚州鹽商與封建政府關係〉，《鹽業史研究》1998 年第 4 期，頁 4-5。

53 汪崇篔，〈清嘉道時期淮鹽經營成本的估算和討論〉《鹽業史研究》2002 年第 1 期，頁 9。

54 王守基，〈山東鹽務議略〉，《鹽法議略》，頁 19。

臣滿保查出鹽官得陋規銀八萬餘兩，歸入正課[55]；又如兩淮鹽規、匣費、節省等項，多由陋規改為額款，增加一百餘萬兩[56]。雍正年間的裁革浮費，更明令：嗣後各官不得另有需索，倘原收各官仍有勒取者，許令商人呈明。又令：嗣後如有地方官藉端需索，及口岸各商，敢於逢迎分送，該督撫應立即提參，與受者一并治罪。雖有此命令，短期內尚見功效，不過沒有商人敢檢舉索賄的官員，乾隆以後浮費勒索又趨嚴重。

　　湖廣匣費雍正時裁減為 12 萬兩，乾隆五年（1740）增為 24 萬兩，乾隆中期增至 60 餘萬兩，嘉慶時增為 100 餘萬兩；在福建，雍正時裁減浮費，不久後又有<u>長價</u>、<u>單錢</u>、<u>錢水</u>等供委官人役薪水等名目雜課出現，雍正七年（1729）再次禁革，並申明「永著為例」，不過這些浮費依然存在，乾隆七年（1742），僅長價一項，每百斤鹽增二十至七八十文不等，錢水、<u>鹽規</u>、<u>額外盈餘</u>等名目的浮費與日俱增[57]，表示鹽政、吏治的日趨敗壞。

（二）鹽商報效與其他人為弊端

　　除了正常稅負，每當政府有財政上的需要，常將鹽商視為提款機，不斷的向鹽商攤派，美其名曰「樂輸報效」，據統計：從康熙十七年至嘉慶八年（1678－1803），一百二十五年間，向兩淮鹽商軍需攤派 2,233.5 萬兩、賑災攤派 277.9596 萬兩、助工攤派 511.76 萬兩、備公（備皇帝賞賜等用途）捐輸 959 萬兩，總計攤派 3,982.2559 萬兩[58]。加上康熙、乾隆多次南巡，鹽商供應浩繁，清政府回報鹽商，除獎以職銜外，復加優恤，初則准其「加價」，

---

55 王守基，〈福建鹽務議略〉，《鹽法議略》，頁 55。
56 王守基，〈兩淮鹽務議略〉，《鹽法議略》，頁 41。
57 王守基，〈福建鹽務議略〉，《鹽法議略》，頁 55-56。
58 朱宗宙，〈明清時期揚州鹽商與封建政府關係〉，《鹽業史研究》1998 年第 4 期，頁 12-14。

繼則准其「加耗」，以資調劑。鹽價一加，不可復減，民受其害；加耗則會紊亂鹽法，商人藉口加耗，任意多帶，夾帶私鹽，正鹽壅塞。故而識者謂前清鹽法壞於乾隆一朝，而其致病之原實「報效」二字[59]。

報效是政府直接向鹽商勒收，帑利則是皇帝向鹽商放高利貸之所得。清初鹽商苟有資金緩急，內務府嘗發帑金數百萬兩給鹽商，以資週轉，謂之帑本，鹽商每年所繳利息曰帑利，按年解京應用。後來承領帑本的鹽商倒閉，本利俱無所歸，帑利乃攤入綱引，按年征派，也造成食鹽成本的增加[60]。

清政府為便於管理，也利於鹽商與政府的交涉，命鹽商組成商會，由財力雄厚的鹽商充任負責人，兩淮、兩廣、福建稱「總商」；兩浙叫「甲商」；山東稱「綱頭」、「綱首」；河東稱「綱總」、「值年」。[61]他們負責處理對外事務，向各鹽商收取辦公費用。起初費用不多，後名目繁多，又無清楚帳目，運商不堪重負[62]。道光九年（1829），御史王贈芳疏云：

> 兩淮有四大總商，十二小總商之目，眾商行鹽，必得總商
> 具保，每年滾總納課，一應鹽費，均由攤派。竟有一引不
> 運，專靠侵蝕庫款，剝削眾商以為肥家之計者。每年派眾
> 商出費，止有總數，並無細數，眾商既不能謁見官司，又
> 不能與聞公議，惟有俛首出貲而已。[63]

---

59 曾仰豐，《中國鹽政史》，頁 24-25。

60 何烈，〈清代中期各種財政積弊的研究〉，沈剛伯先生八秩榮慶論文集編輯委員會編，《沈剛伯先生八秩榮慶論文集》，頁 351-352。

61 陳鋒，《清代鹽政與鹽稅》，頁 31-32；郭正忠主編，《中國鹽業史》古代編，頁 679-680。

62 陶澍，〈敬陳兩淮鹽務積弊附片〉，《陶文毅公全集》卷 11 奏疏（以下簡稱《全集》），上海古籍出版社《續修四庫全書》集部別集類，頁 5。

63 王贈芳，〈謹陳補救淮鹽積弊疏〉，盛康輯，《皇朝經世文編續編》卷 51，〈戶

總商在政府庇護下，坐享暴利，當然將所有成本轉嫁到鹽價上，由人民負擔。

食鹽成本中還有一部分是<u>窩價</u>，綱運法是由商人出錢取得引權，謂之引商，初認時費用極高，故承爲世業，叫做引窩，有引窩的人常自己並不買賣食鹽，將引權賣給他人，引商向場商購鹽，交由運商運至銷鹽引地，售予水商，販售予民，多次轉手，層層獲利。上述的各項開支，最後都要納入食鹽的成本中，轉嫁給消費者，據研究，淮南場商向灶戶收購價每斤僅 0.5－4 文，每引約 1.67 兩，加上對官府的輸納各項費用 1.2 兩，售予運商價爲每引 3 兩，每引獲利 0.13 兩，利潤僅 4.3%；運商以每引 1 兩支付運費，船戶完全無利可圖；運商運售食鹽一次，扣除購鹽價、鹽稅、相關輸納與運輸費用，利潤爲 10.9%，正常運鹽一次需時三個月，道光年間，因河道淤塞等原因，一運兩年或三年兩運，資金週轉太慢，平均每年利潤僅剩 5%－7%，因爲官鹽價高，銷售不順暢，仍屬虧損。灶戶、船戶辛勤終年，入不敷出；場商、運商利潤過低，資金積壓，風險過大，最後唯有走上私運避稅的道路[64]。

私鹽導致官鹽滯銷，康熙年間，允許滯岸鹽引通融暢岸代銷，名爲「融引」，原爲一時權宜之計，行之既久，姦弊孳生，鹽商以代銷鹽引，轉售予他縣鹽商，卻仍照原先核定銷售數量在本縣售鹽，形成同一鹽引，同時在兩縣發賣，代銷之鹽在本縣不必繳稅，這種弊端造成越代銷越滯銷的結果，卻也必須賄賂地方官吏才行得通，形成鹽商與官吏勾結分肥，政府鹽課受損，吏治腐

政 23 鹽課 2〉，文海出版社影本，頁 28。

64 汪崇篔，〈清嘉道時期淮鹽經營成本的估算和討論〉，《鹽業史研究》2002 年第 1 期，頁 10-16。

化，人民食價昂質差之鹽[65]。

第三節　清代的私鹽

有清一代，政府鹽課最大的敵人，便是不納課的私鹽。因爲食鹽是需求彈性極小的商品，私鹽氾濫，官鹽必然滯銷，鹽課當然減收。私鹽種類繁多，從鹽稅的角度區分，一種是食鹽產地生產的鹽，未經納稅即流入市場銷售，常見的稱「場私」，清末以後，又有從國外走私未稅的洋鹽，謂之「洋私」[66]，是實質上的私鹽；另一種是因爲銷區引岸制度下，或因不同區域食鹽稅率不同，造成鹽價差異，人民購食稅低價廉之鹽，或因引界劃分失當，人民不願捨近求遠，形成的「鄰私」；另外也有按照走私方式，或走私者身份區分的私鹽，主要有軍私、官私、船私、商私、梟私，甚至參加科考的考生，也有私運食鹽走私販售的行爲[67]。分項敘述之。

(一) **場私**：亦稱灶私，從食鹽生產地透漏之私鹽，一向被視爲
　　　　「販私之源」。兩浙鹽課監察御史衛執蒲曾說：「場舍爲產
　　　　鹽之所，灶戶乃煎辦之人，除此而外，鹽無他出，故官引

---

65 李明明、吳慧，《中國鹽法史》，頁 288-289。
66 鄒琳編，《粵鹺紀實》第六編〈緝私〉，頁 23-24；朱宗宙，〈外國資本主義勢力對清代鹽政主權的侵犯〉，《鹽業史研究》1992 年第 3 期，頁 43-47。
67 《曾文正公批牘》卷六：「查應試士子如敢包攬大伙私鹽，恃符闖卡，自應立時拿解，照例究辦。其寒士略帶食鹽，藉做考寓日用之需，爲數無多，於岸銷無甚占礙，故不必專派教職稽查，亦毋庸官爲收買。」見《曾文正公批牘》，華文書局民國 58 年影本，頁 885-886。另佐伯富先生將私鹽分爲漕私、船私、梟私、商私四種，並未細分，參見氏著《清代鹽政之研究》，第四章〈私鹽問題〉，頁 130-192；徐泓則將私鹽分爲：灶私、梟私、糧私、商私、船私、官私、鄰私六種，見徐泓，《清代兩淮鹽場的研究》，頁 127-142。

之配銷不足，梟徒之肆橫行私，皆場灶多煎偷賣之所致。[68]」
場私產生的原因，本章第二節已有分析，不贅。

（二）**鄰私**：鄰私爲超越引界銷售之私鹽，向爲法律禁止。因銷
區劃分不合理，各鹽區鹽稅高低不同，運輸遠近導致運價
差異頗大，以致各區鹽價貴賤不一所造成。鄰私主要發生
在兩淮引地與其它引地交會處，雍正十三年（1735），長蘆
巡鹽御史三保奏曰：「查行銷引鹽，原以緝私爲要務，私禁
則官引自銷，所以分別疆界各銷各引，如有侵越，即干法
紀。惟是兩淮行鹽地方鄰私最易透露，屢奉諭旨，嚴飭該
管官加意整理在案。…[69]」此外，廣東潮橋區常有閩鹽侵
入，皆因地形與交通運輸便捷與否，成爲鄰私產生的原因
[70]。鄰私相關問題，本章第二節已有說明，不再重複。

（三）**軍私**：又稱兵私，指軍中官兵走私。順治四年（1647），
嚴禁旗兵私販，〈上諭〉指出：「興販私鹽，屢經禁約。近
聞各處奸民指稱投充滿洲，率領旗下兵丁車載驢馱，公然
開店發賣，以致官鹽壅滯，殊可痛恨。爾部即出示嚴禁，
有仍前私販者，被獲鞭八十，其鹽斤等物入官，巡緝員役
縱容不行緝拿者，事發一體治罪。[71]」不過兵丁手執武器，
雖設巡緝員役，誰敢過問？

（四）**官私**：官私分爲二種，其一是貪官劣吏走私。康熙四十四
年（1705）大學士李光地奏劾雲南布政使張霖，「假稱奉旨，

---

68 衛執蒲康熙十八年六月二十日〈奏繳是迹文冊〉，轉引自郭正忠主編，《中
　國鹽業史》古代編，頁 770。
69 三保，〈爲敬陳鹽政要務恭請聖訓事〉，轉引自郭正忠主編，《中國鹽業史》
　古代編，頁 775。
70 鄒琳編，《粵鹺紀實》第六編緝私，頁 26。
71 清高宗敕撰，《清朝文獻通考》卷 28〈徵榷三〉，頁考 5097。

販賣私鹽，得銀百六十餘萬兩。張霖論斬，籍沒。[72]」；夔州知府程如絲「自販私鹽，而捕楚民之販私者，槍斃甚眾」[73]；其二是緝私官員藉緝私之名走私者，或將緝得私鹽在市場上販售，謂之「功鹽」；或捕獲私鹽不報，四境興販[74]。兩淮巡鹽御史胡文學曰：「有司設立捕役，原為巡緝私鹽，給以腰牌，因係在官人役，愈便行私，他人不敢緝拿，即有盤詰，藉口功績鹽斤，可以矇混，故多一捕役，即多一私販。[75]」

(五) **船私**：最常見的是運糧漕船夾帶，又名漕私或糧私。運漕糧南返利用空糧船載運蘆鹽或淮北鹽，侵銷淮鹽引地，順治十七年（1660）李贊元已稱：「回空糧船約有六七千隻，皆出瓜、儀二閘，其船一幫夾帶私鹽，悉止數十萬引，合而計之，實侵淮商數十萬引鹽地。[76]」雖經嚴禁，卻未盡絕。道光年間陶澍也說：「糧船夾帶，非蘆私即淮私，而蘆鹽價值較賤，故所帶尤多。[77]」「漕船回空帶私，為歷來之痼弊，蘆私居十之八九，淮私居十之一二，年甚一年。[78]」船私尚有雲南、貴州載運銅鉛的船隻，經過四川時夾帶川鹽，入湖北私賣，陶澍說：「銅鉛船自四川裝運北上，一路收買川私入楚售賣者，經由卡隘，並不聽候查驗，以致宜

---

72 趙爾巽等撰，《清史稿》卷 268，〈李光地傳〉，頁 7。
73 此案因清初四川鹽務由臬司兼管，稽核未週，雍正年間四川增設驛鹽道，專管鹽茶等事務。見蔡冠洛編纂，《清史列傳》卷 15，〈憲德傳〉，台灣中華書局民國 72 年 2 月台二版，頁 24-25。
74 包世臣，《安吳四種》〈中衢一勺〉卷 3，〈庚辰雜著五〉，頁 5-6。
75 胡文學，〈疏稿〉《清史資料》第 3 輯（1982 年），頁 152，轉引自郭正忠主編，《中國鹽業史》古代編，頁 774。
76 清高宗敕撰，《清朝文獻通考》卷 28〈徵榷三〉，頁考 5098。
77 陶澍，〈嚴查回空糧船夾帶私鹽摺子〉，《陶文毅公全集》卷 11 奏疏，頁 9-10。
78 陶澍，〈陳奏回空糧船未便任帶蘆鹽摺子〉，《全集》卷 15 奏疏，頁 1-6。

昌一郡盡食川私，並灌及下游荊州各屬，與荊門之遠安、當陽，湖南之澧州、石門等處，大爲淮綱之害。[79]」

(六) **商私**：鹽商負責繳稅行鹽，在銷區壟斷食鹽銷售，和私鹽是勢不兩立的，他們倚賴官府，嚴緝走私，甚至承擔緝私經費，有時在官府委託下，僱用私人巡役捕私，弔詭的是，鹽商往往也是猖狂的私販。鹽商之所以成爲食鹽走私者，一部分因爲貪婪，一部份因爲鹽課過重，浮費太多，運費日重，食鹽成本太高，而官定鹽價不符成本，鹽商爲謀取利潤，走私食鹽。最常見的方式是夾帶，在鹽場捆載鹽斤時，捆載超過額定引重的鹽，不必納課，以牟取厚利，陶澍說：「江船裝鹽，每船裝官鹽十之五六，餘艙盡以裝私，謂之跑風。[80]」鹽商與官吏勾結下「鹽到儀鎮秤掣，每引計重四百有餘，是一引之中商人竟夾帶一引有餘無課之鹽。[81]」乾隆時一引增至 344 斤，嘉慶、道光時又增爲 364 斤，運商與船戶夾帶私鹽共達 366 斤，幾乎與正引同重，是爲「商私」。道光皇帝曾說：「山東鹽引每引浮舂多至三五十斤，至百餘斤不等，通計山東每年五十萬引，多舂十千萬斤，抵官引二十餘萬道。一經控告，或將鹽包戳漏，或澆水滲消，官吏得規祖護。一省如此，各省恐亦不免。[82]」陶澍也曾說：「兩淮正引 364 斤，現在各場捆鹽，多者幾至加倍，此商人引鹽之夾帶也。[83]」

---

79 陶澍，〈會同兩湖督撫籌議楚省鹺務疏〉，《全集》卷 18 奏疏，頁 1-2。

80 陶澍，〈再陳淮鹺積弊摺子〉，《全集》卷 11，頁 18。

81 湖廣總督楊宗仁，〈聞鹽法利弊摺〉，《雍正朝漢文硃批奏摺彙編》第 1 冊，頁 486-487。

82 劉錦藻撰，《清朝續文獻通考》卷 35〈徵榷七〉，頁 7881。

83 陶澍，〈會同欽差覆奏體察淮北票鹽情形摺子〉，《全集》卷 14 奏疏，頁 26。

第二種商私爲淹消興販，鹽船行走江湖，難免遭風失險，清廷按例准鹽商批補沉失之鹽，免其輸課，卻有鹽商利用此體恤之法作弊，盜賣食鹽，鑿沉空船。乾隆十五年（1750），已發現鹽商捏報淹消之弊，要求官吏嚴查，均未能解決。至道光時陶澍奏報：「（鹽商）將全引一船之鹽，分爲三四船，遇有一船遭風失淺，即捏報全引淹消，將並未失事之二三船，亦請補鹽，既得照例免課，又得通綱津貼，到岸之後，並得提前發賣，謂之淹消補運，是以一引而換數引，明目張膽之私也。[84]」

第三種是私梟和商人勾結，包世臣說：「私鹽之多，實由官受商制，而縱商夾私，商被船挾，而縱船買梟私，隨帶赴岸。[85]」形成商梟不分的局面。

第四種商私是，太平天國事件後，長江水運不通，中國鹽商有利用洋船運輸食鹽，清廷及太平軍無力防堵洋船走私，這種私鹽主要是運送本國食鹽逃避鹽厘徵收，雖不是外國食鹽走私進口，仍爲商私的一種型態[86]。

（七）梟私：有組織的武裝走私謂之梟私，李煦在康熙五十一年（1712）奏稱：「淮揚一帶地方，有山東、河南流棍，聚集甚多，興販私鹽。其中各有頭目，或率黨數十人，或率黨一二百人，橫行白晝。而文武官員總不認真嚴禁，縱容兵丁衙役受賄，以致鹽徒罔知顧忌。[87]」梟私食鹽的主要來

---

84 陶澍，〈再陳淮醝積弊摺子〉，《全集》卷 11，頁 18。
85 包世臣，《安吳四種》〈中衢一勺〉卷 5，〈小倦遊閣雜說二〉，頁 17。
86 林美莉，〈咸同之際洋商在兩淮行鹽區的販運私鹽問題〉，東吳大學《文史學報》第十一期，民國八十二年三月出版，頁 171-172。
87 李煦康熙五十一年十一月初三〈泰州私鹽販殺傷緝私差役摺〉，《李煦奏摺》，頁 129。

源是灶私，也有一部分是鹽商、船戶供應，甚至守候運道，
伺機行搶官鹽[88]。清代後期，梟私更加嚴重，道光二十七
年《上諭》稱：

> 直隸河間、冀州及順天之霸州、文安一帶，鹽梟結夥百數
> 十人，或二三百人不等，用驢馱載私鹽，執持槍炮器械，
> 強行售賣。經地方官差拿，輒敢拒捕，施放槍炮……此等
> 匪徒，大半籍隸滄州，以驢馱為記，以槍炮為號，一聞槍
> 炮之聲，則各處梟匪聞聲往助。[89]

梟販規模日益壯大，包世臣對梟匪的組織留下了一些資料：

> 梟匪之首，名大仗頭，其副名副仗頭。下則有秤手書手，
> 總名曰『當青皮』。各佔馬頭。私鹽過其地則輸錢，故曰鹽
> 闕；為私販過稱主交易，故又曰『鹽行』。爭奪碼頭，打仗
> 過於戰陣。又有乘夜率眾賊殺者，名曰『放黑刀』。遣人探
> 聽，名曰『把溝』。巨梟必防黑刀，是以常聚集數百人，築
> 土開壕，四面設砲位，鳥槍、長矛、大刀、鞭錘之器畢具。……
> 淮南以深江、孔家涵子為下碼頭，而瓜州、老虎頭為上碼
> 頭。淮北以新壩、龍苴城為下碼頭，而錢家集、古寨為上
> 碼頭。大伙常五六百人，小亦二三百為羣，皆強很，有技
> 能。[90]

私梟為與官府對抗，常與會黨結合。監察御史王贈芳奏稱：

> 淮南北之梟，又私販於場灶以灌腹內。其為首者有大仗頭、
> 副仗頭之目，貲本多至數十萬，大伙以數千計，小者二三
> 百為群。……凡安徽之潁、亳、廬、鳳，江蘇之徐、邳，

88　張小也，《清代私鹽問題研究》，頁 94-97。
89　《大清宣宗道光皇帝實錄》（十二）卷 447，道光 27 年 9 月甲申，台灣華文
　　書局影本，頁 14。
90　包世臣，《安吳四種》〈中衢一勺〉卷 3，〈庚辰雜著五〉，頁 6。

河南之南、光，山東之曹州，湖北之襄陽，江西之南、贛、
吉，紅鬍、教匪、捻匪、會匪，以及糧船水手，皆其黨類，
處處充斥，阻壞鹽法，擾害地方。[91]

清廷對私梟販賣私鹽，影響國課，已感不耐，詎私梟與會
匪勾結，不但擾亂社會治安，甚且可能勾結為亂，威脅清
廷的統治權，動搖國本，更是必須及早解決，根本拔除。

(八) 洋私：清末列強勢力入侵，外人在中國居住者日增，因為
中國食鹽品質不佳，鹽商多有攙沙和土的情形，外人遂有
違反中國法令，走私洋鹽進口，初為自己食用，後因物美
價廉，遂有私下銷售獲利之事。此外，光緒二十四年（1898）
德國人租借膠州灣後，沿海鹽灘劃入租借，在青島迤南沿
海一帶，開闢鹽場數十處，招集華工製鹽，暗銷內地，由
於食鹽晶瑩如璧，附近居民樂於購食，德人獲利豐厚，甚
至制訂章程，抽取稅費，保證經其抽稅之鹽得以運銷，影
響中國鹽政至鉅[92]。

清代鹽務的種種弊端與私鹽盛行，影響到清政權的財政，甚
至統治權的穩定，當政者常苦思對策以謀解決。但是若不追查私
鹽造成的原因，欲求解決之道，無異緣木求魚。那麼私鹽氾濫的
原因為何呢？佐伯富分析清代私鹽產生的原因如下：

　　1.私鹽價格低於官鹽價格，人民貪賤買食私鹽；

　　2.私鹽潔淨味正，品質較官鹽為佳，人民樂於買食；

　　3.私鹽可以零買，買食方便，官鹽以包為單位出售，購食成

---

91 王贈芳，〈請更定鹽法疏〉，《皇朝經世文續編》卷 50，〈戶政二十二鹽課一〉，頁
　 26-29。
92 左樹珍，〈青島鹽業之善後〉，景學鈐編，《鹽政叢刊》（下），北京鹽政雜誌社民
　 國 10 年出版，頁 379；〈記山東德人推廣鹽政權事〉，《東方雜誌》第七年第三
　 期，頁 63-64。

本高；

4.私鹽購買時容許賒欠，也可以粟布易鹽，而官鹽必須以銅錢購買；

5.官鹽店離村舍較遠，私鹽則近村鄰舍，早晚沿門來賣；

6.吏治腐敗，緝私不能徹底進行；

7.鹽政漸次衰敗，鹽商資本耗竭，場商不能全數收買灶戶所產鹽斤；

8.私鹽價廉物美，消費者歡迎甚至庇護販私，對官鹽採取拒斥態度。[93]

徐泓分析明代私鹽盛行的原因，認為官鹽價高質劣，購食不便外，緝私組織失效，鹽官不受尊重，賢者裹足不願擔任，甚至捐貲得官者，難免垂涎鹽利而來，遂共謀營私，掩護私鹽，清代也有類似情況[94]。

綜合上述，吾人可歸納出，造成清代鹽務弊病的根本原因如下：

（一）財政上過度依賴鹽稅

有清一代的鹽政以裕課、恤商、利民、杜私為核心思想[95]。清代前期國家稅收依序為地丁錢糧、鹽課、關稅、雜賦，康熙五十一年（1712），詔：「嗣後滋生戶口，勿庸更出丁錢即以本年丁數為定額。[96]」謂之盛世滋生人口，永不加賦。自此人丁定額，新生者不復納賦。雍正初年，攤丁入畝後，地丁錢糧額度固定不

---

93 佐伯富，《清代鹽政之研究》，第四章〈私鹽問題〉，頁 192-203。

94 徐泓，〈明代的私鹽〉，《國立台灣大學歷史系學報》第 7 期，頁 246-253；吳海波、李曦在〈清政府對私鹽的防範和打擊〉一文中也認為緝私組織的腐敗無能，各級巡捕官吏的玩忽職守是導致私鹽氾濫的重要原因。文見《鹽業史研究》2005 年第 1 期，頁 40-45。

95 張小也，〈李衛與清代前期的鹽政〉，《歷史檔案》1999 年 3 期，頁 93。

96 趙爾巽等撰，《清史稿》卷 8，〈聖祖本紀三〉，頁 127。

易增加，關稅、雜賦佔稅負比例太低，只有鹽稅徵收具有彈性，屢被用來濟財政之困，常說「裕國豐財，莫如鹽法[97]」。順治九年（1652）歲入 2,438 萬兩，其中鹽稅為 212 萬兩，占稅收的 8.7%，道光年間歲入 3,714 萬兩，其中鹽稅為 750 萬兩，占稅收的 20.1%，鹽稅佔歲入比例增加了 1.3 倍[98]。清政府一直將鹽稅視為解決財政問題的來源，可見恤商、杜私是為了裕課，至於利民，是在不影響稅課的情形下次要的目標。

政府視鹽稅為利藪，倚賴過深，以各種名目搜括聚斂，導致鹽價上漲，官鹽壅滯，私鹽氾濫的惡性循環。

（二）人性貪婪索求無度

政府不斷加稅，樂輸報效連年，大小官吏需索無度，造成食鹽直接間接成本增加，市場官鹽銷售又有官定價格，商人投注資本，辛苦運銷，自然不甘虧損，他們只有勾結官吏，共同作弊，藉名行引，夾帶增重。清初將明朝大引一剖為二、為三，每引 200 斤，籌餉加課，報效例開後，不斷允許商人加斤加耗，以酬謝商人，淮南鹽每引達 600 斤，淮北達 400 斤，長蘆超過 500 斤，山東為 300 餘斤。這些還是奏請恩准合法之鹽，由於各地引重不一，商人就藉口耗鹽，捆載大包，任意夾帶。加之清代鹽務管理體系不斷膨脹，官員俸祿、養廉銀、兵弁薪餉、興建衙署、幕僚胥吏費用，無一不從鹽價中獲得，這些鹽務官吏兵弁，若能實心辦事，也便罷了，偏偏他們往往就是腐蝕鹽務的蠹蟲，嘉慶、道光年間，阿克當阿任兩淮鹽政十餘年，「人稱為阿財神，過客之酬應，至少無減五百金者，交遊遍天下。…阿之書籍字畫三十萬金，金玉珠

---

97 〈鑲紅旗漢軍張鎬雍正三年十月奏摺〉，《雍正朝漢文硃批奏摺彙編》第 6 冊，頁 375。
98 趙爾巽等撰，《清史稿》卷 129〈食貨志四、鹽法〉頁 3；卷 131〈食貨志六、會計〉，頁 20。

玩二三十萬金，花卉食器几案近十萬，衣裘車馬更多於二十萬，僮僕以百計，幕友以數十計，每食必方丈，除國忌外，鮮不見戲劇者。即鼻煙壺一種，不下二三百枚，無百金以內物，紛紅駭綠，美不勝收。珍奇楠朝珠用碧犀翡翠爲配件者，一掛必三五千金，其膩軟如泥，潤不流手，香聞半里外，如帶鉤佩玉則更多矣。司書籍之僕八人，隨時裝潢補訂又另有人。宋元團扇多至三千餘，一扇值四五兩，乃於數萬中挑選而留之者。[99]」鹽官貪瀆，縱任鹽商走私抬價，摻灰和泥，賺取暴利，鹽商累積了大量的財富，生活奢侈，衣服屋宇，窮極華靡，飲食器具，備求工巧，俳優伎樂，恒舞酣歌，宴會嬉遊，殆無虛日，聲色追逐，庭園營建，耗資鉅萬，爲衛道之士所不齒[100]。王守基曾說：「官視商爲利藪，索價徇情，商借官爲護符，短斤營私，積重難返，遂至壅引虧課。[101]」可謂一針見血。上述弊端都是人性貪婪所致，其結果當然是弊端百出，私鹽盛行。

　　學者研究清代後期財政困難之因，國家經濟落後與列強交相侵凌，固有影響，但最基本的因素，還是本身財政積弊過多，才造成不可克服的難題。清朝統治期間，財政弊端始終存在，初期爲患不大，中期以後，流弊滋長，終至無法收拾[102]。鹽務弊端亦

---

99 金安清，《水窗春囈》卷下，〈阿財神〉條，頁 62-63；韋明鏵，《兩淮鹽商》，福建人民出版社 1999 年 9 月 1 版 1 刷，頁 183。

100 王瑜、朱正海等著，《鹽商與揚州》，南京江蘇古籍出版社 2001 年 4 月 1 版 1 刷，頁 3-4；另有關兩淮鹽商生活的奢侈，可參考蕭國亮，〈清代兩淮鹽商的奢侈性消費及其經濟影響〉一文，載陳然、謝奇籌、邱明達編，《中國鹽業史論叢》，北京中國社會科學出版社 1987 年 12 月 1 版 1 刷，頁 452-468。

101 王守基，〈兩淮鹽務議略〉，《鹽法議略》，頁 41。

102 何烈，〈清代中期各種財政積弊的研究〉，沈剛伯先生八秩榮慶論文集編輯委員會編，《沈剛伯先生八秩榮慶論文集》，頁 346。

然，清政權建立之初即繼承了明代鹽務法規與體制，爲了快速自鹽稅獲取軍政所需資金，採取了「恤商裕課」的策略，並與揚州鹽商合作，焙灶疏引，罷除了明代新餉、練餉，加之清初諸帝多勤政，食鹽產銷迅速恢復，但是其目標設定在食鹽生產、銷售的恢復，以利鹽稅的增加，並未根本革除明代鹽法中的弊病。乾隆中葉以後，吏治政風敗壞，官吏貪瀆，內憂外患日益嚴重，鹽務弊端浮現，嘉慶、道光以後，已至官鹽壅滯，私鹽盛行，官商勾結，小民受害，鹽課無著，到了必須改革的時候了。

附　錄

鹽務專有名詞釋義（資料出自林振翰《鹽政辭典》與王守基《鹽法議略》，
不另加註）

1.邊布：長蘆灶課之一，明代開中商人納粟於邊，報中給引，稱
　為邊鹽。灶戶本應按丁徵鹽，以為正課，有些鹽場偏遠，商人
　不來支鹽，鹽堆積銷折，令灶戶以鹽 800 斤折布 3 丈 2 尺繳稅，
　後改徵銀 3 錢，稱為布錢，又稱邊布。

2.白鹽折價：長蘆每年例辦內府、光祿寺青白鹽，及各衙門食鹽，
　共 90 餘萬斤，後裁去各衙門食鹽，只貢內府、光祿寺青白鹽
　20 萬斤，餘鹽折銀，解部充餉銀，稱為白鹽折價。

3.鹽磚折價：長蘆每年例辦內府之鹽，應造磚鹽 667 塊，每塊重
　15 斤，後每塊折銀 2 錢 8 分，解部充餉，是為鹽磚折價。

4.京山：明代京山、順慶、柘城、汝寧、嘉定、新昌等十四藩府，
　每年各給蘆鹽若干引，順治 13 年規定分派各場徵解，謂之京
　山。

5.節省：鹽官俸祿及工役所需，皆徵之於場，康熙 7 年大加裁減，
　節省銀兩歸入灶課解部，謂之節省。

6.灘價：即灘戶售鹽之價，因灘地不同，而有上中下之分，平均
　每斤約 3 文。

7.鍋價：長蘆灶課之一，煎鹽用鍋，鍋有鍋價。

8.滷水折價：明季長蘆應納光祿寺滷水 2400 斤，因無用處，每百
　斤折銀 1 錢 6 分，由運司捐解，謂之滷水折價。

9.更名食鹽變價：京藩食鹽以外，有趙藩食鹽一款未經攤徵，稱
　更名食鹽變價。

10.皇鹽廠地租：長蘆灶課之一，場地在天津府城北，明代儲貢鹽

之所，後改卸河東鹽坨，廠遂廢。清初附近民眾蓋草房 120 間，
官收租銀，謂皇鹽廠地租。

11. 白鹽廠地租：長蘆灶課之一，廠在西沽，原係堆儲白鹽之所，
後廢棄不用，為旗人蓋房，歲收租銀充餉，謂白鹽廠地租。

12. 倉基銀：兩淮灶課之一，鹽倉既圮，清其基地而徵之，叫倉基
銀。

13. 尖鹽：淮南煎鹽分為尖鹽、和鹽、鹼片三級，尖鹽又稱粱鹽，
色白味正，其最上者曰真粱，次曰正粱，又次曰頂粱。

14. 銃銷：將正行綱引銃去一年，停給硃單，或將已給硃單停運一
年，但是商人仍須照例賠課，分年帶徵，轉而增加商人成本。

15. 銅斤腳價：長蘆正雜課之一，康熙年間命各鹽差一體買銅，應
捐腳價，率多私取規費，謂之銅斤考察。雍正時改為隨引徵收，
謂之銅斤水腳，道光 29 年併為正雜課。

16. 河工銀：長蘆正雜課之一，舊例每年有幫貼河工銀兩，由鹽官
捐解，每致亂派商人，因訂為每引納銀二分。道光 28 年併入
正雜課，按引攤徵。

17. 坨租銀：長蘆正雜課之一，南北場皆有坨，南坨向係商人自買，
並非官地，並無地租。天津北坨本鑾儀衛庭燎廠地，後交商儲
鹽，順治元年定例歲徵坨租銀 4002 兩，道光 28 年併入正雜課，
按引攤徵。

18. 領告雜費：長蘆雜課之一，分為領費和告費，商人領引配鹽每
引納銀，謂之領費；領引後告運開船時，所交的費用謂之告費。

19. 口岸汛工銀：長蘆雜課之一，天津公共口岸有保護通綱坨鹽及
海河護運之費，咸豐 4 年商議按引捐款，作為幫貼之費。

20. 灘鹽公所經費：長蘆雜課之一，灘鹽公所所需經費及鹽價生息，
由通綱商人攤捐，每引 3 分，隨引交庫，按季領用。

21.緝費：長蘆雜課之一，按引攤交銀四分，以備撥給商巡緝私之用。

22.歸補緝費：因每年收之緝費不足額，咸豐五年添交歸補緝費，專備緝私各卡人員薪水及卡用之需。

23.平飯銀：長蘆雜課之一，隨引徵收，以備解補京師衙門飯食之用。

24.歲修官道銀：長蘆雜課之一，爲籌修天津城內街道，由蘆商按引攤捐，以濟工需。

25.內外帑利：長蘆帑利之一，乾隆48年以參商虛懸，帑本無著，由通綱按引補捐，以備解內外各衙門辦公之用。

26.匭費：鹽商應酬官員之陋規，一經查出，即提歸公用，成爲鹽稅的一部份，鹽務官員又另外需索，更加重食鹽成本，此所以鹽務敗壞也。

27.心紅銀：買賣契約蓋印所收之額外規費。

28.長價：閩省改行官鹽後，設置吏役，所有官役薪工，不敢動支正課，另徵長價錢文，視鹽場大小，支銷多寡，因地酌定，或稱長價，或名加徵，或稱加錢，各地異名。乾隆後規定，若有剩餘，奏銷報部。

29.單錢：鹽販買鹽請領照單之費，謂之單錢。

30.錢水：有兩種意涵，一是各場局所收錢文換算成銀兩，增出盈餘之謂；另外福建東南縣澳各幫每擔應收課錢150文，原訂以九申易銀一錢六分六釐六毫，以一錢五分爲正課，以一分六釐六毫爲錢水，統歸長價項下，一體支銷造報。

31.鹽規：閩省山海交錯政務殷繁，原派養廉不符用度，各州縣得受商人津貼外規，通省各商年定鹽規，內酌留津貼各州縣，剩餘銀撥解藩庫。

32.額外盈餘：閩省官商各幫，行銷正額盈餘之外，如有溢銷鹽斤，
　按照各該幫課則，另完額外課銀，年無定額，儘收儘報，統歸
　盈餘奏銷冊內，一併報部。

33.帑利：鹽商借內務府帑本，所繳之利息曰帑利。即使當年借帑
　本之鹽商已倒閉，也必須從販鹽所得中挪出帑利交與內務府。

34.帑本：鹽商苟有緩急，資本不足，內務府嘗發帑金數百萬兩，
　借予鹽商，以資周轉，謂之帑本。

35.窩價：明末行綱鹽法，綱冊上有名者能世代行鹽，取得鹽引，
　謂之「占窩」，有窩者不必行鹽，只將窩單轉售運商，運商必
　須出價買單，方能運鹽，稱為窩價。

第四章　清代後期的鹽務改革

　　經過康、雍、乾三朝的太平盛世，滿清王朝已處處顯現出危機，吏治腐敗、軍隊腐化、財政虧空，人民負擔加重，生活日益艱困。而上下因循，欺矇怠惰，朘民膏而殃民者天下皆是。尤其乾隆本人好大喜功，奢侈浪費，在位期間六次南巡，雖然有鞏固統治權、調和滿漢關係等多重的政治目的，但是浪費人力、物力、財力，耗費不貲，巡幸所經州縣，官吏、富紳不堪負荷，更造成逢迎浪費奢靡之風。他所誇稱的「十全武功」，正反映了長期承平後，清政權所發生的問題，軍政腐壞，軍備廢弛，反而成爲清代由盛而衰的徵兆。高宗專寵和珅，和珅恃寵，貪得無厭，聚斂自豐，招權納賄，賣官鬻爵，無所不爲，影響政風至鉅。乾隆中葉以後，甘肅冒銷賑濟案、江蘇句容書吏侵盜漕糧案、高郵糧書私印冒徵案，侵漁款項動輒數十百萬兩，上下一氣，通同營私，吏治政風敗壞[1]。

　　嘉慶初年，延續自乾隆晚年的貴州苗亂尚未平息，川楚白蓮教事又起，蔓延湖北、四川、陝西、甘肅等省，清廷命湖北巡撫惠齡、陝甘總督宜緜、湖廣總督畢沅、四川總督孫士毅督兵會剿，將帥雲集，卻各自頓兵避戰，師久無功。歷時九年，靡費二億國帑，始告平定。此外東南海疆有海寇蔡牽爲禍，擾亂十餘年；畿輔有白蓮教別支天理教之亂，潛入京師，危及宮廷，雖然旋即平

1　陳捷先，《明清史》，頁 299-337。

定，但是教亂起於畿輔，教徒進入東華門，接近養心門始被消滅，
內廷震動；嘉慶十九年（1814）陝西有箱賊作亂，江西有朱毛俚
謀逆建號，其後又有新疆回亂、雲南夷變，真是一波未平一波又
起，嘉慶在位二十五年，可說與內亂相始終。白蓮教之役，暴露
了滿清軍備的廢弛，八旗軍已酖豢不足臨敵，綠營也腐敗不足以
迎戰，賴鄉勇團練築堡禦守。而紛亂迭起，吏治腐敗之癥，內亂
之萌孽，實始於乾隆朝之驕態[2]。

　　道光即位，承前朝教亂海患，軍餉耗費，河決頻仍，民生糜
爛，連年飢饉，在在需款，加派特徵，民受其害[3]。江南為滿清政
權財賦與米糧最重要的來源，丁糧虧空、漕運弊端、河工積弊、
鹽政敗壞十分嚴重，鴉片戰爭前夕，內部問題積漸之深，已經到
了再不整頓影響國本的地步[4]。

　　道光皇帝對臣下因循苟且，尸祿保身的積習十分了解，也亟
謀改進。以鹽務來說，乾隆初年，占全國鹽課之半的兩淮完課尚
好，中葉以後，報效數額大增，積引日多，欠課嚴重，嘉慶年間
奏銷冊中「壓徵」、「接徵」、「帶徵」等名目，都證明了歷年鹽稅
積欠現象。道光八年（1828）二月，兩淮鹽政福珠隆阿奏請將歷
年滯引三百餘萬道，概行銃銷，滯款四百餘萬兩緩課，自本年起
專辦本年新引，必可年清年額。但因口岸積鹽太多，無法完成，
導致福珠隆阿去職[5]。道光十年兩江總督蔣攸銛去職，除了他未能

2　孟森，《明清史講義》，頁 590-614。
3　郭廷以，《近代中國史綱》上冊，頁 12-13。
4　魏秀梅對陶澍出任兩江總督前江南丁糧虧空、漕運弊端、河工積弊、鹽政敗
　　壞有簡單扼要的描述，請參考《陶澍在江南》，中研院近代史研究專刊（53），
　　民國 74 年 12 月出版，頁 17-49。
5　段超，《陶澍與嘉道經世思想研究》，中國社會科學出版社 2001 年 9 月 1 版 1
　　刷，頁 138；汪崇贇，〈清嘉道時期兩淮官鹽的壅滯〉，《鹽業史研究》2002
　　年第 4 期，頁 6。

解決鹽課積壓問題，更在處理鹽梟黃玉林案時犯了錯，皇帝責其苟且從事，交部嚴加議處，部議革職[6]。道光十年（1830）六月，陶澍出任兩江總督，旋兼兩淮鹽政，展開了清代後期第一次鹽務改革。本章分三節敘述清代後期的鹽務改革，首先說明陶澍在兩淮的鹽務改革，旋因太平天國事件，改革中斷，又因長江水運不通，清廷為解決鹽課受損，兩淮引地無鹽可食，被迫實行「川鹽濟楚」，幾乎打破行之已久的引岸制度；最後討論清末中央官制改革中，鹽政集權中央的始末。

第一節　陶澍在兩淮的鹽務改革

一、陶澍的學經歷與經世思想

陶澍字子霖，號雲汀，清乾隆四十三年十一月三十日（1779年1月17日）生於湖南省長沙府安化縣小淹鎮的陶家灣村，卒於道光十九年六月二日（1839年7月12日），享年六十一歲[7]。世代耕商為業，父陶必銓，為廩膳生，入學城南書院、嶽麓書院。生二子，陶澍居長[8]。陶必銓對陶澍期望很高，曾說「天下能蘇萬物者，莫如雨」，故將長子取名「澍」，字以「子霖」，「期有以澤

---

6 黃玉林為儀徵老虎頸碼頭私梟，多次被捕流放，逃回後仍操舊業，道光十年帝密令蔣攸銛務必拿獲盡絕根除。黃玉林帶夥自首，蔣攸銛欲利用他，留充鹽務，編入營伍，緝捕其他私販，道光帝不准，且令蔣攸銛慎重其事。後證明黃玉林根本假裝自首，仍圖霸佔老虎頸碼頭販私。道光帝大怒，蔣攸銛因而失官。參見燊甫，〈道光十年私鹽販黃玉林案〉，《歷史檔案》1999 年 2 期，頁 127-128。

7 魏源，〈陶文毅公行狀〉，《陶文毅公全集》卷末，（以下簡稱《全集》），上海古籍出版社，《續修四庫全書》集部別集類，頁 7-25。

8 陶澍，〈顯考茵江府君行述〉，《全集》卷 47 文集，頁 4-7。

蒼生也」[9]。陶澍七歲隨父親讀書，因家道衰落，幼時除了讀書應考，須從事家中勞務工作，日後回憶：「陶子少賤，牧於斯、樵於斯、漁於斯、且耕且讀。[10]」在這樣亦農亦商家庭中長大的人生經驗，對日後陶澍處理與商業相關事務時，其思考角度與處事態度，應有一定程度的影響。

陶澍於乾隆六十年（1795）中秀才，嘉慶五年（1800）中舉，嘉慶七年（1802）成進士，殿試名列二甲，改翰林院庶吉士，時年二十四歲。三年散館，授編修，因父喪回籍守制。三年後任國史館編修，嘉慶十五年（1810）任四川鄉試副主考；嘉慶十九年（1814）三月，補江南道監察御史，充會試同考官；次年三月，改陝西道監察御史；四月，擢戶科給事中，奉命巡視淮安漕務，八月，授吏科掌印給事中；嘉慶二十一年（1816）充順天鄉試內監試官；次年，任會試內監試官。嘉慶二十四年閏四月二十五日（1819 年 6 月 17 日），陶澍被任命為川東兵備道，結束了他京官的階段[11]。他擔任戶科給事中時，了解到戶部事務牽涉廣泛，庫銀、關稅、漕運、倉儲、鹽務無不關係著國計民生；奉命巡漕時，建議疏濬甘露港，整理閘座，革除陋規，使得漕糧運輸加速；擔任吏科給事中時曾奏劾吏部重籤之弊，奉旨獲准[12]。陶澍任京官的十四年中，使他對清王朝的官僚組織、行政體制、政務運作有了充分的認識，累積了治漕、治鹽、理財的經驗與方法，奠定日

9　陶必銓，〈二子名字說〉，《資江陶氏七續族譜》卷 8，轉引自陶用舒，〈陶澍和近代地主階級改革派〉，《淄博師專學報》1995 年第 1 期，頁 1。
10　陶澍，〈鴻雪因緣圖記〉，《全集》卷 34 文集，頁 33-34。
11　魏源，〈陶文毅公行狀〉，《全集》卷末，頁 8。
12　所謂重籤，是因吏部候選之官太多，以抽籤決定候補順序，嘉慶十年另立新規，凡抽籤後再來候補的人，重為抽籤，並插入前次抽籤同號次之人後一號。陶澍認為此舉「既開濫倖之門，必啟賄託之弊」。請參閱魏秀梅，《陶澍在江南》，頁 8。

後擔任地方官從事各項改革的基礎。

陶澍外放川東兵備道，雖非親民之官，對刑名、錢糧仍有按核之責。他對上控至道衙的案件，細心研鞫，迅速判決，數月之間，滯案一空，甚得四川總督蔣攸銛的讚賞[13]。川東私鹽盛行，有人建議以地方駐軍武力遏止，陶澍反對動用軍隊對付私販，認為徒事查拿，難免激起變亂。經親自訪查，發現私鹽盛行，乃因官鹽價高，而鹽商虛報場價，鹽店不定售價，任意發賣，是導致官鹽價高的主因，遂建議依成本、場價、國課、運費定價，不得任意浮收，並建議降低官鹽售價，以防止私鹽。他的建議初不為長官同意，經反覆說明，才得到總督蔣攸銛的同意，將官鹽售價每斤減價四五文錢，人民改食官鹽，私販無利可圖，不禁自絕[14]。這一次的鹽務經驗，讓四川總督蔣攸銛對陶澍的才幹有了更深一層的認識，更重要的是「減價敵私」的觀念對日後陶澍改革兩淮鹽政，有重要的影響。

擔任川東兵備道一年，政聲大著，嘉慶二十五年（1820）冬，調升山西按察使，道光元年（1821）三月到任，八月即改調福建按察使，進京入覲，道光皇帝即擢昇他為安徽布政使，次年又升安徽巡撫，道光五年（1825）五月，調江蘇巡撫，十年（1830）六月，兼署兩江總督，八月實授，旋兼兩淮鹽政[15]。陶澍自嘉慶二十四年閏四月（1819）外放川東兵備道，到出任清朝統治下最富庶地區的封疆大吏，前後僅十二年，升遷可謂迅速，歷任長官對他都讚許有加[16]，皇帝對他也十分信任，道光十年八月二十六

---

13 陶澍，〈覆賀耦耕太史書〉，《全集》卷 41 文集，頁 8-9。

14 陶澍，〈覆曹方伯韓廉訪書〉、〈上蔣礪堂先生書〉，《全集》卷 41 文集，頁 1-7。

15 段超，《陶澍與嘉道經世思想研究》，頁 27-28

16 如川督蔣攸銛於奉召入京時，奏薦陶澍「治行為四川第一，堪勝大任」。安

日硃諭云：

> 兩江總督陶澍知之，朕看汝人爽直，任事勇敢，故畀以兩
> 江重任，汝當益勵才猷……勿避嫌怨。……河工、鹽務均
> 係兼轄，尤當實力講求，破除一切積習。[17]

升遷迅速固然顯示了陶澍才識卓越，認真負責的人格特質，也顯
示了道光皇帝急於革除弊政，整頓財政的急切心[18]。陶澍出任兩
江總督，承擔起積弊已久的鹽務改革重任。

面對嚴重的社會問題，部分學者仍陶醉於考據之學；部分則
沉湎於空談心性，陶澍則主張崇實黜虛，將學術研究與實際政務
相結合，以明學術、正人心爲己任，研究與國計民生相關明體達
用之學，充滿了強烈的經世思想[19]。

當考據之學盛行之時，「獨湖湘之間被其風者最稀[20]」，湖南
學者能最早擺脫其錮蔽，避開繁瑣的訓詁考據，通經致用。陶澍
生於乾隆四十三年的湖南，正逢清朝國勢由盛而衰之時，不過也
由於內憂日亟，動搖了清政府的統治基礎，在思想的控制上較清
初有所放鬆，受中國儒家思想薰陶的學者，在遭遇到此種狀況時，
自必然的會產生以天下國家爲己任的使命感，對政治隆污、民生

徽巡撫孫爾準暗中考察他，孫爾準上奏，陶澍爲人正直，兩次舉薦他，兩
江總督英玉廷也向道光皇帝報告：「安徽藩司陶澍，尤爲才識優長，持論公
正，皆有根柢，詢堪委任。」見拙著〈陶澍與兩淮鹽務的改革〉，《逢甲人
文社會學報》第 11 期，頁 226。

17 陶澍，〈恭繳硃諭摺子〉，《全集》卷 4 奏疏，頁 49。

18 金安清在《水窗春囈》下卷，〈傾軋可畏〉條記曹振鏞排擠蔣攸銛、阮元，
都是利用道光皇帝「重吏治，惡大吏廢弛也。」可見道光皇帝的好惡習性。
北京中華書局 1997 年 12 月湖北 3 刷，頁 29-30。

19 陶用舒，〈陶澍和近代地主階級改革派〉，《淄博師專學報》1995 年第 1 期，
頁 1；段超，《陶澍與嘉道經世思想研究》，頁 29。

20 錢穆，《中國近三百年學術史》第 12 章〈曾滌生〉，台灣商務印書館 1996
年 7 月台 2 版 2 刷，頁 638。

疾苦，加以關懷，形成一種憂患意識。由此憂患意識的鬱結，勃發為動能，激發知識份子關心時務，批評時政，要求改革，研究經世致用之學，以為日後開創新局面的張本[21]。故梁啓超說：「嘉道以還，積威日弛，人心已漸獲解放……而文恬武嬉之既極，稍有識者，咸知大亂之將至，追尋根源，歸咎於學非所用。[22]」陶澍生長在這樣的時空環境中，幼年隨其父就讀於以經世思想蜚聲全國的嶽麓書院，蘊育了反對高談心性，主張崇實黜虛的思想，是再自然不過的了！他曾抨擊空談，認為：「後世高談性命，逃之於空虛，議論日多而無當於實用。學術之所以不能如古，蓋在是矣！[23]」以為讀古人書「有實學，斯有實行，斯有實用。[24]」

在這樣的思想基礎之上，陶澍「少負經世志，尤邃輿地史志之學。[25]」他接受了章學誠「史學，所以經世者也，固非空言著述也」的觀念[26]。陶澍對地方志也十分重視，曾說：「志者，史之一體，州、縣雖紀一隅，將以備史宬之探。[27]」他認同章學誠「夫修志者，非示觀美，將求其實用也」的看法[28]，認為地方志具有資政的功用，可以讓為政者「舉一方之利病而興替之，其山川、風土、人物、官師、學校、財賦各大端，皆不可不周知其故。[29]」

---

21 王聿均，〈清代中葉士大夫之憂患意識〉，《中央研究院近代史研究所集刊》第 11 期，頁 1-11。
22 梁啓超，《清代學術概論》，水牛出版社民國 60 年 5 月 10 日初版，頁 116-117。
23 陶澍，〈毛詩禮徵序〉，《全集》卷 36 文集，頁 12。
24 陶澍，〈鍾山書院課藝序〉《全集》卷 37 文集，頁 36。
25 魏源，〈陶文毅公行狀〉，《全集》卷末，頁 8。
26 章學誠，《文史通義》〈內篇二，浙東學術〉，鼎文書局民國 66 年 3 月增訂版，頁 53。
27 陶澍，〈益陽胡氏族譜〉，《全集》卷 38 文集，頁 19。
28 周啓榮、劉廣京，〈學術經世：章學誠之文史論與經世思想〉，中央研究院近代史研究所編，《近世中國經世思想研討會論文集》，中研院近史所民國 73 年 4 月出版，頁 133-135。
29 陶澍，〈安徽通志序〉，《全集》卷 35 文集，頁 6。

　　基於此一認知，陶澍任官期間積極編修地方志，先後完成《懷寧縣志》、《宿州志》、《安徽通志》，其目的就是一則以備史戚之採，一則以爲興革的參考，有其經世致用的目標。

　　輿地之學有治世的功用，明末清初許多講求經世致用的學者，特別重視輿地之學，如顧炎武撰《天下郡國利病書》、顧祖禹的《讀史方輿紀要》，旨在詳天下利病，明山川險要，戰守之宜，興亡成敗之道，其目的在有利於國計民生。陶澍最重視輿地之學，一方面是以實學取代無用的虛學，更重要的是陶澍重視實地考查，從不盲目的盡信書，自稱「四十年中……於禹貢之九州，則足跡皆已及之，不止於身行萬里半天下矣！[30]」陶澍走遍各地，登覽山川，除了達到行萬里破萬卷的目的，也糾正成說謬誤。他曾將自己受命典試四川，行經各省的地理形勢，風土人物，詳加考察，撰成《蜀輶日記》一書，書中指陳地理形勝，討論戰守得失，分析人文風情，言明治理之要，結合江河形勢，論及漕運水利，見解精闢，對他日後整治漕運、河工、鹽務都有實際的助益。[31]

　　宋代儒者強調「內聖」，偏於「尊德行」；清代中業，學術風氣一反宋儒空談性命之學，群趨名物考證，專注於「道問學」，正所以救宋學之弊。其末流竟至不講宋儒履踐之學，「考古」而不知通今，對當代典章制度、綱常名教不夠關心[32]。陶澍主張爲學須立志，並培養高尚的品德，爲政應端正士風，化民成俗，對宋儒義理並不反對，卻不願空談心性，他的經世思想，和明末清初時

30 陶澍，〈鴻雪因緣圖記〉，《全集》卷34文集，頁33-34。
31 段超先生在陶澍重視輿地之學部分有深入的討論，請參考《陶澍與嘉道經世思想研究》，頁43-60。
32 周啓榮、劉廣京，〈學術經世：章學誠之文史論與經世思想〉，中央研究院近代史研究所編，《近世中國經世思想研討會論文集》，頁152。

期顧炎武以「當代之人文經當代之國事」相通,將通經致用的「道問學」與人倫教化的「尊德性」相整合[33],因此他談經、說史、論政的目的都是爲了經世,以期「言爲有物,學爲有用。[34]」

陶澍與具備經世思想的賀長齡、魏源、包世臣等人相結合,彼此推引,努力推行,從而導致道光年間經世致用之學的勃興與發展。張佩綸曾與張之洞論道光以來之人才,「當以陶文毅爲第一」,並讚陶氏「實黃河之崑崙,大江之岷也。[35]」

陶澍是一個實事求是,躬履實踐的實行家,一生並不以思想見長,吾人自不必特別誇大強調他思想的深刻與體系的完整,但是上述的經世思想理念,卻指導了他一生的作爲,決定了他一生的事功。

二、陶澍在兩淮的鹽務改革

道光皇帝任命陶澍爲兩江總督,曾特下諭旨:

> 三省重任,自不待言矣,兼以河、鹽疲敝,更當加意講求。
> 既知汝係特達之知,‥‥汝宜殫竭心力,公慎察查,斷不可因循姑息。[36]

命令他解決引鹽壅滯、鹽課積壓問題目的極爲明顯,又命欽差戶部尚書王鼎、侍郎寶興會同籌辦兩淮鹽務,可看出道光皇帝對鹽務整頓的期待。

兩淮每年應運銷綱鹽 168 萬 5,492 引,其中淮南 138 萬 8,510

---

33 劉廣京,〈近世中國經世思想研討會論文集序〉,中央研究院近代史研究所編,《近世中國經世思想研討會論文集》,頁 1-15;李國祁,〈道咸同時期我國的經世致用思想〉,《中央研究院近代史研究所集刊》第 15 期,頁 18-30。

34 陶澍,〈庚午科四川鄉試錄序〉,《全集》卷 35 文集,頁 12-13。

35 張佩綸,《澗于日記》,〈簣齋日記〉己卯下,光緒五年十一月二十一日,學生書局民國 55 年 4 月初版,頁 32-33。

36 陶澍,〈恭謝奉旨陞授兩江總督摺子〉《全集》卷 4 奏疏,頁 46。

引，淮北 29 萬 6,982 引[37]，正課雜稅共計 800 餘萬兩，佔全國鹽稅之半[38]。因官鹽價高，私鹽盛行，嘉慶以來額引積壓嚴重，從嘉慶十五年（1810）起，兩淮官鹽從未在一年內將 169 萬引暢銷足額過，道光九年（1829），淮南鹽滯銷達 501,812 引，淮北滯銷97,645 引，各有三分之一未運，且湖廣等口岸積鹽至二百餘萬引未銷。鹽課欠收，但是各項支出卻仍按年開銷，陶澍就任時，淮南歷年虧空 5,700 萬兩，淮北積欠 600 萬兩[39]。前課未清，後課又至，形成惡性循環，商人不堪賠累倒閉，國家稅收無著。陶澍首先建議，自道光十一年辛卯綱起，截清前積（即舊的積欠暫緩攤派），收支從頭依例辦理，體恤鹽商，培養商力，導之漸入正軌。陶澍認為：「淮南、淮北大小懸殊，淮北每綱錢糧三十餘萬，雖比諸川、陝等數省鹽課為多，而淮南正雜各款歲須七八百萬……較淮北多至數十倍，難以輕為嘗試。[40]」故而他將銷售數量多，銷區廣的淮南地區，與淮北分開處理。以下分別敘述之。

（一）淮南鹽務的改革

由於鹽課滯收情形嚴重，朝野議論紛紛，侍講學士顧純、御史王贈芳疏請兩淮實行「課歸場灶之法」，光祿寺卿梁中靖主張「就場徵稅」，太僕寺少卿卓秉恬主張「立場收稅」，也有主張「垣商納課」或仿雲南「就井抽稅」[41]。蔣攸銛任兩江總督時奉命研究可行性，認為不可行。蔣氏去職，道光皇帝命接任的陶澍再做研

---

37 王定安纂修，《重修兩淮鹽法志》卷 93，〈徵榷門科則〉上，《續修四庫全書》史部政書類，上海古籍出版社 1995 影本，頁 1-9。
38 陶澍，〈查覆楚西現賣鹽價摺子〉云：「（淮南銷售）通計不過十數郡，而八九百萬正雜課出焉」，其中正課四百萬兩，當年全國鹽課為七百五十萬兩，佔全國鹽課 53.3%。見《全集》卷 15 奏疏，頁 43。
39 趙爾巽等撰，《清史稿》卷 129，〈食貨志四、鹽法〉，頁 9。
40 陶澍，〈會同欽差覆奏體察淮北票鹽情形摺子〉，《全集》卷 14 奏疏，頁 26。
41 陶用舒，〈陶澍鹽課商辦述評〉，《鹽業史研究》1998 年第 3 期，頁 47-48。

究。

　　陶澍早年就關心鹽務，自道光二年（1822）出任安徽布政使，在兩江地區任職近十年，對鹽務有相當的了解，但是他知道鹽務錯綜複雜，各方利益糾葛，改革並不容易。他網羅專家，共同商議，自道光七年進入他幕府的魏源，就是鹽務專家，「知齅事深」的包世臣，也多次上書陶澍，提供意見，爲他出謀劃策[42]。此外他重用了許多有經驗的官吏，輔佐他的改革，如林則徐、姚瑩、俞德淵、黃冕、陳鑾、王鳳生等人，會商解決鹽務問題。

　　陶澍奉命署理兩江總督後，先後以〈敬陳兩淮鹽務積弊附片〉、〈再陳淮齅積弊摺子〉兩次上奏，說明兩淮鹽務積弊情形，在與各方討論研商後，王鼎、寶興、陶澍聯名上奏，分析了不同收稅方法，認爲：

　　1.由灶丁起科，因灶丁多濱海貧民，無力繳稅，且每斤製鹽成本三四文，鹽課高達六釐，課重本輕，萬一發生灶戶私賣，影響國課。

　　2.由垣商納課，較爲簡便，但是商人惟利是視，「秤收則勒以重斤，借貸則要以重息」，灶戶必然不願將鹽歸垣，垣商也無貲納課，亦難遽行。

　　3.由場官收稅，有些場年徵稅銀達數十萬兩，鹽場微員，難當重任，也怕匿報侵欺，且場署多在海濱，無城郭，也乏營汛，怕生意外[43]。

　　至於有人以爲，兩淮應仿雲南鹽井「就井抽稅」行「就場徵稅」，陶澍等認爲：兩淮鹽場分散，水路交通延袤八百里，和雲南

---

42 魏源、包世臣對鹽務的認識與參與陶澍鹽務改革出謀策劃可參見陶用舒，〈論魏源的鹽政改革思想〉，《鹽業史研究》1994 年第 4 期，頁 44-49；盛茂產，〈包世臣與兩淮鹽政的改革〉，《鹽業史研究》1994 年第 4 期，頁 33-36。
43 陶澍，〈會同欽差擬訂鹽務章程摺子〉，《全集》卷 12 奏疏，頁 5-6。

鹽井少,一井一官即能查察不同。由上述分析,以為「課歸場灶之法」並不可行。兩淮鹽務要如何改革呢?陶澍一向主張「輕本敵私」,接受了魏源的建議,在各省鹽務未通盤籌畫前,為了兼顧國課民食,兩淮鹽務僅能局部、漸進的改革。認為淮鹽之弊有三,一曰浮費;二曰夾帶;三曰私販。為解決此三大弊病,提出敵私、減價、輕本、裁費、變法的主張,他與欽差大臣擬定了〈兩淮鹽務章程十五條〉,將淮北鹽務另行籌辦,先提出解決淮南鹽務問題的辦法:

1.**裁減浮費**:陶澍認為,引鹽滯銷的原因是成本太高,成本高是因為浮費多,決定裁減浮費。他從自己做起,首先裁減鹽政衙門浮費,兩淮鹽政每年額支養廉銀五千兩、賞銀二萬兩,全行革除;鹽政衙門工食裁去四成,其他酬酢、匠作、涼蓬、聯額、浴堂……等辦公費,全行裁去,總計鹽政衙門一年裁減十六萬兩[44];其次刪減揚商、漢岸費用,普濟、育嬰、書院、義學等社會救濟與教育開支照舊,其他如各堂董濫廁多名,與務本堂、孝廉堂等歲需二十餘萬兩,應行裁汰,各衙門公費、鹽政運司下書役、辛工等項,年需八十餘萬兩,應予裁減,漢岸各岸商按引捐銀,造成恣意浮開,濫為應酬,每引捐至一兩三錢之多,刪至四錢。共裁減一百一十萬兩;他又規定引商出售引窩,每引酌給銀一錢二分,不得把持,否則追單銷毀,永遠裁革,窩價刪減每年省費一百四十餘萬兩。三項共減少浮費二百六十餘萬兩[45]。

2.**加斤減價**:前述浮費裁減,對食鹽售價每斤只減了一分,尚不足以敵私,且影響鹽商利益,據研究,嘉道時期僅運商對朝

---

44 陶澍〈恭繳鹽政養廉並裁鹽政衙門浮費摺子〉,《全集》卷 12 奏疏,頁 25-26。
45 陶澍,〈請刪減鹽務浮費及攤派等款附片〉,《全集》卷 11 奏疏,頁 22-24;〈會同欽差擬訂鹽務章程摺子〉,《全集》卷 12 奏疏,頁 11-13。

廷的助餉、助賑、助工三大報效，及對官員胥吏的私人輸納，佔食鹽岸銷收入的 45.64%，鹽商在政府包容下，將這些成本隱藏在運費及雜項支出中，陶澍裁減浮費，革除陋規，除了打擊到官吏的貪瀆，也影響了商人的利潤，造成商情不樂[46]。為降低成本，並彌補商人的損失，陶澍建議「加斤減價」，將每引 364 斤增至500 斤，其中賞加 20 斤，鹵耗 16 斤，准其免課[47]。另外 100 斤的增加，目的在「帶完前綱正課」，因淮鹽運費中，一切屯船水腳是按包給值，並不論斤，每包 500 斤，有加課而無加費，既可恤商便民，更可節省成本[48]。

　　3.**減少繁文，慎重出納，慎選總商**：領運食鹽硃單、皮票、槓封名目甚多，手續繁雜，運司衙門書吏多至十九房，文書輾轉至十一次之繁，經鹽務大小衙門十二處，節節稽查，徒增需索陋規，應交運司刪減繁文，以速商運，而免羈延。鹽課有正雜，名目繁多，入庫後則不分正雜，籠統動支，又有預納、減納、貼色、貼息及印本抵課等弊，遇緊急解餉，百計挪湊，虧耗一空，應將正項及應解部之款貯庫，其餘雜費另貯外庫，不許挪用。部份總商濫支公款，應擇其公正醇謹，行鹽最多者數人為辦事之人，辦公一項，悉照減定額數請領[49]。以上簡化手續，慎重出納，減少開支，都可以防止營私，減少浮費。

　　4.**體恤灶丁、鹽商，實給船價**：灶丁多濱海窮民，最為艱苦，宜加體恤。嚴禁場商收鹽時任意浮收勒掯，灶丁也應依規定製鹽，

---

46 汪崇篔，〈清嘉道時期淮鹽經營成本的估算和討論〉，《鹽業史研究》2002 年第 1 期，頁 10。

47 陶澍，〈籌議加斤減價兼疏積引摺子〉，《全集》卷 12 奏疏，頁 28-31。

48 增加的 100 斤後因江淮各省連年水患，正綱難以完成，陶澍奏請停止帶銷，納入正綱，見陶澍，〈覆奏淮鹽五百斤出場並無弊混摺子〉，《全集》卷 17奏疏，頁 3-5。

49 陶澍，〈會同欽差擬訂鹽務章程摺子〉，《全集》卷 12 奏疏，頁 12-13。

嚴禁透私，以減少「場私」。淮鹽嚴重積壓，若強迫帶銷積引，問題只會更加嚴重，建議視情況調整帶銷，改革有成效，再補銷積引。至於鹽商積欠鹽課四千餘萬，為數甚鉅，除帑本利息，應分別停緩，俟將來課款充裕時再行歸補。運鹽原有定例水腳，卻為埠頭串同商夥勒扣，船戶為維持生計，夾帶盜賣私鹽，應將水腳例價照實核發，嚴禁剋扣[50]。上述作為既可體恤灶丁、船戶、鹽商，又可防止私鹽。

5.疏浚運道，添置岸店：水運為兩淮食鹽最重要的運輸管道，如果通、泰兩屬運河淤積，縴堤倒塌，運銷成本必然增加，應整修疏浚，俾速轉運，以輕商本。淮鹽須運至漢口，再回轉銷下游的興國、大冶及黃州府各縣，甚至江西之彭澤、湖口，折回達八百餘里，往返徒勞，增加腳費，應調查各處銷量，俾水販就近領賣，降低成本[51]。

6.亟散輪規，嚴究淹消：自乾隆後期，兩淮鹽船在漢口就出現了壅塞待售的情形，部分岸商減價搶賣，清廷訂立章程，按鹽船到岸先後，由鹽道驗明加封，挨次輪開提售，謂之整輪[52]。此制導致船戶盜賣，攪沙灌滷，甚至沉船放火，百弊叢生，也由於食鹽不能即刻發賣，積壓成本，小商坐困，大商亦病。陶澍以為船至漢西兩岸，以速銷為貴，應積極疏銷，並派公正之人駐守漢岸，與鹽道辦理散輪事宜，以免滯銷。鹽船行走江湖，難免遭風失險，清廷按例准鹽商批補沉失之鹽，免其輸課，卻有鹽商利用此體恤作弊，盜賣食鹽，鑿沉空船，陶澍建議，往後淹消之案，

---

50 陶澍，〈會同欽差擬訂鹽務章程摺子〉，《全集》卷 12 奏疏，頁 13-15。

51 陶澍，〈會同欽差擬訂鹽務章程摺子〉，《全集》卷 12 奏疏，頁 15-16。

52 有關整輪及其對鹽商的影響可參考汪崇篔，〈清嘉道時期兩淮官鹽的壅滯〉，《鹽業史研究》2002 年第 4 期，頁 5。

准其補運，不准免課，如盜賣淹消，照例嚴懲治罪[53]。

　　7.嚴禁私鹽：陶澍認為如能將官鹽價格降低，販私情形即可減少，惟人性貪婪，官鹽征稅後，自不能與未稅之鹽競爭，漕私、官私、梟私橫行，加上各地食鹽生產成本不同，銷區稅率不同，鹽價差異頗大，越界購鹽的鄰私因而產生，如不能遏止，淮鹽銷售必受影響。在防止場私部分，陶澍體恤灶丁辛勞，下令場官隨時稽查，依火伏法煎鹽，俾清場私之源[54]，並令泰壩批驗所認真秤驗，於運河要道之北橋抽秤，如有超重，即將秤驗各官參撤示懲[55]。對武裝梟私則令要塞、鹽場嚴加緝拿。對商私規定計船裝鹽，不留空艙，裝載有定數，不易夾帶，以免其「跑風」[56]。漕私為漕運糧船回程時夾帶長蘆食鹽，多至十餘萬引[57]，侵犯淮鹽引地，向為清廷禁止，陶澍奏請查禁，漕運總督貴慶、御史許球認為，軍船夾帶私鹽銷售是體恤兵弁，應予寬容。陶澍以為漕私不但影響兩淮官課，且與匪類勾結，更影響漕綱運期，應嚴令禁止[58]。在道光皇帝支持下，陶澍咨請直隸、天津一帶嚴禁盜賣，以清糧船夾私之源，並在糧船經過的沿河嚴查，以期堵截[59]。

　　淮鹽引地遼闊，與其他引地接壤之地運鹽不易，加上稅重，鹽價較貴，為防止鄰私，清代一向在淮鹽邊緣地區，降低售價，但因鄂西道州、巴東從漢口轉運，水路間關二千餘里，逆流挽運

53　陶澍，〈會同欽差擬訂鹽務章程摺子〉，《全集》卷 12 奏疏，頁 15-16。
54　張榮生，〈古代淮南鹽區的鹽務管理〉，《鹽業史研究》2002 年第 1 期，頁28。
55　陶澍，〈會同欽差擬訂鹽務章程摺子〉，《全集》卷 12 奏疏，頁 14。
56　陶澍，〈再陳淮鹾積弊摺子〉，《全集》卷 11，頁 18。
57　《大清仁宗睿皇帝實錄》卷 231，嘉慶 15 年 6 月甲辰，台灣華文書局影本，頁 11。
58　陶澍，〈陳奏回空糧船未便任帶蘆鹽摺子〉，《全集》卷 15 奏疏，頁 1-6；李寅生〈略論晚清鹽政及陶澍的鹽政改革措施〉，《學海》1996 年 1 期，頁 89。
59　陶澍，〈嚴查回空糧船夾帶私鹽摺子〉，《全集》卷 11 奏疏，頁 9-11。

艱難，每斤運費即達三四分，由四川雲陽、大寧順江一二百里即是湖北地方，每斤運價四五厘，鹽價相差數倍，人民樂食鄰鹽，商人無利可圖，不願領運[60]。類似情形鄂北受潞鹽、蘆鹽衝擊；湖南南部受粵私侵灌；江西南部受浙鹽、閩鹽入侵[61]。因淮鹽引地包含湖南、湖北、河南、江蘇、江西、安徽六省，除兩江爲陶澍轄區，其他三省，陶澍奏請飭令各省，從大局出發，查緝截堵從該地區侵入淮界私鹽，並在贛南設關查驗，填給子埠照票，責成督銷的贛縣，每月查明到埠分銷之數，造冊上報，以期核實而免侵銷[62]。

　　從上述改革內涵看，陶澍對食鹽生產、運輸、銷售三方面的問題都兼顧到了，不過多屬執行層面，解決人爲弊端治標的作法，因爲清代兩淮共有鹽場 23 場，淮南即佔 20 場，無論產量、稅收都佔多數，如果進行大規模制度上的變革，影響層面較大，必然受到既得利益者的反對，遇到的阻力也較大，故而在淮南僅進行局部的鹽務改革，待稍有成效後，才對產銷問題更爲嚴重淮北地區進行改革。

（二）淮北票鹽法的實施

　　票鹽法最早是明代在兩浙地區，因山岳及海岸交通不便地區，搬運困難，鹽額少，利潤低，商人不願前往販賣，私鹽盛行，鹽課受損，爲對抗私鹽，採取的變通措施。明嘉靖八年（1529）在浙江實施票法，其特色是准許小商人從事販運，和引鹽販售時在鹽引上記有商人姓名、貫址、鹽額與販售地域，僅限本人執用不同；票鹽是認票不認人，手續簡便，一經納稅，即可掣賣，且

60　汪崇篔，〈清嘉道時期兩淮官鹽的壅滯〉，《鹽業史研究》2002 年第 4 期，頁3。

61　包世臣，〈淮鹽三策〉，《皇朝經世文編》卷 49，文海出版社影本，頁 4。

62　陶澍，〈覆陳淮粵引界事宜摺子〉，《全集》卷 18 奏疏，頁 13。

無定額，視商力而定，資本小的商人也可販售，人多趨之，票鹽大行。山西太原、汾州，山東青、登、萊三府，北直隸順天府，河南開封、歸德二府，南直隸淮安、揚州、松江三府，江西南安、贛州、吉安三府與福建等地相繼仿行[63]。

　　淮北票鹽法的實施，是因爲淮北自開綱以來，只捆運二萬餘引，不到定額的十分之一，商力疲憊已極，陶澍接受了魏源、包世臣等人的建議，仿效明代浙江、山東局部地區實行的票引兼行之法，在淮北推行[64]。道光十一年十二月八日（1832年1月10日），陶澍奏請試行票鹽法，次年先在食鹽滯銷地區試辦。擬議推行票法之前，遭到許多人反對，爲了減少反對力量，陶澍致書他的座師軍機大臣曹振鏞，對票法做了說明。因曹家是淮北鹽商，票法實行，舊商難免受到傷害。曹氏了解皇帝對鹽務改革的期望與支持，致書陶澍，表明支持票法[65]，減少了推行票鹽法部分的阻力。

　　淮北食鹽出場，經壩至批驗所，入洪澤湖須經五壩十槓之煩，改包改捆三次，每爲官吏夫役要挾，耗費之數，倍於鹽本。票鹽改革之始，陶澍於道光十二年五月親赴海州，周歷各鹽場，調查研究，聽取亭戶、綱商、官吏的意見，決定了「改道不改捆，歸局不歸商」的原則，規定了新的運鹽路線，且鹽包經卡員秤驗後無須改捆，以輕運本，並杜透私[66]。

63　徐泓，〈明代後期的鹽政改革與商專賣制度的建立〉，《國立台灣大學歷史學系學報》第4期，頁299-301。

64　票鹽法的實行據包世臣〈答謝無錫書〉云：「今票之改，乃當事採僕議一節，以籌辦淮北者，是其事亦發於僕。」包世臣，《安吳四種》〈中衢一勺〉卷7上，沈雲龍主編，《近代中國史料叢刊》第三十輯，頁25；魏源也贊成票法，並協助陶澍制訂章程、解決實際問題，參見陳其泰、劉蘭肖合著，《魏源評傳》，南京大學出版社2005年4月1版1刷，頁328-339。

65　魏秀梅，《陶澍在江南》，頁150。

66　趙爾巽等撰，《清史稿》卷129，〈食貨志四、鹽法〉，頁10。

　　所謂票鹽法，是由運司印刷三聯空白票式，一爲運署票根，一留分司存查，一交民販行運，載明民販名籍、運鹽引數、銷售州縣，運鹽出場不准票鹽相離及侵越別岸。每引鹽 400 斤，收鹽價、鹽稅、各項辦公費合計一兩八錢八分，此外不得分毫需索。滯岸人民均可由該州縣取得護照，赴場買鹽，政府於適中地設場局，以便灶戶繳鹽，民販納稅，嚴飭文武查拿匪棍，肅清運道，緝私[67]。

　　票鹽法先由淮北食鹽滯銷地區試辦，其中安徽、河南二省四十一州縣爲綱鹽口岸，綱岸又分江運與湖運，江運口岸均屬暢岸，湖運岸三十三州縣中，安徽之壽州、定遠、六安、霍山、霍邱，及河南之信陽、羅山、光州、光山、固始、商城等十一州縣，尙非極疲弊之區，仍有商人認運之區，仍令商辦；所餘安徽之鳳陽、懷遠、鳳臺、靈璧、阜陽、潁上、亳州、太和、蒙城、英山、泗州、盱眙、天長、五河等十四州縣，及河南之汝陽、正陽、上蔡、西平、遂平、息縣、確山等八州縣皆爲滯岸，這二十二州縣除安徽天長縣，因運輸食鹽需經山陽、寶興入高郵湖，與淮南引地錯雜，仍歸商運，其餘二十一州縣一律改行票法；另外江蘇銷引之食岸包含：山陽、清河、桃源、邳州、睢寧、宿遷、贛榆、沭陽八州縣，因私鹽充斥，官鹽滯銷，也改行票法，以資補救；安東、海州二州縣，接近產鹽地，私鹽盛行，也隨之改行票法。總計第一批共三十一州縣試行票鹽法。規定鹽 400 斤爲一引，買鹽自 10引至百引爲一票，不得過於零碎，不過海州、安東是產鹽州縣，酌量變通，准以百斤起票，餘以一引起票[68]。道光十五年改訂章程，發行大、小票二種，大票一張運鹽 10 引，每百斤一包共 40

67　陶澍，〈酌議淮北滯岸試行票鹽章程摺子〉，《全集》卷 14 奏疏，頁 5-10。
68　陶澍，〈酌議淮北滯岸試行票鹽章程摺子〉，《全集》卷 14 奏疏，頁 1-6。

包，連滷耗重 4400 斤，行於安徽、河南湖運各州縣，及江蘇食岸八州縣。每小票一張 100 斤，行於海州、贛榆本境，不得混行大票口岸[69]。

淮北票鹽法特色有五：

1. 打破專商壟斷，人人均可納課行鹽，自由競爭，民販不敢攙和，鹽皆潔白；

2. 先課後鹽，憑票行運，稅課歸庫，經費歸局，鹽價歸場；

3. 革除陋規浮費，減輕課額，鹽價頓減，民受其惠；

4. 私鹽無利可圖，化梟爲良，遏止私鹽；

5. 保存引界，變通融銷[70]。

上述特色值得進一步說明，蓋中國鹽政的敗壞最根本的原因就在「專商引岸」制度，政府爲了徵收鹽稅，授與鹽商專賣權，造成食鹽銷售的壟斷，票鹽法允許小資本的商人也能運銷食鹽，打破了專商的壟斷；先課後鹽，幾乎等同於「就場徵稅」，憑票運鹽，減少官吏需索；革除浮費，減輕課額，就可以降低食鹽的成本，食鹽售價降低，有利於人民。但是這些作爲，危害到大鹽商與部份倚賴食鹽發財的官吏，引發既得利益者的反撲[71]。改行票鹽法期間，陶澍曾先後被御史鮑文淳、許球參劾，幸均賴道光皇

---

69 陶澍，〈票鹽由場局收垣發販章程告示〉，《全集》卷 50 文集，頁 39。

70 魏秀梅，《陶澍在江南》，頁 141-144；劉洪石，〈略論清代的票鹽改革〉，《鹽業史研究》1995 年第 4 期，頁 20-23；段超，《陶澍與嘉道經世思想研究》，頁 165-166。

71 陶澍裁根窩，富商頓成貧人，揚州人將葉子戲增牌二張，一繪桃樹，得此牌者雖全勝亦全負，無不痛詬，也有繪一人持斧，做砍桃樹狀；另一牌繪桃小姐，得之者雖全負亦全勝，而加以謔詞；並有詩句：「戲他桃花女，砍卻桃花樹」，陶澍於道光十二年請辭鹽政，此即爲理由之一，見陶澍，〈請復設鹽政奉旨訓斥覆奏附片〉《全集》卷 18 奏疏，頁 23；另見金安清，《水窗春囈》卷下，〈改鹽法〉條，頁 32；韋明鏵，《兩淮鹽商》，福建人民出版社 1999 年 9 月 1 版 1 刷，頁 235。

帝的支持，票鹽法得以繼續推行，展現出滯岸改票的績效，「海屬
積滯之鹽，販運一空，窮苦場民，藉資甦活，……茲既轉運流通，
彼亦無需偷漏，即可化梟爲良，迥異從前之私充課絀。現在票鹽
之課，溢於原額，淮北通綱之引俱已請運全竣，是票鹽之利，實
足以下便民生，上裕國課[72]。」票鹽法試行之後，改善了鹽民的
生活，減少了私梟運鹽，增加了鹽課收入，真可說是一舉數得。
陶澍因此建議擴大實施範圍，將原來湖運次暢之岸十一州縣，一
律改行票法。另外也將原來一引徵銀一兩八錢八分，增爲二兩五
分一厘；銷區也由原來指定銷售州縣，准許轉運他岸售賣，惟不
得越出票鹽四十二州縣界外，否則仍照梟私例治罪[73]。

　　魏源曾分析票鹽改革成功的原因：「淮北票鹽創行數載，始
而化洪湖以東之場私，繼而化正關以西之蘆私。且奏銷數百萬外，
其餘額猶足以融淮南懸引之不足。夫票鹽售價不及綱鹽之半，而
綱商岸懸課絀，票商雲趨鶩赴者何哉？綱利盡分於中飽蠹弊之
人，壩工、捆夫去其二，湖梟、岸私去其二，場、岸官費去其二，
廠伙、浮冒去其二，計利之出商者，什不能一，票鹽特盡革中飽
蠹弊之利，以歸於納課請運之商，故價減其半而利尚權其贏也。[74]」
票鹽制雖比引鹽制優越，仍未完全廢除食鹽的壟斷，也未完全去
除私銷之弊，資本大的商人，仍有隱匿私運，把持抬價的情形。
包世臣建議：「按鹽法例，係核明成本，酌加餘息，以定岸價，而
不訂場價，遇場價騰貴，則奏請暫增岸價，以綱改票，以抉破壟

72　陶澍，〈淮北票鹽試行有效請將湖運各暢岸推行辦理酌定章程摺子〉，《全集》
　　卷 14 奏疏，頁 33。
73　陶澍，〈淮北票鹽試行有效請將湖運各暢岸推行辦理酌定章程摺子〉，《全集》
　　卷 14 奏疏，頁 34。
74　魏源，《魏源集》，〈淮北票鹽志敘〉，漢京文化事業有限公司 73 年 7 月 1 日
　　影本，頁 439。

斷範圍。[75]」用靈活的做法隨時變換，以補救制度的缺失。此外，由於票鹽實行順暢，清政府不斷加課，鹽價也日漸提高，包世臣於道光十四年（1834）致書陶澍任命的票鹽總辦謝無錫說：「附近食鹽三年前每斤三四文，今則二十餘文。[76]」可見票鹽雖為良法，如果任意加稅，也是影響鹽價，甚至導致票鹽法的失敗。

（三）陶澍改革的績效

　　因為私鹽盛行，官鹽滯銷，導致嘉慶十五年（1810）淮鹽全年銃銷，分五年帶徵[77]。又因嘉慶十九年令商人捐輸工餉，商力疲弊，嘉慶二十三年，兩江總督孫玉庭奏請展延六年，次年又奏准將戊寅綱（嘉慶二十三年應運之鹽）分十年帶運，欠課連年累積，年年不能清繳[78]。道光元年至十年（1821－1830）「十綱之中，淮南商辦課運止有五綱七分，而欠帑之數積至一千九百八十餘萬。」「東南財富，淮鹽最大；天下鹽務，淮課最重。」「兩淮歲課，當天下租庸之半，損益盈虛，動關國計。」在兩淮鹽務幾至不可收拾之際，陶澍受命出任兩江總督，道光皇帝對陶澍改革鹽務弊病，增加稅課期望的殷切是可以想見的。

　　陶澍了解兩淮鹽務改革的重要與急迫，與了解鹽務，實心任事的林則徐、魏源、包世臣、姚瑩、俞德淵、黃冕、陳鑾、王鳳生等商議，擬定了刪浮費、輕商本、速運銷、嚴緝私的原則，重用有實際鹽務經驗的王鳳生、俞德淵等人負責執行。初期因鹽務積弊已久，改革影響到許多人的既得利益，成效未彰，引發反彈，道光十二年八月，被陶澍革除總商鮑有恆的近親，御史鮑文淳奏

75　包世臣，〈上陶公保書〉，《安吳四種》〈中衢一勺〉卷 7 上，頁 18。
76　包世臣，〈達謝無錫書〉，《安吳四種》〈中衢一勺〉卷 7 上，頁 26。
77　趙爾巽等撰，《清史稿》卷 129，〈食貨志四、鹽法〉，頁 2。
78　汪崇贇，〈清嘉道時期兩淮官鹽的壅滯〉，《鹽業史研究》2002 年第 4 期，頁 4。

効陶澍：「兩淮鹽務自辛卯開綱至今，尚有三分之二未完。……且招徠商人，未見樂趨，或辦理仍未盡善。」陶澍承認鹽務弊病積重已久，自己力單任重，加之舊商已消乏，新商觀望，辦理不易，行鹽並不順利。建議簡派鹽政，專司其職。在道光皇帝支持下，改革持續，成效也日漸顯現[79]。

陶澍在道光十九年（1839）因病奏請開缺，曾將他任職兩江兼主鹽政的八年間，鹽務績效作一總結，在淮南地區，「道光十一年辛卯綱起，至十七年丁酉綱止，七綱之中已報過六綱奏銷，而帶完乙未一綱，亦納有三分之課。除十八年戊戌一綱，仰沐天恩，准將南課融北，現經督飭運司趕辦奏銷，即日結數，移交後任造報外，通計已報部撥正款，共銀八百八十四萬三千一百六十七兩九錢七釐，仍有專案起解之織造、銅斤、河餉銀一百七十八萬四千二百七十三兩二分。歷綱報解京外帑利、各省鹽規、匣費、并解京節省、參斤變價，共銀六百四十四萬二千三百八兩七錢八分九釐。而在前銃引、借帑、扣留等事，八年來從未上瀆宸聰。且於正額之外，完過已庚殘課、新疆經費、積欠參價、歸還墊款，共銀三百二十七萬七千三百五十八兩六錢三分。皆辛卯以前歷前任所欠而帶完於辛卯以后。[80]」不但將歷年應交的正雜稅課按數繳清，而且將一部分前任欠稅帶完，績效優異。

淮北的票鹽改革成績更為顯著。改革前，十綱之中僅運及三綱四分有零。其銃銷、停運、融南各項多至六綱五分以外。而十綱應完課銀二百七十一萬四千餘兩，僅完銀七十萬四千餘兩，實未完銀二百萬六千餘兩。實施票鹽後，人人均可納課行鹽，簡化

---

79 陶澍，〈請復設鹽政附片〉，《全集》卷 18 奏疏，頁 19-22。
80 陶澍，〈縷陳八年來辦理兩淮鹽務並報完銀數比較在前情形附片〉，《全集》卷 18 奏疏，頁 64-65。

手續，嚴禁浮費陋規，「各商爭先搶購」，市場暢旺，鹽課大增，不但正課復歸原額，每年銷鹽至四十六萬餘引，除奏銷淮北正雜課銀三十二萬兩外，更協貼淮南銀三十六萬兩，嗣又帶銷淮南懸引二十萬，納課銀三十一萬兩，課銀較定額增兩倍矣[81]。陶澍自己計算，「自道光十一年辛卯綱起，至十七年丁酉綱止，七綱之中除徵足奏銷銀一百八十九萬七千二百七十六兩四錢九厘，仍有專案起解之織造銀十五萬四千兩，又代辛卯以前徵完過己庚、戊子殘課銀六十一萬六千六百四十六兩二錢一分四厘，仍有溢完課項撥抵淮南懸課銀九十八萬九千四百七十五兩六錢五分五厘，計按額溢徵銀一百六十萬六千六百二十一兩八錢六分九厘。而戊戌本綱開局驗資已經收稅未解運庫銀兩尚不在此數內。[82]」一直到咸豐四年（1854），鹽政怡良奏稱，淮北每年行銷票鹽四十六萬餘引，融銷淮南懸引二十二萬引，爲從來所未有。[83]可見其成效。

　　總計陶澍任職兩淮八年間，正雜課款共報完二千四百萬四千五百六兩六錢二分四釐，平均每年完課 330 萬兩，是他接任前 2.75 倍。[84]其中淮南因引地遙遠，一切疏引、緝私鞭長莫及，以致鄰鹽侵灌，官鹽積壓，每綱奏銷完課約八分，淮北票鹽成效較著，在南課融北後，不但解決了從前積引欠課的問題，而且因私鹽減少，官鹽銷售暢旺，鹽課超過額定，竟然可貼補淮南鹽課四十餘萬兩，代納淮南課銀三十萬兩，改革成效突出[85]。

81 王守基，〈兩淮鹽務議略〉，《鹽法議略》，頁 41。
82 陶澍，〈縷陳八年來辦理兩淮鹽務並報完銀數比較在前情形附片〉，《全集》卷 18 奏疏，頁 65-66。
83 朱宗宙、張棪，〈清代道光年間兩淮鹽業中的改綱爲票〉，載陳然、謝奇籌、邱明達編，《中國鹽業史論叢》，中國社會科學出版社 1987 年 12 月 1 版 1 刷，頁 497。
84 陶用舒，〈陶澍鹽課商辦述評〉，《鹽業史研究》1998 年第 3 期，頁 49。
85 劉洪石，〈略論清代的票鹽改革〉，《鹽業史研究》1995 年第 4 期，頁 21。

　　上述爲從稅課觀察陶澍在兩淮鹽務改革的績效，實際上陶澍的改革，不僅限於課額的完成，改革前，許多地區的人民因官鹽價昂，有數月不知鹽味者，「自票鹽到境，鹽價頓減，取攜甚便，民情安之。[86]」尤有進者，淮北試行票鹽後，御史周彥認爲：「票鹽之法與場竈起徵名異而實同。場竈起徵，利於私而不利於商，給票行鹽，利於梟而不利於國。[87]」實際上，周彥說的「票鹽之法與場竈起徵名異而實同」是正確的，他憂慮的「場竈起徵，利於私而不利於商，給票行鹽，利於梟而不利於國。」自實施票鹽後，反因鹽價大減，鹽梟無利可圖，轉而合法販鹽，竟可減少偷漏，化梟爲良，治安亦獲改善；灶戶因行鹽順暢，流亡者得以返家延續舊業[88]。因人人均可從事販鹽，許多農民兼差販鹽，生活改善，道光十二年（1832）「海州大災，饑民賴此轉移傭值，全活無算。[89]」更是始料未及的。

　　陶澍在淮北實行票鹽法是制度上的改革，在淮南則僅從執行層面改善，用人得當，監督得宜，掃除弊端，革除陋規，績效自然浮現。設若人事變動，監管不嚴，弊病隨之而起。陶澍離職後，淮南鹽務疲敝日甚一日。道光二十九年（1849），楚岸塘角火災，燒毀鹽船數千艘，鹽商損失慘重，無力承運食鹽。道光三十年（1850），開綱數月，僅銷鹽四萬餘道，兩江總督陸建瀛師前人一稅之後任其所之之意，奏請在淮南也改行票鹽法[90]，將原來由運

---

86 綱鹽每引成本 12.927 兩，票鹽加價後每引成本約 5 兩有餘，市場鹽價自然降低，見李明明、吳慧，《中國鹽法史》，頁 295-297；陶澍，〈淮北票鹽試行有效請將湖運各暢岸推行辦理酌定章程摺子〉，《全集》卷 14 奏疏，頁 33。

87 陶澍，〈會同欽差覆奏體察淮北票鹽情形摺子〉，《全集》卷 14 奏疏，頁 26。

88 徐泓，《清代兩淮鹽場的研究》，第六章〈兩淮鹽政的改革〉第二節〈道光朝的廢引改票〉，頁 195。

89 趙爾巽等撰，《清史稿》卷 129，〈食貨志四·鹽法〉頁 10。

90 方濬頤，〈兩淮鹽法議〉上篇，盛康輯，《皇朝經世文編續編》卷 52，〈戶政

司主管的鹽務，因書吏積弊牢不可破，改設揚州總局辦理，以減少運司衙門的浮費。漢口為江廣總岸，其匪費在陶澍整理鹽務時雖已裁減，但是暗中應酬仍多，改為票鹽後，食鹽運到九江，驗票發販，以革除總岸灘派之浮費，同時廢除鹽船經過橋關的驗掣及所掣，僅留壩掣，以減少驗掣時官吏的貪瀆，鹽包出場，到江口轉駁，及槓鹽改包，原來由吏役經管，難免從中勒掯，改由商人自行僱人負責改包轉駁，不經吏役。經過這次改革，當年兩淮鹽課就增加到 500 萬兩，績效卓著[91]。可知鹽務改革應朝徵稅後自由販運的方向努力，在管理上減少官吏、關卡，以免從中盤剝，陶澍在淮北、陸建瀛在淮南實行的票鹽法，就符合這樣的原則，才有亮麗的績效。清政府如果能體認此一原則，將兩淮成功的制度，逐步推廣到全國，則鹽務弊病可以減少，鹽稅可以不減反增，富國利民，可惜清政府無此魄力，而省自為政，官商又不願原有特權受損，加之太平天國事件發生，政經情勢不穩，社會民生不安，不但未能推廣於全國，而且改革停滯，兩淮食鹽生產、運輸都受到嚴重衝擊，淮鹽主要銷區的兩湖、江西、安徽受到戰爭影響，淮鹽無法到岸銷售，產銷都告中斷，人民無鹽食用，政府稅課無著，兩受其害。

24 鹽課 3〉，頁 1。
91 王守基，〈兩淮鹽務議略〉，《鹽法議略》，頁 41-42；吳海波，〈清代兩淮榷鹽體制的演變與私鹽〉，《求索》2005 年第 3 期，頁 184-185。

第二節　川鹽濟楚衝擊下的鹽務變革

　　兩湖素不產鹽，除了原來隸屬於四川及改土歸流的楚邊八州縣，其餘地區均為淮鹽固有引地。而川楚界連，又有長江順航之便，川鹽銷楚本是自然之事，但是在傳統專商引岸制度下，卻是「近川岸者必用淮鹽」的畸形供需關係，由於淮鹽稅重運費多，售價偏高，川鹽成本極輕，每斤僅售一二十文已有盈餘，淮鹽路遠運艱，每斤售五六十文才有利潤，無法與川鹽競爭，官商占岸居奇，強迫楚人購食淮鹽，違反人性與經濟法則，楚民歷來恆以為苦。早在乾隆年間就有「淮引界內向患川私灌注」的說法，曾導致四川總督李世傑因而去職，但是川私犯楚的問題始終未能解決。[92]

　　川鹽濟楚是因為滿清政府遭遇到嚴重的內亂，生產的食鹽無法從產地運出，原來仰賴兩淮生產食鹽的兩湖地區又無鹽可食，鹽課也大受影響，為了解決兩湖人民缺鹽問題，允許四川食鹽運銷兩湖，值得注意的是，清代後期，這項為了因應戰亂所採取的非常措施，一度打破傳統的引岸疆界，是清政權在被迫情形下做的變通措施，影響深遠，值得一述。

一、由粵鹽濟湘到川鹽濟楚

　　道光三十年（1850）太平天國事起，咸豐二年（1852），太

---

92 魯子健，〈論川鹽濟楚〉，載陳然、謝奇籌、邱明達編，《中國鹽業史論叢》，頁 366-367；洪均，〈論胡林翼整頓湖北鹽政〉，《理論月刊》2005 年第 5 期，頁 51。

平軍進入湖南，攻長沙不下，北上克武昌，咸豐三年正月，分水陸兩軍沿江而下，二月十四日攻下南京，分軍佔領了淮南食鹽運銷要地鎮江與揚州，截斷了清朝的漕運。孤軍北伐失敗後，西向回師，再攻安慶、九江，取武昌，分軍南下，再次進攻湖南，與曾國藩軍相遇，爭戰互有勝負[93]。

　　清廷與太平軍在長江中下游地區爭持不下，兩淮食鹽運輸孔道長江航路梗阻不通，致使原本「淮鹽引岸，楚省為最」，變成「淮鹽片引不到楚岸」的窘境，淮商楚民兩受其害，淮鹽運銷受阻，兩江總督怡良云：

> 逆匪由湖廣竄至九江、安徽、江寧，並陷鎮江、揚州兩府，
> 不特淮南引地無不被其蹂躪，而商人之居於鎮、揚二郡者，
> 十有八九亦悉遭荼毒。[94]

因太平軍佔領湖廣等地區，蕪湖、安慶、九江、黃州、漢陽水商率皆逃遁，負責將淮南鹽運銷兩湖的運商，逃亡星散，負責向灶戶購鹽的場商也逃亡殆盡，灶鹽無商收買，煎丁有煎無售，灶戶失業，流徙四方，製鹽鍋𥔻荒廢，咸豐八年（1858），兩淮鹽運使司曾調查淮南二十場，所存鍋𥔻不及原額的十分之三，經修復後，也只有 10,114 口，仍較原來的 26,169 口少了六成以上，通泰兩屬每年收鹽一千三百萬桶，太平天國事件後，年收鹽一百二十四萬餘桶，不及過去十分之一，淮南鹽業形同癱瘓[95]。而江西、湖南、湖北無鹽食用，鹽價昂升，人民困頓。農民售穀一擔，買鹽不到

93 羅爾綱，《太平天國史》第一冊，北京中華書局 1991 年 9 月 1 版 1 刷，頁 31-39。

94 怡良，〈就場徵課並改道運銷折〉，同治《淮南鹽法紀略》卷 1，轉引自陳鋒，《清代鹽政與鹽稅》，頁 90。

95 同治《淮南鹽法紀略》卷 10〈雜案〉，轉引自陳鋒，《清代鹽政與鹽稅》，頁 91；曹愛生，〈試論太平天國運動與淮鹽的運銷〉，《鹽城工學院學報》（社會科學版）2005 年第 1 期，頁 58。

十斤，有淡食之苦，因爲產銷中斷，影響政府鹽課收入。咸豐五年（1855）駱秉章曾說：「三載以來，兵餉增數千萬之出，鹽課失二千萬之入。[96]」反而是太平天國控制了淮鹽產區後，透過走私將淮鹽運至兩湖銷售，增加了太平天國的經濟力，可見問題的嚴重，爲了解決民食、稅課的現實問題，而有了打破引界的變通措施。

咸豐二年十二月，湖廣總督張亮基因爲淮鹽無法運至兩湖地區，人民無鹽食用爲由，奏請湖南借銷粵鹽，以解決缺鹽問題。咸豐三年正月，戶部議准粵鹽運交湖南、江西濟銷，是爲「粵鹽濟湘」、「粵鹽濟贛」。但是不論「粵鹽濟湘」或「粵鹽濟贛」，都因爲湖南與江西受到戰爭影響，不是食鹽無法運來，就是鹽不常至，運來的鹽量不足，官吏又藉機巧立名目，層層剝削，以致成效不彰。

爲了解決粵鹽不能充分供應湖北所需食鹽的問題，幫辦湖北軍務的羅繞典建議借銷川鹽、潞鹽，清廷命湖廣、四川總督共議，湖廣總督張亮基認爲：

> 川鹽由船裝運，從長江上游順流駛下，由沙市漢口分運各州府，口岸處處可通，鹽質既良腳費又省，轉運既易成本又輕，較之借銷潞鹽、淮北鹽，其便利相去何只霄壤。[97]

奏請借撥川鹽行銷，先借陸引 2000 張，在巫山設官運局，由四川委員運鹽至巫山縣，付局轉運湖北，由官運局辦理，一旦江路廓清，隨時可以終止，仍改食淮鹽，以符定例[98]。可見初行川

---

96 咸豐五年九月十五日，駱秉章，〈採買淮鹽濟食分岸納課濟餉折〉，《駱文忠公奏議》卷五，〈湘中稿〉，文海出版社影本，頁 10-15。

97 丁寶楨纂修，光緒《四川鹽法志》卷 11，〈轉運六〉，上海古籍出版社據光緒刻本影印，頁 213-214。

98 丁寶楨纂修，前引書，頁 213-214。

鹽濟楚是臨時性的舉措，一旦運路暢通，兩湖仍將改食淮鹽。

二、川鹽濟楚的成效與意義

張亮基建議「川鹽濟楚」的作法是由官運局運鹽，弊端不少，借陸引 2000 張，仍解決不了鹽少價昂的問題，兩湖鹽價由每斤 90 文，漲到 200 餘文一斤，導致私梟橫行。咸豐三年五月（1853），戶部議准：川粵鹽斤入楚，無論商民，均許自行販賣，不必由官借運，惟擇楚省堵私隘口，專駐道府大員，設官抽稅。一稅之後，給照放行[99]。從上述戶部規定吾人可以發現兩點改變：

1.原來川鹽禁止銷售於兩湖，因為太平天國事件，允許川鹽運楚銷售，原為兩淮引地的界限被打破了。

2.四川鹽斤入楚，不論官鹽私鹽，設關抽稅，一概准許自由販售。其直接影響是鹽價因而平抑，同時也解決了私鹽問題，一舉兩得。

從此川鹽源源不絕運銷兩湖，每月達一千萬斤上下，兩湖食鹽幾全為川鹽侵占，刺激了四川鹽業快速發展，鹽井、鍋灶大量增加，掘井技術進步，鑿井深度深至三四百丈，犍為、富順等縣仰賴鹽業為生者以數十萬計，且分工細密，經濟繁榮，民生富裕[100]。顯現在鹽課增加部分更為明顯，川鹽濟楚之前，四川正課僅 14 餘萬兩，加上雜課為 30 餘萬兩，川鹽濟楚之後，咸豐年間四川鹽課高達 200 餘萬兩，同治、光緒年間，則高達四五百萬兩，

---

99 趙爾巽等撰，《清史稿》卷 129，〈食貨志四・鹽法〉，頁 15。

100 據研究犍為在康熙時有鹽井 529 眼鍋 594 口，嘉慶年間井增至 1,206 眼鍋增至 1,654 口，直到川鹽濟楚前未再增加，川鹽濟楚後井鍋都增至二千以上，各產鹽之縣都有類似情況，道光三十年四川有鹽井 8,800 餘眼，鍋 5,000 餘口，川鹽濟楚後鹽井增加到十餘萬口，鍋 25,900 餘口。參見陳鋒，《清代鹽政與鹽稅》，頁 97-100。

四川財政由他省協濟，變爲協撥他省，改變不謂不大[101]。

　　除了川鹽濟楚，打破引界的臨時性做法，在兩淮鹽商星散，場商逃亡，灶戶破產，額課無著的情況下，清政府也曾在咸豐四年至六年（1854－1856）間，於產鹽區實施就場征稅，咸豐七年改爲設局徵課，年徵銀20萬兩，相較於太平天國事件前，年徵鹽課600萬兩，實不可同日而語[102]。但是顯現了在承平時期，既得利益者反對下，再好的制度也不能實行，非常時期，清廷爲了救財政之窮，採行就場徵稅之法，可惜政經情勢不穩，成效不彰。

　　川鹽濟楚是因太平天國事件，阻斷的長江鹽運管道，清廷所採取的臨時性救濟措施，卻因此打破了引地界限，同時又特許不論官鹽、私鹽，設關抽稅，一概准許自由販售，因此打破了牢不可破的「專商引岸」牢籠，造成四川鹽業蓬勃的發展，更值得注意的是，李鴻章曾說：

> 湖北宜昌一帶，未經兵亂以前，向爲川私充斥，雖自巴東以下，沿江設卡，畫夜巡守，而峽江勢若建瓴，瞬息百里，人力難施，無從堵截。荊宜名爲淮岸，訪之耆民，百餘年來，從未有食淮鹽者。自咸豐初年設局收稅，化私爲官，商民稱便，悉就範圍。[103]

　　清政府如果能從此一改變中，認知到破除引界，食鹽自由販運，不但不會影響鹽課的收入，而且可以打破專商壟斷，降低食鹽在市場的價格，一舉數得，進而推廣，行之全國，則鹽務改革能夠早日實現。可惜太平天國事件平定後，隨著長江航運的暢通，與兩淮鹽業的復甦，同治三年（1864），兩江總督曾國藩開始籌畫

101　郭正忠主編，《中國鹽業史》古代編，頁824。
102　陳鋒，《清代鹽政與鹽稅》，頁91-92。
103　李鴻章，〈川鹽分成派銷折〉，《李文忠公全集》（一）奏稿卷15，文海出版社影本，頁36。

恢復楚岸[104]，他仿道光年間實行的票法，內參綱法，禁革小販，專招大商承運。次年，署理兩江總督李鴻章命已經認窩的商販預繳鹽釐，並報效捐款，准其繼續承運後綱的鹽，循環給運，不必另招新商，並訂定環運章程，票商凡在清水潭堤工、小邵堡工程報效捐銀者，按年准其循環運鹽。於是報效變成票本，與窩本相同，票商專利與從前引商專利相同，這時的票法與道光年間陶澍實行的票法已完全不同[105]，兩淮鹽商既然又取得了運鹽權利，亟謀恢復淮鹽原有引岸，造成川鹽、淮鹽在兩湖爭奪市場的情形，因川鹽濟楚十多年，禁之未便太驟，先採取重抽釐金，以徵爲禁的做法，川鹽暢銷如故，效果不佳。同治十年（1871），曾國藩建議劃地行銷，將湖北的武昌、漢陽、黃州、德安四府，湖南的岳州、常德二府，劃歸淮南行銷，其餘地區行銷川鹽。經戶部議准。光緒二年（1876），兩湖引地全部復歸兩淮[106]。川鹽濟楚打破原來引地的限制，與不論公鹽、私鹽，一稅之後，給照放行的作法，打破專商引岸制度的改革，歸於煙消雲散。傳統桎梏，未能趁機改革，實爲遺憾。

第三節　清末鹽務機關的變革

一、清末鹽務機關變革的時代背景

鴉片戰爭是中國兩千年未有變局的開端，中國門戶被英國的

104　曾國藩，〈請收回淮南引地疏〉，盛康輯，《皇朝經世文編續編》卷 52，〈戶政 24 鹽課 3〉，頁 32-35。
105　王定安等纂修，《重修兩淮鹽法志》卷 72，〈督銷門、循環給運〉，頁 5-8。
106　魏淑豔、劉振軍，〈丁寶楨與四川的鹽政改革〉，《遼寧教育學院學報》1995年第 4 期，頁 42-44。

砲艦打開，五口通商卻仍故步自封，在和戰游移不定中，咸豐皇帝即位，在位十一年，先有太平天國事件，後有兩次英法聯軍攻佔天津、北京，對清朝中央政府體制及中央與地方的關係的改變有重大的影響，對外成立了「總理各國事務衙門」及南、北洋通商大臣，開始和外人辦理外交與商務往來；對內則展開了學習西方器物的洋務運動，由最初的船堅炮利，擴及鐵路、開礦、電報、郵政、銀行、鑄幣，以及農、工、商業，並派遣留學生，建立同文、武備等學堂，以培養人才[107]。太平天國事件是清王朝建立後內部最大的變亂，由於文武棄城遠避，兵勇聞風先散，八旗、綠營都無法平亂，以曾國藩為首的漢人，舉起維護名教的旗幟為號召，組織團練，保鄉衛土，先後編成湘軍、淮軍，平定內亂，甚至抵禦外侮。太平天國事件平定後，地方督撫多由定亂有功的漢人擔任，更重要的是為了平定亂事，戰爭期間，授權地方督撫在財政、人事等方面有便宜行事之權，使得地方督撫權力大增，滿人為首的中央政府，有了懼怕漢人督撫尾大不掉的恐懼心理。

中法戰爭，馬尾船廠被法軍破毀，甲午海戰，北洋艦隊為日本殲滅，證明了皮毛式的模仿西方，不能發生抵抗外力的效能，導致革命反滿和維新變法兩種救國運動的發生與推展，清政府強力鎮壓革命運動，也禁止溫和的維新運動，在保守勢力主導下，激起了排外的義和團，在扶清滅洋的口號下，攻打東郊民巷使館區，清廷向外國宣戰。八國聯軍攻打北京期間，兩江總督劉坤一、湖廣總督張之洞、兩廣總督李鴻章、山東巡撫袁世凱，不奉詔宣戰，卻和外人訂定東南互保條約，這些漢人總督、巡撫統治區形同半獨立狀態，觸動了清朝最敏感的滿漢問題，與太平天國事件

---

107 李雲漢，《中國近代史》，三民書局民國 74 年 9 月初版，頁 81-82。

後地方督撫權力過大的問題。辛丑條約中無論駐兵、拆除炮台、
鉅額賠款，影響深遠[108]。

　　在太后與光緒皇帝逃往西安的途中，便已下詔罪己，到了西
安又下詔變法，辛丑年三月（1901），下令成立「督辦政務處」，
展開了遮羞式的變法。日俄戰爭後，立憲的日本先後打敗了專制
的中國、俄國，國內立憲運動勢不可擋，光緒三十二年清廷下詔
預備立憲，但是從新官制的釐訂，打破滿漢各半的成規，到中央
官員的任命，與實際政務的推行，處處顯現出滿人對漢人的猜忌
與排擠，李劍農稱清政府的改革爲「排漢的中央集權」，實爲一針
見血之論[109]。

　　1900 年前後，隨著列強在華勢力急速擴張，中國不分沿海、
內陸或社會階層的差異，都感到外力介入的可怕。自義和團事件
後，清廷信譽破產，不再爲全民所信賴，以地方官紳和學生爲主
的新興力量，試圖以較理性的方式，爭回列強在中國享有的特權，
使中國免於被瓜分或淪爲次殖民地的危機。在這樣的背景下，中
國新興的民族主義以反帝國主義的形式呈現，這點可由光緒三十
一年（1905）中美工約而引起的抵制美貨運動，和光緒三十四年
（1908）二辰丸事件引起的抵制日貨運動得到證明[110]。

　　外國利權在甲午戰後迅速擴張，清廷爲了賠償馬關條約對日
本的賠款，舉借外債，繼而各國銀行爭先貸款給中國修築鐵路與
開採礦藏，而鐵路與礦藏就成爲貸款的抵押品，使中國原來就負

---

108 郭廷以，《近代中國史綱》上冊，頁 383-387；李劍農，《中國近百年政治
　　史》，台灣商務印書館民國 65 年影本，頁 191－208。

109 李劍農，《中國近百年政治史》，頁 250-261。

110 張存武，《光緒卅一年中美工約風潮》，中國學術著作獎助委員會民國 54
　　年 8 月初版，頁 34-41；萊特（Mary C. Wright）著，魏外揚譯，〈辛亥革
　　命的本質〉，張玉法主編，《中國現代史論集》第三輯，聯經出版公司民國
　　71 年第 2 次印刷，頁 40-41。

擔不起的戰爭賠款，又增加了利息壓力，進而有清末積極的收回利權運動。在此一時期，民族主義的意義已不限於反帝國主義，他還代表了民族主義勝過了地方主義，既能驅逐帝國主義，又能領導國家在政治、社會、經濟與文化各方面有所革新，新興的中產階級若想有所發展，必須要有全國性的市場與改革不可，而這些都必須有一個強有利的中央政府來推動[111]。

清繼明後，鹽務官制大都沿襲明朝舊制，由中央戶部山東司掌管鹽務政令，專司奏銷考成，地方鹽官，以鹽務根本在場產，在長蘆、山東、兩淮、兩浙、兩廣置都轉鹽運使司，樞紐在轉運，在河東、四川、雲南設鹽道，以司產運；歸墟在岸銷，設河南、陝西、甘肅、湖北、湖南、江南、江西、廣西各鹽道，以司岸銷，下有鹽務分司、鹽課司、巡檢司、批驗所等，由運副、運判、監掣同知等官員分別掌管，已在前章敘明。簡言之，清代雖為中央集權體制，但是在鹽務一項，則權歸地方，中央僅掌奏銷考成，多數鹽稅也為地方截用，更妨害了全國鹽務改革，為了收回太平天國事件後失之於地方的權力，同時將地方掌控的鹽政權一併收歸中央，在上述的背景下，乃有宣統年間的鹽政機關改革。

二、鹽政管理體制的調整

光緒三十二年（1906）五大臣出洋考察憲政歸國後，呈請應仿效日本立憲，七月十三日下詔預備仿行憲政，從改革官制入手，將財政、軍事權悉收回於中央政府。九月二十日下詔釐定官制，將戶部改為度支部[112]。光緒三十三年（1907），制定的度支部章程，

---

111 萊特（Mary C. Wright）著，魏外揚譯，〈辛亥革命的本質〉，聯經《中國現代史論集》第三輯，頁 34，50。
112 李劍農，《中國近百年政治史》，頁 250-252。

廢除了山東清吏司，改設管榷司，但是其職權並未擴大。宣統元年五月，度支部尙書載澤以淮浙鹽務疲敝爲由，派晏安瀾等十人，分赴江蘇、浙江、河南、安徽、江西、湖北、湖南等省考察。回京後，認爲許多鹽務問題在於「官權不相統，而商人情志渙散，各不相謀。」加之自京漢鐵路通車後，兩淮在河南原有引地，更易爲蘆鹽侵灌，津浦、粵漢鐵路日後完工，引地界限更難維持，提出「居今日而言鹽務，不當規目前之小效，而當務根本之遠途。……政令既涉分歧，辦法亦多牽製，自非總持全局，統一事權，不足以肅鹺綱而齊榷政。」度支部尙書載澤因而建議：「請將各省鹽務用人行政一切事宜，悉歸臣部直接管理，其產鹽省份各督撫，向有兼管鹽政之責，擬請作爲會辦鹽政大臣，行鹽省份各督撫，於地方疏銷、緝私等事，考核較近，呼應亦靈，擬請均兼會辦鹽政大臣銜。隨時與臣部和衷商辦，總期內外相聯，以免隔閡，而資整頓。[113]」清政府於十一月十九日下詔成立督辦鹽政處，任命載澤爲督辦鹽政大臣，各省督撫兼會辦鹽政大臣，共同和衷共濟，通盤籌畫，整飭鹺綱，興利除弊[114]。

　　載澤就任後，制定了〈督辦鹽政暫行章程〉共三十五條，明定「凡各省鹽務一切用人行政事宜，均歸督辦鹽政處專責」，其關係款項者，表面上中央與地方各有專歸，實際上「收發引張，動撥款項、核覆奏銷、考成交待均由度支部掌管，一向由各省督撫具奏之件，也改由督辦鹽政大臣主稿，會同該省督撫辦理，其重要事件，得由督辦鹽政大臣單銜具奏。[115]」地方督撫在鹽政事務

113　宣統元年十一月，〈度支部奏陳明淮浙鹽務情形並請將各省鹽務歸部直接管理摺〉，《政治官報》788 號，文海出版社影本，頁 416-420。

114　宣統元年十一月二十日，《政治官報》785 號，頁 360。

115　宣統二元年正月二十七日，〈督辦鹽政處會奏督辦鹽政酌擬章程摺〉，《政治官報》844 號，頁 383。

的人事及財政權幾乎全被剝奪，清政府企圖建立中央到地方統一的鹽政管理機構，消除地方督撫權力，由督辦鹽政處「總持全局，統一事權」，對地方鹽務機構的重疊與事權不一，浮費勒索等弊端尚未觸及。

由於此一改變對掌握鹽政大權已久的地方督撫衝擊太大，地方督撫在鹽政事務上成為督辦鹽政大臣的僚屬，引發地方督撫的反彈。宣統二年（1910）二月十四日東三省總督錫良上奏，認為前述章程於用人行政諸端，不無窒礙，請酌量變通。督辦鹽政大臣載澤均一一駁覆[116]。宣統二年，載澤為進一步掌控地方鹽政，整頓地方鹽務，在部份行省設立了鹽政公所，作為管理全省鹽務的機構，內設正、副監督，由鹽政處與度支部共同遴選奏派，受鹽政處直接領導，會同原有的運司、鹽道共同負責鹽政事務，目的在奪總督巡撫掌控地方鹽政的權力，建立中央到地方的鹽務管理系統，但是新成立的鹽政公所和原有地方鹽政機關重疊，事權不統一[117]，加之各省督撫採取消極抵抗，載澤也無計可施。宣統三年（1911）五月十八日，載澤奏請裁撤督辦鹽政大臣，將鹽務歸併度支部直接管理，表面原因是內閣成立，度支部已設國務大臣，鹽務為財政之一端，自應隸於度支[118]，實際的原因內閣在後來奏請成立鹽政院時說：「今日鹽務難於整理者其故有二：一在各省自為風氣，不能袪官與商弊蠹所叢；一由各省自保藩籬，不能

116　宣統二元年三月初七日，〈督辦鹽政大臣遵旨詳議摺〉，《政治官報》883 號，頁 134-135。

117　雲南於宣統二年四月、兩廣於宣統二年五月先後成立鹽政公所，見李經羲，〈奏滇省擬籌設鹽政公所摺〉，《政治官報》921 號，頁 290-291；〈鹽政處會奏遴派兩廣鹽政公所正副監督並酌擬章程摺〉，《政治官報》1104 號，頁 372-373。

118　宣統三元年五月十八日，〈擬請裁撤督辦鹽政大臣將鹽務歸併度支部直接管理摺〉，《政治官報》1300 號，頁 307-308。

謀國與民公共之益。[119]」可以得知，載澤奏請裁撤督辦鹽政處的真正原因，就是鹽政權掌控在地方督撫之手已久，一時之間無法收歸中央。不過清政府五月時以政府財用支絀，鹽務為國家稅，關係甚重，仍命載澤照常督辦，並未同意他的建議，督辦鹽政處仍繼續運作[120]。

　　宣統三年八月十八日，載澤奏曰：「臣載澤前年奉命督辦鹽政，雖舉從前督撫管理鹽政之權，稍稍集於中央，而司道以下各官差缺之不相轄，名實不相符，積習相承，尚沿其舊，……而鹽務各官乃散漫至於此極，殊非政體所宜。……非酌定官制，特設京外鹽務專官，統一事權，明定責任不為功。[121]」故而內閣會奏擬設立京外鹽政專管官，改鹽政處為鹽政院，管理全國鹽政，統轄鹽政官吏，下設總務、南鹽、北鹽三廳，南鹽廳負責淮、浙、閩、粵等處鹽務，北鹽廳辦理奉、直、潞、東四處鹽務；各省則在產鹽區設正監督，由原來的運司充任，負責產鹽、運鹽、銷鹽、緝私等事務；於銷區設副監督，負責運鹽、銷鹽、緝私等事務，由原來的鹽道或督銷局、鹽厘局總辦充任。正、副監督所屬各官，由鹽政院就各省原設鹽務官增損裁併分別釐定；正、副監督由鹽政大臣開單請旨簡放，直接管轄，鹽務收入各款由正、副監度隨時解交國庫，從前各省督撫所兼會辦鹽政大臣及兼會辦鹽政大臣銜即應撤銷[122]。也就是說，此次改革是一次釜底抽薪的動作，裁撤了原來聽命於地方督撫的鹽運司、鹽道等衙門，新成立的地方

---

119 宣統三年八月十八日，〈內閣會奏遵旨整頓國稅擬設京外鹽政專官酌定官制摺〉，《內閣官報》47 號，文海出版社影本，頁 157。
120 〈中國大事記〉，《東方雜誌》第八卷第五號，頁 7。
121 宣統三年八月十八日，〈內閣會奏遵旨整頓國稅擬設京外鹽政專官酌定官制摺〉，《內閣官報》47 號，頁 158-159。
122 宣統三年八月十八日，〈內閣會奏擬定鹽政院官制〉，《內閣官報》47 號，頁 161-166。

鹽務官員正、副監督,直屬鹽政大臣,其任命、考核、升遷的人事權,鹽稅收支、帳目查核、報銷的財政權,全部收歸中央鹽政院,地方督撫至此不能插手鹽務,不能動支鹽款。

可惜鹽政院成立的次日,武昌城中革命的槍聲響起,辛亥革命爆發,鹽政院的規章制度尚未建立,清政府不願開罪掌握實權的地方督撫,旋將鹽政院裁撤。次年二月十二日,滿清皇帝宣佈退位,一切改革頓成泡影[123]。

清代後期的鹽務改革,先有陶澍在兩淮的作為,其目的在解決引鹽壅滯、鹽課積壓問題,以增加政府收入為目的,單純的從改革人為弊端,減少浮費,增加鹽課等方面看,算是一次成功的改革,可惜僅限於兩淮地區,未能擴大到全國,實為遺憾。太平天國事起,淮鹽生產減少,運銷受阻,雖一時影響鹽課收入,改食川鹽後,卻被動的打破引界,整體來說鹽稅並未減少,清廷未利用此一機會,破除引界,廢除專商,實因各地方督撫本位主義心態與清政府無改革的魄力所致;清末將鹽政權收歸中央的改革,是在清末中央政府權力逐漸式微,地方督撫權力高漲的背景下展開,又牽涉到滿漢權力之爭,滿州親貴政治權力不足,政治手腕也不夠靈活,失敗在意料之中,清政府未能把握這三次改革的契機,徹底革除鹽務弊端,解決專商引岸這一鹽務管理制度的根本問題,至為可惜,但也顯示中國鹽政到了應徹底變革的時候了,而改革在地方各自為政,或局部調整都不可能見其成效,必須在中央政府權力集中下,才有可能成功。

---

123 丁長清主編,《民國鹽務史稿》,頁 13-15;丁長清、唐仁粵主編,《中國鹽業史》近代當代編,頁 27-28。

附　錄

鹽務專有名詞釋義（資料出自林振翰《鹽政辭典》與王守基《鹽法議略》，不另加註）

1. 屯船：兩淮泰壩運鹽之船曰屯船。
2. 水腳：船隻運鹽搬運工人之費用。
3. 硃單：鹽商每年按綱冊上承銷數，先繳交紙硃銀，領取政府硃批配引的憑證，稱為硃單。
4. 皮票：兩淮地區稱運鹽照單為皮票，因照單以裱托堅厚為包引之皮也。
5. 桅封：清制鹽由船運者，由本商開具商名、引數、運銷地方、並船戶姓名，投報監掣衙門，監掣官編造艙口封，呈送運司發給桅封，填寫某字若干號、船戶某姓名、裝載某商、某年引鹽若干引、通前至後艙口若干、並兩浮面查載若干包、運至某口岸起卸，用印給商，轉給船戶，封於桅上，以為標識，是曰桅封。
6. 貼色：淮北鹽商於票販下場捆鹽時，在應得鹽價駁價之外，另行需索，名曰貼色。
7. 織造銀：淮商每年為置辦進貢物件，解送銀 22 萬兩，稱織造銀。
8. 河餉銀：地方鹽政或運司捐充巡河兵丁餉銀，後因裁去陋規，每引攤徵銀 3 分 9 釐解部，是為河餉銀。
9. 參斤變價：人參是東北特產，嚴禁偷採，由八旗獨佔。所採集人參，直送內務府，除存庫備用外，其餘發崇文門監督訪時價定擬，由戶部奏聞變價，照例發交兩淮等六處變賣，謂之參斤變價。

第五章　民國初年的鹽務改革思想

　　滿清末葉，來自列強的沉重壓力，產生了強烈的排外情緒；令人絕望的國內問題，使多數人覺得中國需要更有力量的人來掌舵。社會流動不息，思潮變遷迅速，清廷從事一連串的改革，結果卻收到反效果，帶來更大的騷亂。宣統二年（1910）秋天，華中地區發生水災，城鄉爲大水淹沒，農田歉收，數百萬災民在生死邊緣掙扎，麵粉價格五年內上漲三成，米價十年中上漲一倍有餘，水災後更是上漲迅速，食鹽價格也因爲清廷不斷加厘、加價，上漲數倍，民生困苦，內憂外患，革命的環境因而成熟[1]。

　　宣統三年八月十九日發生在武昌的革命事件，各省紛紛獨立，撼動了清朝統治的基礎，導致次年二月十二日宣布退位。期間進展太快，使得有些人以爲這根本是一次假革命[2]。清廷與革命勢力快速妥協的原因複雜，其中一個主要原因是雙方財政上都無

1　清前期常以加價增收鹽稅，有補貼加價、因公加價等名目，太平天國事件後，仿厘金徵鹽厘，有引厘、關卡厘、包厘、正課厘、私鹽厘等名目，光緒以後，爲解決賠款導致的財政缺口，新厘、新課、價款加價更爲頻繁，參見郭正忠主編，《中國鹽業史》古代編，793-801；金耀基，〈從社會系統論分析辛亥革命〉，在革命與社會系統一節中，論及革命與革命環境之關係，高慕軻也有類似的看法，金耀基文見聯經出版公司《中國現代史論集》第三集，民國69年初版，頁93-98；高慕軻（Michael Gasster）著，古偉瀛譯，〈中國政治近代化運動中的改革與革命〉，引自林能士、胡平生合編，《中國現代史論文選輯》，華世出版社民國71年9月三版，頁50。
2　萊特（Mary C. Wright）著，魏外揚譯，〈辛亥革命的本質〉，聯經出版公司《中國現代史論集》第三輯辛亥革命，頁79。

法支持長時間的戰爭。南方臨時政府成立後，雖然掌控部分省區，但是卻無法獲得固定財源支持，革命期間，主要財政來源為華僑捐款與購買公債的款項，上海工商業給予同盟會超過七百萬元資助[3]，但是戰爭期間開支頗鉅，與實際需求差距甚遠，因此有盛宣懷將漢冶萍公司交中、日合辦，日人出日金1500萬元，其中三百萬交民國政府，以換取南京政府同意之說，引發各方激烈反對，因而作罷[4]；北方清政府財政更加困難，各省紛紛獨立，應解中央款項暫停，國庫空虛，逼使隆裕太后將慈禧傳下，積存四十年的三十三箱金條，送往香港匯豐銀行，換取白銀三百萬兩，發給軍隊，可見其財政狀況十分艱困[5]。據研究，中國的外債總數有八億到十億兩之間，經常性的收支相抵，根本無力償債，已經到了借債養債的地步[6]。辛亥革命爆發，在情勢不明朗的情況下，列強暫時停止各項借款之墊款與新的借款，財政上一籌莫展[7]。清室退位後，留下了一個空虛的國庫。辛亥革命後，袁世凱主導的北京政

---

3 Jean Chesneaux,Francoise Le Barbier,Marie-Claire Bergere 合著，宋淑章譯，〈從共和到獨裁〉（1912-1916），張玉法，《現代中國史》第二章，經世書局民國69年4月初版，頁43；革命期間同盟會主要經費來源為華僑，據研究，武昌起義後，匯至香港支部的款項約110萬港幣，華僑匯回總計約238萬港幣，整體來說籌款並不成功。參見鄭憲，〈中國同盟會革命經費之研究〉，聯經出版公司《中國現代史論集》第三輯辛亥革命，頁253-254。

4 此事件背景、經過與南京實業部長張謇及各界反對的主張，請參考全漢昇，〈漢冶萍公司之史的研究〉吳相湘主編，《中國現代史叢刊》第二冊，正中書局民國52年台2版，頁300-305。

5 British Parliamentary Report, p.8/374. 轉引自梁敬錞，〈一九一一年的中國革命〉，聯經出版公司《中國現代史論集》第三輯辛亥革命，頁21。

6 萊特（Mary C. Wright）著，魏外揚譯，〈辛亥革命的本質〉，聯經出版公司《中國現代史論集》第三輯辛亥革命，頁83。

7 辛亥革命爆發，清廷需款孔急，袁世凱曾以高利率向法俄比財團借150萬法郎以救急，稱為加圖借款，後因英國堅持南北雙方未達成和議前絕不貸款，且停止交付湖廣借款與幣制借款之墊款，導致加圖借款也告擱淺。參見王綱領，〈列強銀行團與民國二年善後大借款〉，《思與言》16卷2期，頁159-160。

府，為解決財政困難問題，舉借外債，宋教仁被暗殺後，不經國
會同意，簽訂善後大借款合同，引發各界質疑。善後大借款以鹽
稅為擔保，對鹽務管理產生了巨大的衝擊。本章敘述國內關心鹽
務，主張改革前清鹽務弊病的人士，以降低善後大借款對鹽務主
權的損失，並解決長久以來專商世襲壟斷，引岸界限等問題，提
出他們的主張與具體作法。

第一節　善後大借款與鹽務的關聯

　　民國建立後，政府財政更加困難，政治改良、軍隊遣散，無
一不需大量金錢，民國成立，北京中央行政經常費每月需款 400
萬元，外洋賠款、積欠外債、洋款過期及屆期者共累積 1100 萬英
鎊，可供政府使用的財源非常有限，歲入款之大宗，僅剩奉、直、
齊、晉等省的鹽稅，與部轄之常稅與雜款[8]。民國元年，據總理唐
紹儀、財政總長熊希齡的估計，財政赤字將高達二億六千萬元[9]。
朝野有欲改革民國財政，捨大借款別無他法之說。如梁啓超云：「夫
以今日而理中國之財，雖管仲、劉晏復生，亦不能不乞靈於外債
固也。[10]」張謇也說：「大借款為吾國命脈所關，斷無終止之理。
[11]」國民黨領袖知國家需款孔亟，但也了解北京政府財政結構不
健全，袁世凱公款私用，借款苟不加以監督，用於國家建設，徒

8　賈士毅，《民國財政史》正編上冊，台灣商務印書館民國 51 年影本，頁 46。
9　熊希齡，〈為財政事通電〉，《東方雜誌》8 卷 12 號，內外時報，頁 29。
10　梁啓超，〈致袁氏討論財政政黨各問題書〉，丁文江編，《梁任公先生年譜長
　　編初稿》，台北世界書局，民國 61 年出版，頁 380-頁 381。
11　張孝若，《南通張季直先生傳記》，台北文星書店 51 年影印本，頁 209。

喪失利權於列強，黃興主張勸募國民捐，以解決財政困難[12]。此說立意雖佳，但實行則有困難。大致而言，借款解決財政困難，已具相當程度的共識，反對者大多只是擔心主權淪喪，政府用款缺乏監督，借款私用[13]。在國際上，大借款案談判前，正逢歐戰前夕，列強累積了大量資本，為使本國多餘資金獲得出路，以免造成列強國內通貨膨脹，清帝退位後，各國急欲借款與中國，既可在中國獲得經濟上的利益，更可操縱中國經濟命脈，進一步控制中國政治[14]。在這樣的國內與國際氣氛下，對借款案的進行十分有利。善後大借款的談判於民國元年（1912）二月二十七日在北京展開。

一、善後大借款的議約過程

善後大借款的談判過程冗長，且時而談判，時而中斷，以下分為四個階段敘述：

第一階段：清末因戰爭失敗，為了籌款償還條約賠款，自中日馬關條約簽訂後開始舉借外債，可分三階段，甲午戰債借款為第一階段，列強尚未合作；列強瓜分中國期間，英、法、德競相貸款，後德國以優待條件取得津浦路權，為第二階段；各國鑑於互相競爭，兩敗俱傷，且德國在津浦路貸款中蒙受損失，開始共同合作，成立銀行團，謀求對華貸款之監督與控制，而有英法德銀行團的成立。後因美國對華政策轉趨積極，與清廷有幣制借款

---

12 〈黃興對借款通電〉，《東方雜誌》8 卷 12 號，內外時報，頁 30。
13 如《東方雜誌》在民國元年七月刊載了傖父，〈論依賴外債之誤國〉一文，云：「在依賴外債者固謂：外債一成則難題悉解，崛強者可以使之軟化，怨望者可以使之滿足，慰勞金也，退隱料也，買收運動之秘密費也，政府擁多金，當世曷敢有抗顏者，此即所謂散金政策也。」《東方雜誌》9 卷 1 號，頁 2。
14 丁長清主編，《民國鹽務史稿》，頁 30。

與東北實業發展借款簽訂,引發三國銀行團的猜嫉,美國同意合組四國銀行團,共同承接幣制借款與湖廣路借款,是為第三階段。此時四國對銀行團的性質、範圍、及未來對華貸款的壟斷,並無明確的主張,但是在 1911 年四國與清政府簽訂之幣制借款合同中,有「借款的承擔者有獲得擔保品及控制借款用途」之規定,並有對「同等條件或同一擔保品優先應募權」之約定,監督及壟斷先例遂告達成[15]。

清帝退位後,袁世凱當選第二任臨時大總統,四國銀行團開始與袁氏任命的唐紹儀談判借款條件,唐紹儀提出緊急墊款七百萬兩的要求,以解財政困窘的燃眉之急,民國元年二月二十八日,銀行團撥付二百萬兩。三月二日,袁世凱命代理財政總長周自齊出面要求銀行團墊款一百零一萬五千兩,銀行團則要求「倘若中國自他處借款之條件不能優於四國銀行團所提之條件,則中國之善後大借款亦應由四國銀行團優先供給」,袁世凱未深思即親函接受,中國政府自此失去了借款對象的選擇權,實一大失策。銀行團在取得「優先應募」權後,始行撥款。三月三日唐紹儀和俄國暗中支持的比利時財團簽訂一百鎊借款合同,隨即在銀行團抗議下取消。五月二日,銀行團正式提出監督中國財政為借款必要條件,包括:1.監督一切用款;2.監督遣散軍隊。唐氏因有損主權,加以拒絕,談判破裂,改由財長熊希齡負責談判[16]。

第二階段:四國銀行團欲行壟斷了對華借款,仍擔心在華有特殊利益的日、俄兩國的干擾,為免引起列強在華勢力之糾紛,發生類似比利時財團借款之事,有納入日、俄兩國銀行之議。日、

---

15 王綱領,〈列強銀行團與民國二年善後大借款〉,《思與言》16 卷 2 期,頁 159-160。
16 張水木,〈民國二年善後大借款初探〉,《東海歷史學報》第 2 期,頁 51;王綱領,〈列強銀行團與民國二年善後大借款〉,《思與言》16 卷 2 期,頁 162-163。

俄兩國各提出對其母國有利之條件，包含列強承認日、俄兩國在滿蒙有特殊利益，在獲得其他國家默許後，民國元年六月組成六國銀行團。

六月十四日，熊希齡提出一千九百萬兩墊款要求，銀行團於十八日僅支付三百萬兩，不久提出七項要求：

1. 指定墊款用途；

2. 擔保之稅收應由海關或類似之機關管理之；

3. 借款之用途應由六國銀行團監視；

4. 墊款應認為大借款之一部分，故六國銀行團對於大借款有優先權；

5. 明定大借款之一般原則，其原則在大體上應如上述；

6. 在大借款未發行前，中國政府不得向他處商借外債；

7. 上述一切，應為「必須」，中國政府且應承認六國銀行團為中國政府之財政代理人，以五年為期。

六月二十四日，又增加鹽稅由外人管理之要求，為談判中首次提到監督中國鹽政。熊希齡以其要求妨礙中國主權，加以拒絕，談判中斷，熊氏不久辭職[17]。

第三階段：民國元年七月，周學熙繼任財政總長，接下了棘手的借款談判，在國務會議中擬定了借款大綱五條[18]，作為和外人交涉的基礎，在外人欲監督鹽務行政一項，中國政府主張：「中國自行整頓鹽務，惟製造鹽場及經收鹽稅之處，中國可酌量自聘洋人，幫同華人辦理。所收鹽稅，可交存於最妥實之銀行，以備

---

17 王綱領，〈列強銀行團與民國二年善後大借款〉，《思與言》16 卷 2 期，頁 165。

18 周學熙，《周止菴先生自敘年譜》，文海出版社，近代中國史料叢刊三編第一輯，頁 44。

抵還借款之本息。[19]」力圖保持鹽務之自主權。惟中國政府積欠的內外債高達八千萬元[20]，協商日久無功，中國駐歐各國公使奉命展開向非銀行團之資本家進行獨立借款之交涉，中國有突破銀行團壟斷的機會，英國為銀行團之領袖國，為之氣餒，幾乎放棄聯合借款，法國則仍不放棄。此時中國駐英公使劉玉麟向倫敦克利斯浦公司（Birch Crisp & Company）借款一千萬英鎊，於八月三十日簽約，以鹽稅為擔保，引發銀行團抗議，並抵制債券發行。中國政府不得不取消克利斯浦公司借款合同[21]。於十月九日再和六國銀行團重新接洽，向銀行團借款數額變為兩千萬英鎊，旋增為兩千五百萬英鎊，銀行團也在英國駐華公使朱爾典（Sir John Jordan）的調解下，承諾於鹽務稽核總所中增設華人副總辦一人[22]。談判進入最後階段，雙方對借款條件已有共識。

　　第四階段：中國政府確定借款數額為二千五百萬英鎊，希望銀行團放寬條件，十二月二十一日，銀行團同意二千五百萬英鎊借款，二十七日，總理趙秉鈞、財政總長周學熙向臨時參議院報告借款交涉事宜，因為正式合同並未確定，參議院當時僅將特別條件五款大體舉手表決，參議員汪榮寶提議，對於第五款，「本款能刪最好，否則作為附款，萬辦不到，即照原案。[23]」而汪榮寶所提「本款能刪最好」的第五款即外人監督中國鹽務之規定。而

19 高勞，〈大借款之經過及其成立〉，《東方雜誌》9 卷 12 號，頁 4。
20 賈士毅，《民國初年的幾任財政總長》，傳記文學出版社民國 74 年 9 月 1 日再版，頁 25。
21 王綱領，〈列強銀行團與民國二年善後大借款〉，《思與言》16 卷 2 期，頁 166-167。
22 王綱領，〈列強銀行團與民國二年善後大借款〉，《思與言》16 卷 2 期，頁 167。
23 鄒魯，《中國國民黨史稿》，台灣商務印書館民國六十五年十月台三版，頁 975。

此時巴爾幹戰事發生，歐洲市場金融吃緊，銀行團提出借款利息由五厘增加爲五厘牛，修訂折扣、修改發行價格等要求，中國政府不同意，六國間也因僱用洋員問題，內部爭議頗多，因而延後了簽約時間[24]。

　　合同交涉期間，中國政府曾經允諾聘請洋員三人，爲善後大借款的監督，財政總長周學熙原擬聘請德人爲外債室之稽核，丹麥人爲鹽務稽核造報所總辦，司改革鹽政之責，義大利人爲審計處顧問[25]。由於丹麥及義大利並非銀行團之借款國，這樣的選擇，目的在避免借款國利用外國僱用人員，干涉中國內政，又可有外人公正監督中國財政與鹽務之功，是一項很巧妙的安排。但是法國認爲中立國將偏袒中國，主張應聘請出資國人員擔任監督之職位，爲公平起見，中國政府應聘請六位洋員，分掌各項職務。此說雖爲銀行團各國贊同，惟俄、英、德、美各國對監督人員的聘用各持己見，爭執不下，到二月廿日銀行團始達成協議，鹽務總辦由英國人出任，另增鹽務副總辦一人，由德國人擔任，外債室稽核也是德國人，審計顧問則由法、俄各一人出任[26]。中國政府以此議與原案不合，並不同意。

　　民國二年三月，美國新上任的總統威爾遜（Woodrow Wilson）以大借款條件違反門戶開放原則，退出銀行團，引發其他國家緊張，擔憂美國單獨貸款予中國，態度稍軟化，放寬借款條件，適逢宋教仁被刺身亡，南方有以武力解決之議，袁世凱急於取得借款，向英使朱爾典表示願接受各國聘用洋員計劃，周學熙也表示，

---

24 周學熙，《周止菴先生自敘年譜》，頁 44；張水木，〈民國二年善後大借款初探〉，《東海歷史學報》，第 2 期，頁 54-頁 55。

25 高勞，〈大借款之經過及其成立〉，《東方雜誌》9 卷 12 號，頁 7。

26 王綱領，〈列強銀行團與民國二年善後大借款〉，《思與言》16 卷 2 期，頁168。

若利率降爲 5 厘，中國政府可不經國會同意，立即簽訂借款合約，在雙方各有所圖下，民國二年四月二十六日，未經國會同意的善後大借款在北京完成簽約[27]，也確定了外人監督中國鹽政事務。

二、善後大借款合同對中國鹽務體制的規定

自甲午戰後，馬關條約中賠款日本二億兩白銀，清政府財政陷於破產邊緣 ，第一次以鹽稅爲擔保，舉借外債，解決財政困難，到善後大借款簽約以前，中央與地方以鹽稅收入做了至少十種外債借款或賠款的擔保，列表如下[28]：

表四　清末以鹽稅抵押借款表

名　　　稱	時間	債　權　者	債　額	年息	期限
1.克薩洋行借款	1895	（英）克薩洋行	100 萬鎊	6 厘	20 年
2.瑞記洋行借款	1895	（奧）瑞記洋行	100 萬鎊	6 厘	20 年
3.英德續借款	1898	匯豐銀行.德華銀行	1600 萬鎊	4.5 厘	45 年
4.庚子賠款	1901	英.德.俄.法.日.美等 13 國	45000 萬兩	4 厘	40 年
5.湖廣總督借款	1907	（日）正金銀行	200 萬兩	8 厘	10 年
6.英法借款	1908	匯豐銀行.東方匯理	500 萬鎊	5 厘	30 年

---

27 賈士毅，《民國初年的幾任財政總長》，傳記文學出版社民國 74 年 9 月 1 日再版，頁 25-28；王綱領，〈列強銀行團與民國二年善後大借款〉，《思與言》16 卷 2 期，頁 168-169；張水木〈民國二年善後大借款初探〉，《東海歷史學報》，第 2 期，頁 57-59。善後大借款議約過程曲折，國內外各種意見紛雜，國際情勢詭譎多變，詳細過程請參考王綱領前引文及〈列強對兩次善後大借款的控制政策〉（1912-1920）《史學集刊》13 期，民國 70 年 5 月出版，頁 225-263；張水木前引文及〈民國二年列強銀行團對華善後大借款及中國政治風潮之激盪〉，《東海歷史學報》，第 3 期，民國 68 年 7 月出版，頁 33-81。

28 丁長清主編，《民國鹽務史稿》，頁 22；另據周宏業，〈善後借款詳論〉一文，尚有「直隸借款」，以永平鹽捐爲抵，見黨史會編，《革命文獻》42.43 合集，《宋教仁被刺及袁世凱違法大借款史料》，民國 57 年 3 月出版，頁 448-449。

7.湖北匯豐銀行借款	1908	匯豐銀行	50 萬兩	7 厘	6 年
8.兩江總督借款	1910	匯豐.東方匯理.德華	300 萬兩	7 厘	6 年
9.湖廣鐵路借款	1911	匯豐.東方匯理.德華及美國銀行團	600 萬兩	5 厘	40 年
10.湖北省銀元借款	1911	匯豐銀行	200 萬兩	7 厘	10 年

　　不過上述以鹽稅爲擔保之借款或賠款，僅止於擔保債權，鹽政主權仍操之於中國政府，民國二年四月二十六日善後大借款簽約後，中國鹽政自主權繼海關行政權後，落入列強控制之下。

　　在此暫時不論此次借款名爲二千五百萬英鎊借款，因爲債票發行價格九折，實收八四折，中國僅獲得二千一百萬英鎊，扣除墊款，實際得款不到一千萬英鎊，此外匯兌、手續費等項也頗有損失[29]。尤有甚者，此次借款以鹽稅爲抵，有損國家主權，最爲各方詬病。合同中與鹽務發生關係的條文，有第四、第五、第六三款：

　　在合同第四款第一條中規定：「此項借款總額及關係此項借款之墊款之本利，除鹽務收入按照本合同附單所開業已指定爲從前借款債務之擔保未經還清者外，即以中國鹽務收入之全數作爲擔保。」並且規定：在善後大借款未還清前，如果將來以鹽稅收入爲擔保舉辦其他借款，則善後大借款「應較將來他項借款或他種抵押之債務用以上所指鹽務收入者，獨占優先權。」「他種抵押之債務比此次借款更占優先權或與之平等者，或減少或損害鹽務收入用以擔保此項借款每年應有款項之利權者，均不得舉行或創辦。」即使以鹽稅優先償付善後大借款，中國政府將來在舉借他

<hr>

29　張水木，〈民國二年善後大借款初探〉，《東海歷史學報》第 2 期，頁 59-60。

項借款或他種抵押之債務用鹽務收入爲擔保的,「須於將來他款借款或他種抵押之債務之契約內載明」,簡言之,善後大借款的償債具有優先權。

第四款第二條則規定,倘若將來海關收入,在償還各項擔保之債務,「若仍有餘款,即默認並商訂該餘款應儘先爲本借款之擔保,用以償還本利,因此而鹽務收入所有盈餘之款,應如數撥歸中國政府,用以辦理他項事宜。」也就是根據此一條文,關稅在償還各項擔保債款後,如果仍有餘款,則善後大借款改由關稅擔保償付,據此,民國六年七月,善後大借款之還款得以改由關稅償付[30]。

爲了確保中國償債能力,合同第五款第一條載明,「中國政府承認即將爲此項借款擔保之中國鹽稅徵收辦法,整頓改良,並用洋員,以資襄助。」依照合同,中國政府在北京設立鹽務署,由財政總長管轄。鹽務署內設立稽核總所,由中國總辦一員,洋會辦一員,主管所有發給引票彙編各項收入之報告及表冊,各事均由該總會辦專任監理,及在各產鹽地區設立稽核分所,設經理華員一人,協理洋員一人。該二員會同擔負徵收存儲鹽務收入之責,華洋經協理及稽核總所並各稽核分所必須之華洋人員,其聘任免任,由華洋總會辦會同定奪,由財政總長核准。各該華洋經協理須會同監理引票之發給及徵收各項費用及鹽稅,並將收支各事詳細報告該地方鹽運司及北京稽核總所,由稽核總所呈報財政總長後,分期將報告頒佈[31]。

同時也規定了各產鹽地方鹽斤納稅後,須有該處華洋經協理會同簽字,方准將鹽放行。所有徵收之款項,應存於銀行或存於

---

30 〈善後大借款合同〉第四款,《革命文獻》,第六輯,頁 31-32。
31 〈善後大借款合同〉第五款,《革命文獻》,第六輯,頁 32-33。

銀行以後認可之存款處，歸入中國政府鹽務收入帳內，並應報告稽核總所，以備與稽核總所所存之表冊核對。並且規定「以上所言鹽務進款帳內之款，非有總會辦會同簽字之憑據，則不能提用。」合同的此一部分，是一直受到尊重，從未發生違反合約之事，但是合同中也規定了「此項借款如本利按時交付，則不得干預以上所詳鹽政事宜。」卻從未獲得尊重，銀行團以鹽務之良窳，影響鹽稅之多寡，故而必須監督甚至干涉主導中國鹽務。反而銀行團以文字明白寫下「倘利及本屆期拖欠逾展緩所定之日期後，即應將鹽政事宜歸入海關，並由海關管理所擔保之收入，以保執票人之利益。」之嚴格規定[32]。

　　合同第六款主要是銀行團擔心借款初期，於鹽務正在整頓之際，鹽稅不足以支付借款本息，要求自合同債票發售後之第一個月起，直隸、山東、河南、江蘇省應提出款項，足符借款內應還之數目，「於未到期十四天以前，按月交存於銀行所言各該省應備之款項，即以將來各該省所指定之中央政府稅向為頭次之擔保。」滿一週年後，鹽務徵收之稅款，足敷其所擔保之各借款及他項債務，並此次借款且更有餘款足敷此次借款次年上半年應付息票之用，各省按月應交存之款項，才可以暫行停止。如果將來鹽務收入接連三年足敷預備上開之額，則四省中央稅之擔保才能取消[33]。

　　以上合同簡要言之，銀行團為確保債權，設定了三重擔保，在鹽稅擔保部分，規定以洋人出任稽核總所會辦，又因為鹽稅徵收與鹽政事務實不可分，會辦又兼鹽務署顧問，則鹽政事務外人無不可過問者矣！難怪賈士毅論及此事，云：「權操外人不啻將財

32　〈善後大借款合同〉第五款，《革命文獻》，第六輯，頁33。
33　〈善後大借款合同〉第六款，《革命文獻》，第六輯，頁31-34。

務行政之一大部分割裂以去，……編者於此，有重慨矣。[34]」所謂「本利如按時交付，則不得干預以上所詳鹽政事務」的規定，已成具文；所有鹽稅支出，必須由稽核總所總會辦會同簽字，才能提用，使得洋會辦具有提領鹽款的否決權，才有日後銀行團扣留鹽餘之事，主權淪喪，莫此為甚。

　　此合同在鹽務監督一事有損國家主權，雖政府官員也不諱言，國務院咨參議院文云：「雖合同內稽核鹽務審計用途等款，由我聘用洋員會同華員辦理，為從前借款所無。[35]」各方對政府未經議會同意簽訂借款合同多方攻擊，上海「神州女報」刊載杜英撰寫的「嗚呼大借款成立矣」一文，指責借款：「違法喪權，負民負國」[36]；日本東京出版的《國民雜誌》，在第三號也刊載了劉壽朋撰寫的「中華民國危亡之瀝血書」，也認為：違法大借款是「開門揖盜，啟監督財政之端。[37]」這些悲痛的言論，可以看出善後大借款影響之深遠。一向關心中國鹽務改革的鹽政討論會，也從影響國家主權、社會與民生幾項，討論大借款合同內容的不妥，尤其合同第五條將啟外人藉機控制中國鹽政[38]。

第二節　民國初年的鹽務改革思想

　　辛亥革命爆發，各省紛紛宣佈獨立，政權過渡時期，地方鹽

---

34 賈士毅《民國財政史》正編上冊，第一編〈總論〉，頁253。
35 〈國務院為借款業已簽字咨參議院文〉，《政府公報》，民國二年五月九日第361條，轉引自《革命文獻》，第42.43合輯，頁375。
36 杜英，〈嗚呼大借款成立矣〉，《革命文獻》，42.43合輯，頁391。
37 劉壽朋，〈中華民國危亡瀝血書〉，《革命文獻》，42.43合輯，頁393。
38 本白，〈論外人管理鹽政之害〉、〈大借款合同草案第五條評論〉，景學鈐編，《鹽政叢刊》（上），頁471-490。

務機關多陷於癱瘓，食鹽運銷大受影響，鹽稅也停止上繳中央政府。以廣東爲例，鹽商公所竭蹶萬分，埠歇商散，無人敢承接販鹽之責，銷售幾乎停止[39]。關稅是清末民初中央政府最大宗的稅源，卻因辛丑賠款與貸款保證而抵押給外人，失去了自主權，鹽稅雖然自清末也陸續作爲借款的擔保，自主權並未喪失，成爲民國成立後解決政府財政赤字希望之所寄。

清末鹽務敗壞已如前述，民國肇建，開創新局，除舊佈新是一極爲自然趨勢，加上百廢待興，需財孔亟，善後大借款，啓外人干涉鹽務之機，甚至有「鹽政不歸歐美人管理，永無改革之日，不但無改革之人才、之能力、之決心，即有其人亦必阻力橫生，萬難振作，若歸歐美人管理，必能清償外債，增加歲入，並引海關以爲証。[40]」種種謬說，國人憂心之餘，主張自行改革聲浪高漲[41]。鹽務改革派主張鹽務管理應集中統一，鹽稅徵收應符合公平、普遍與合理的原則，應求易於管理的鹽務精神，建立新制度，以求減少私鹽，稅負減輕，稅收增加的目標，其代表人物爲張謇、景學鈐、左樹珍等人，以下將其鹽政主張分別討論之。

一、張謇的鹽務主張

張謇（1853－1926），字季直，號嗇庵，江蘇南通海門縣長樂鎮人[42]。16 歲中秀才，光緒二年（1876）入吳長慶幕，襄贊吳氏平定朝鮮壬午之變，游幕期間，結交了政壇與民間許多知名之

---

39 鄒琳編，《粵鹺紀實》，頁 6。

40 梁啓超，〈鹽政雜誌序〉，景學鈐編，《鹽政叢刊》（上），頁 3。

41 景學鈐曾說：「大借款談判伊始，有鹽稅抵押之說，吾人即慮外人將藉此攬我政權，曾力言鞏固信用，惟有自我改良，求鹽稅統一之法，以爲借款擔保，彼自無所藉口。」見景學鈐，〈大借款合同草案第五條評論〉，景學鈐編，《鹽政叢刊》（上），頁 475。

42 宋希尙，《張謇傳》，台北中央文物供應社，民國 43 年 4 月出版，頁 1。

士，其中尤其受南派清流領袖翁同龢的重視與提拔。光緒二十年
（1894）恩科狀元，授翰林院修撰。馬關條約簽訂後，張謇決定
改弦易轍，放棄一般士大夫追求高官厚祿的路途，以實業與教育
交互為用，挽救中國的危亡。在家鄉開辦實業、教育、文化、水
利、慈善、交通等事業。

　　張謇出生在通州海門，是長江挾帶泥沙沖積而成的海埔新生
地，此區域的土壤，多半不含石灰質而含鹽度高，農業發展受到
了限制，自古以來就是淮南鹽區重要產鹽地。曾言：「謇，江淮間
人也，習聞鹽事。[43]」生活週遭許多人和鹽的生產、運輸、銷售
都發生直接間接的關係，自幼即關心與鹽相關的事務。淮南鹽區，
由於鹽商生活奢華，報效過多而虧空；運河淤塞而影響食鹽運輸，
增加銷售成本；海岸東移，宋代所建范公堤，距海已達 30 里之遙，
引取海水不便，鹵氣日淡；官鹽價昂，私鹽日熾；銀價上升，而
銅錢貶值，在在影響淮南鹽的產銷；復以太平天國事起，淮南鹽
的銷區政經情勢混亂，人民流離失所，對淮南產鹽區的生產、運
銷，給予最嚴重的一擊[44]。淮南鹽業，一蹶不振，首當其衝的受
害者，往往是勞苦的食鹽生產者，對身為儒家學者，關心民瘼的
張謇，怎會無動於衷？

　　光緒二十年殿試策論中，皇帝問到有關鹽務問題，張謇就能
在策論中將管仲相齊，有鹽鐵之徵，漢武帝用孔僅、桑弘羊之說，
設鹽官二十八郡，利竇一啟，無法罷除。唐朝第五琦、劉晏繼起，
鹽稅成為國家重要財政支柱，更形成政府對鹽稅的依賴性，對鹽

43 張謇，〈改革全國鹽法意見書〉，張怡祖編《張季子(謇)九錄》政聞錄卷十八
　鹽務類，台北文海出版社民國 72 年影本，頁 1026。
44 韋明鏵，《兩淮鹽商》，頁 5；張榮生，〈張謇清末民初的鹽務改革家〉，《鹽
　業史研究》1994 年第 1 期，頁 44；王紅，〈論張謇對淮南鹽政的整頓和改
　革〉，《鹽業史研究》1999 年第 1 期，頁 27-28。

法的沿革，娓娓道來。但他指出劉晏改革鹽務，是讓商人納鹽課後，縱其所之，對銷鹽地並不限制，和朱熹論廣西鹽法：「隨其所向則價自平者」相符合。張謇更一針見血的指出：「夫受引鹽鐵者商，而挾私居奇者即商也；禁貿鐵者官，而侵蝕賄縱者即官也。」對因爲專商引岸制度的不良，所造成的官商勾結，相互圖利，影響國課，戕害人民的癥結，一語道破[45]。由於他對鹽務的關心，所以能言簡意賅的回答策問，大魁天下。這篇策論，是張謇參加科舉考試留下的重要文件，也是張謇現在留下的文稿中，第一篇對鹽務發表他個人意見的重要史料，也是張謇一生關心鹽政事務的開端。而他一生對鹽務的主張即以此爲基調，從未改變。

張謇是清末民初最關心鹽務的人，一生寫過有關鹽務的文章，從全集目錄上統計，有五十二篇[46]。這五十二篇中，大多數是張謇創辦同仁泰鹽業公司後，爲建立公司制度所制定的章程，或與官府往來的函文，最多的是向投資的股東提出的營業說明及帳目，都能顯現張謇鹽務思想與作爲。以下即以這些篇章內容爲主，分析張謇的鹽務思想。

（一）張謇對食鹽運銷制度的主張

張謇從對歷代鹽務研究中認識到，長期發展形成的「割據式引岸制」[47]，是一切鹽務弊病的源頭，他從歷史的經驗得知，唐代劉晏認爲：「鹽吏多則州縣擾，出鹽鄉因舊監置吏，亭戶羈商人，

---

45 南通市圖書館張謇研究中心編，《張謇全集》，第五卷藝文（上），頁 596、601；朱熹的鹽務思想請參考徐公喜，〈朱熹鹽法思想〉，《鹽業史研究》2002年第 4 期，頁 14-19。

46 此一統計，僅以《張謇全集》共七冊目錄中，明顯以鹽爲標題者爲限，其中包括：函電一件、經濟十七件、實業三十三件、藝文一件，共計五十二件。

47 陳鋒，《清代鹽政與鹽稅》，頁 59-頁 63；拙著〈丁恩與中國鹽務的改革（1913-1918）〉，《逢甲人文社會學報》第 6 期，頁 212-213。

縱其所之。[48]」這種做法，就是張謇一向主張的「就場徵稅，任其所之」之法，認爲劉晏實行的是「善政」[49]。宣統二年，資政院成立，張謇就提出就場征稅，破除引界的建議，資政院接受其提案並一讀通過，長蘆鹽商聞訊，驚恐萬分，聯絡各地鹽商，先是通電反對，後又派代表進京請願，請求「顧全引岸，勿變舊制」，導致張謇的提案遭到擱置[50]。

　　反對就場徵稅的人，如王守基認爲：鹽場過於分散，控管不易，容易發生食鹽走私的問題，國家稅收必然造成重大損失，除了滇鹽生產集中在二十四井，勢聚而易於管理外，其他鹽產區，均不利於就場徵稅的實行[51]。張謇則認爲，淮南鹽均爲煎煮，因爲地理條件的限制，加上灶丁多選擇離居所較近之地製鹽，並不考慮製造成本，故而鹽場分散，製鹽成本居高不下，進而造成管理上的漏洞，私鹽橫行。張謇指出，食鹽生產應選擇滷氣重，草多價廉之地製造，將生產條件不佳之場廢除，鹽場集中，便於管理；降低生產成本，可增加鹽工所得；私鹽減少，可減少查緝的支出，更可增加政府稅收。如此可謂一舉數得，這是張謇爲達到就場徵稅的目的，所提出的應「設廠聚丁」製鹽，爲一切改革鹽務的起點的主張[52]。

　　在專商引岸制度下，灶戶生產食鹽後，必須全部交由場商（淮

48　歐陽修、宋祁撰，《新唐書》卷 54，志 44〈食貨志〉4，洪氏出版社出版，頁 1378。

49　張謇，〈衛國恤民化梟弭盜均宜變鹽法議〉，《張謇全集》，第二卷經濟，頁20。

50　〈記兩浙鹽商力爭鹽務改章是〉，《東方雜誌》第七年第十二期，頁 387-388。

51　潘祖蔭，〈鹽法議略序〉、王守基〈雲南鹽務議略〉，《鹽法議略》，頁 1、頁80。

52　張謇，〈鹽業改良后議〉，《張謇全集》，第二卷經濟，頁 29；〈衛國恤民化梟弭盜均宜變鹽法議〉，《張謇全集》，第二卷經濟，頁 20-23。

南稱垣商）收購，場商將收購的食鹽轉手售予運商（淮南稱票商），運商完稅後，將食鹽運到引票規定的食鹽銷售區，或自行販售，或售予水販。場商獲利的多寡，聽命於運商的牌價；但是如果場商不供應食鹽，運商的引票如同一張廢紙。因此，場商、運商往往朋比爲奸，共同壟斷向灶丁購鹽價格，和銷區的售鹽價格，賺取不當的暴利[53]。爲解決此一歷史老問題，張謇在〈改革全國鹽法意見書〉中主張就場徵稅，廢止引岸。但是張謇並不主張採取激進的手段，斷然廢除引權。他主張設立淮鹽總公司、浙鹽總公司……合原有之運商、票販商、食岸商、場商，共同入資組織之。以淮南、淮北爲例，公司資本額四百萬元，五百元爲一股，共八千股。定期收股，讓舊商優先入股。公司除擔任納稅外，於法定範圍內，可得製鹽、運鹽、賣鹽之自由。不產鹽的省份，也可以設置運鹽公司，如果願意和產鹽地的製鹽公司合資的，也不禁止。運鹽公司的資本額，由各銷鹽地方建設公司人自訂[54]。由於運銷食鹽公司資本額沒有限制，大資本家無法壟斷，這樣就可以解決從宋代逐漸發展出來的專商引岸制。這樣的改革方案，十分平和，既考慮到原來壟斷食鹽市場的既得利益者，讓他們仍能維持生計，不致破產；又能打破原來壟斷者控制市場，解決鹽工和食鹽消費者的權益受到剝削的問題。

　　此一構想產生的背景，是民國元年，袁世凱政府爲了解決中央政府財政問題，計劃向外國銀行團大舉借款，銀行團企圖進一

---

53 張謇曾言：「淮南商亭場分煎丁著籍，或自前明。官定壓制之法，迫做苦工，令場商以賤價收，令運商以貴價賣，因而重徵商稅以爲利。」見張謇，〈改革全國鹽法意見書〉，張怡祖編《張季子(謇)九錄》政聞錄卷十八鹽務類，頁 1027。

54 張謇，〈改革全國鹽法意見書〉，張怡祖編，《張季子(謇)九錄》政聞錄卷十八鹽務類，頁 1031-1033。

步控制中國，於民國元年六月二十四日，提出以中國鹽稅為借款擔保的要求。張謇與國內主張鹽務改革的景學鈐等人，為避免主權淪喪，中國政府應主動改革鹽務，共商後所提出的主張。可惜袁世凱只想早日獲得資金，以對付反對勢力，無心從事鹽務改革；加上鹽商大力反對，這樣的主張完全沒有實行的機會[55]。

張謇一向主張「就場徵稅，任其所之」，也就是民製、民運，政府僅在食鹽生產地或銷售地抽取鹽稅，其他相關之事，應盡量不加干預。這個主張，在民國元年以他的名義發表的〈改革全國鹽政計畫書〉中，似乎有了調整，將自由貿易制變成了民製、官收、商運的就場官賣制。張謇的改變，景學鈐在他編的《鹽政叢刊》（上），刊登張謇〈改革全國鹽政計畫書〉一文後，有很詳盡的說明：

> 此稿係鈐所起草，經張南通增減，劉厚生君潤色，始定為具體之計畫。當清光宣之間，張南通抱改革鹽政之決心已二十年，以「就場徵稅，任其所之」八字為改革之目標。其時鈐主官收商運政策，與張先生議不合。越十二年，民國光復，先生任兩淮鹽院。鈐亦在浙有所主張，事將實行，為鹽商破壞。知鹽政改革非一省所能謀。適值張南通欲定全國改革計畫，以電約鈐赴滬，先生仍主就場徵稅，鈐力主就場專賣，經三小時之嚴密辯論，先生始幡然變計，認

---

55 鹽商對一切鹽務改革均持反對態度，張謇提出〈改革全國鹽政計畫書〉後「財政部長始亦唯唯，謂為舊商計，只有如此。及下走南歸，即聞南商大肆運動……其目的作用，全在保護南商。」見張謇，〈重申改革全國鹽政計畫宣言書〉，載南通市圖書館張謇研究中心編，《張謇全集》，第二卷經濟，頁 172。張謇文中所稱「財政部長始亦唯唯」，財政部長指的是周學熙，他是代表鹽商利益的部長，民國初年盡人皆知。請參考景學鈐編，《鹽政叢刊》（上），頁 5，景學鈐，〈鹽政問題商榷書〉一文後，景氏於民國 9 年 9 月附誌。

　　　就場專賣為過渡階段之必要，贊成鈞之主義，拋棄自己二
　　　十餘年之主張。於是改革派之意見始一致，如張南通之虛
　　　心，恐非常人所能及也[56]。

這一段附誌，是景學鈐在民國九年編《鹽政叢刊》時所加，當時
張謇還健在，應該是寫實的紀錄。其中透露了幾項訊息：

　　1.〈改革全國鹽政計畫書〉雖是張謇具名，卻是景學鈐撰寫
的；

　　2.張謇一向主張「就場徵稅，任其所之」，和景學鈐主張「就
場專賣」不同；

　　3.民國肇建，為定全國鹽務改革計畫，二人經三個小時嚴密
辯論，張謇才認為「就場專賣」為過渡階段之必要，最終目標仍
為「就場徵稅，任其所之」自由運銷。

　　事實上張謇的「就場徵稅，任其所之」的主張從未改變。民
國9年4月22日，他〈致陳漢第函〉中明白指出：「僕之於中國
鹽法，主改散為聚，主就場徵稅，主自由貿易，二十餘年矣！」[57]
景學鈐在民國十八年出版的《鹽務革命史》一書中更對張謇的態
度有直接的記錄，說道：

　　　張南通取消其十餘年所提倡之就場征稅，而採用余之就場
　　　專賣，並申言之曰：現在為過渡計，不得不暫用就場專賣，
　　　俟場產整理，各製鹽者由個人進為團體組織，仍當以就場
　　　征稅自由貿易為依歸，余亦謂然。[58]

可以知道張謇了解，「就場徵稅，任其所之」並非一蹴可幾，在既
得利益者強大反對力量下，必須讓改革派之意見一致，共同推動

---

56 景學鈐編，《鹽政叢刊》（上），頁159。
57 張謇，〈致陳漢第函〉，《張謇全集》，第二卷經濟，頁420。
58 韜園，《鹽務革命史》，精鹽總會、鹽政雜誌社發行，民國18年4月初版，
　　頁9-10。

鹽務改革，而將「就場徵稅，任其所之」作爲鹽務改革的終極目標。況且此二制度都是以廢除引岸、打破專商壟斷爲目的。可知張謇的主張，從未改變，他的思想是前後一貫的[59]。

（二）張謇對食鹽生產的看法

中國食鹽產源有海鹽、池鹽、井鹽、岩鹽等類。製鹽的方法包含曬製、煎煮，成本差別頗大。因爲鹽丁知識水準大多不高，對製鹽技術的改良，無法獲得新知，影響製鹽成本。張謇爲改善鹽民生活，降低製鹽成本，曾引進各種製鹽技術，做各種實驗，以了解其生產成本高低，與食鹽品質良窳，以期振興淮南鹽業[60]。

自明代起，淮南鹽場就將鹽丁另立戶籍，不准改變。又訂立各種不合理的規定，丁如不服，笞杖枷鎖之刑，立隨其後，丁若逃亡，責罰其子孫。從事煎曬食鹽的鹽丁，率領妻兒在烈陽下、鍋灶旁，終歲勞苦，生活艱苦，食不得飽，衣不蔽體，和盤剝鹽丁的鹽商，錦衣玉食，生活驕奢，形成強烈的對比[61]。由於政府控制食鹽價格，場商又壓低購鹽價格，民生物價飛漲，從同治二

---

59 劉經華在〈論民初食鹽就場專賣制與就場徵稅制之爭〉一文中，引李寶珠〈從張謇自由貿易思想的轉變看封建經濟關係對鹽務改革的阻力〉一文（載南開大學《經濟所季刊》1987 年第 3 期），認爲張謇因爲民國元年提出〈改革全國鹽法意見書〉遭到反對，失敗後，思想產生動搖，放棄自由貿易的主張，從景學鈐上述附誌與張謇日後言論看來，其分析是不正確的。參見劉經華，〈論民初食鹽就場專賣制與就場徵稅制之爭〉，《鹽業史研究》中國經濟史論壇 2004 年 5 月，頁 2；殷定泉在〈試論張謇的鹽法改革思想〉一文中，分析了張謇鹽法改革思想變化的原因，也認爲張氏並未放棄其「就場征稅」的主張。見《大同職業技學院學報》第 18 卷第 4 期，2004 年 12 月，頁 33-36。

60 張謇，〈爲設立鹽業公司並籌改良之法呈江督文〉、〈鹽業整頓改良被扼記〉，《張謇全集》第三卷實業，頁 510-512、517-521；張謇對製鹽方法的實驗及推廣請參考拙著〈張謇的鹽務思想與實踐〉，〈製鹽方法的改良〉部分，《逢甲人文社會學報》第九期，2004 年 12 月，頁 192-193。

61 張謇，〈改革全國鹽法意見書〉，張怡祖編《張季子(謇)九錄》政聞錄卷十八鹽務類，頁 1027。

年（1863）到光緒三十年（1904），40 年間，米、麥價格都漲了一倍以上，一切工價，也都上漲，獨鹽價仍爲數十年之舊。煎丁勞苦終日，不足以免飢寒[62]。部份鹽丁爲了生活，不得不私自煎鹽，或將生產鹽斤的一部份賣給商人，以獲得高於官價的報酬，形成場私。對整體鹽務的運作及稅收，造成一大闕漏。

　　張謇受儒家思想影響，對鹽丁生活的艱困，十分關心，主張廢除不符合人道的丁籍，認爲整頓鹽務，「以恤丁爲第一，凡爲各丁所苦之弊皆去之。[63]」「凡修亭、築場、補鑒、闢港、濬塘，所以助煎丁之利者無不備，凡除忙工、節場差、平錢價、增草場、加桶價，所以恤丁之困者無不爲。[64]」張謇之所以特別重視鹽丁的福祉，一方面是他以爲「給予工者，必使足償其勞而養其生。……足償其勞而養其生，則煎曬之人樂於從事，而鹽之出也多。[65]」改善灶丁生活，增加鹽工所得，刺激其工作的積極性，食鹽增產，既可降低食鹽生產成本，又可增加市場供應量，更重要的是，也可減少灶丁和私梟勾結，販賣私鹽，進而減少場私的發生。由此可以了解，中國鹽務弊端是環環相扣，糾結纏繞，僅只局部或片段的改革，往往不能見其成效。而張謇潛心研究鹽務數十年，對鹽務利弊得失，了解透澈，他所提出的改革想法，常能切中肯綮，且能解決多方面的問題。

---

62 張謇，〈衛國恤民化梟弭盜均宜變鹽法議〉，《張謇全集》，第二卷經濟，頁21-22。

63 張謇，〈呂四同仁泰鹽業公司籌辦整頓改良說略并帳略〉，《張謇全集》第三卷實業，頁491。

64 張謇，〈呂四同仁泰鹽業公司增股啓并帳略〉，《張謇全集》第三卷實業，頁500。

65 張謇，〈衛國恤民化梟弭盜均宜變鹽法議〉，《張謇全集》第二卷經濟，頁23-24。

（三）張謇對食鹽收稅與緝私的意見

　　鹽是生活必需品，政府從鹽這一項商品上抽取稅收項目十分繁雜，在生產地收的「場課」，名目多達十餘種，還不包括場官的浮費勒索，所謂規禮、陋規等項；食鹽運銷另有「引課」，又分為正項、雜項兩類，鹽稅中附加各種雜項，名目多達數十項。且無論中央與各省，只要有需要，幾乎任意在食鹽運銷時增加雜課。正課、雜項不斷的增加，官吏的中飽，食鹽成本也隨之增加，鹽價的昂貴，人民無力購食，影響民生；鹽商銷售困難，積壓資金，造成虧空成本，倒閉者所在多有，影響經濟。鹽稅重，鹽價高，私鹽泛濫是必然的結果[66]。

　　張謇對食鹽因稅重，而導致人民有淡食之虞，相當了解。在光緒二十年殿試策論中，即建議皇帝：「皇上軫恤民艱，其必從朱子罷去冗費，悉除無名之賦之說始。」[67]張謇曾經粗略估算，將煎、曬之鹽平均，每斤製鹽成本約六文錢。邊遠地區食鹽售價卻高達一百四五十文，便宜的也要三十文錢，可見課厘規費之重。又依各國統計，每人年需食鹽平均約 10 斤，中國以五億六千萬人計算，年消費食鹽五千六百餘萬石。假設政府每斤抽鹽稅 10 文，一年鹽稅應達錢五億六千餘萬，銀價以每兩 1600 文計算，應有三千五百萬兩。可是據度支部的統計，年收鹽稅僅一千三四百萬兩，可見逃漏之嚴重[68]。只要防止逃漏，政府稅收不但不會減少，反而增加，所有附加的苛捐雜稅也不需要了。

　　為減少鹽稅逃漏，張謇主張不硬性規定鹽價，以自由貿易的方式，讓市場來調節食鹽的供需和價格。張謇曾舉例說明：如果

66　陳鋒，《清代鹽政與鹽稅》，頁 109-125。
67　南通市圖書館張謇研究中心編，《張謇全集》，第五卷藝文（上），頁 601。
68　張謇，〈預備資政院建議通改各省鹽法草案〉，《張謇全集》，第二卷經濟，頁 90-91。

食鹽平均生產價爲 6 文，場商以 10 文收購，鹽稅 10 文，加上場商的支出和利潤 3 分，每斤鹽的售價也只有 23 文，比前述市場上最低價 30 文還低[69]。張謇的主張，和十八世紀下半葉，亞當斯密（Adam Smith，1723－1790）主張：自由競爭和自動調節的經濟，不謀而合，和二十世紀現代自由經濟思想，一切商品價格，應由市場來決定，也相契合[70]。

有人質疑，不定價則商或居奇而價貴，不俵分引地，則不產鹽之地，將無鹽可到而民淡食。張氏以爲：世界上除了中國的鹽，那一種商品有官定價格的？如果用現行鹽法，管制所有商品銷售，百物都會有私梟出現？任何商品，只要增加產量，則產多而價落。只要有利可圖，再遠、再危險、再偏僻的地方，必有販運而去者[71]。張謇的理論，在今天人人都能體會，在二十世紀初年的中國，則了解認同的實在不多。從經濟學的理論上說，張謇實在超越其同時代的人太多了！在光緒三十年（1904）提出這樣的看法，難怪曲高和寡，無法被當時的人接受。

但是張謇知道，不合理的食鹽產銷制度，應逐步解決，否則「官多則民擾」，設再多的稽查單位也只是擾民，因爲從唐朝劉晏

---

69 張謇，〈衛國恤民化梟弭盜均宜變鹽法議〉，《張謇全集》，第二卷經濟，頁 24。

70 亞當斯密（Adam Smith，1723-1790）主張：自由競爭和自動調節的經濟，取代了重商主義的國家干預經濟的論點，成爲西方經濟學的正統；二十世紀經濟學家海耶克（F.A.Hayek，1899-1992）、弗利曼（M.Friedman，1912-）等芝加哥學派的學者，反對凱因斯（J.M.keynes，1883-1946）大政府經濟計畫、管制理論，仍主張維護自由市場經濟和限制政府權力，被稱爲新自由主義者。有關西方經濟思想流變，請參考范家驤、高天虹著，鄭竹園校訂，《西方經濟學主要學派》第一章導論，五南圖書出版有限公司 85 年 1 月初版 1 刷，頁 1-10；有關芝加哥學派的思想，請參考吳惠林，《自由經濟大師神髓錄》，台北遠流出版公司 1995 年 8 月 1 日初版 1 刷，頁 3-77。

71 張謇，〈衛國恤民化梟弭盜均宜變鹽法議〉，《張謇全集》，第二卷經濟，頁 24-25。

設十三巡院捕私，終唐之世，私梟未絕，「官力弛則釀民爲梟，官力張則且驅梟爲盜。」他對緝私的主張以「設廠聚丁，就場徵稅，任其所之」的自由貿易方式，作根本的解決，前已述及，不贅。在沒有根本解決之前，緝私仍不能全廢，因爲即使設廠聚丁，一廠之內雇用數十百人，難免有不肖之徒，或傍海之人，私自煮曬，以圖私利。應將從前之緝私改爲鹽場警察，駐場巡視；爲防止外洋走私之「洋私」，得設海巡，並置淺水兵輪，以供緝私護商之用 [72]。

　　張謇認爲：只要打破引地，去除專商，增加生產，改善運輸，即可不影響國課，降低鹽稅。最終目標是，「使私鹽盡化爲官鹽。除產地外，沿途不設一卡，銷地不設一巡，所有從前官設之批驗所、掣驗所、督銷局、緝私營，一律裁撤，不必緝私而自無私也。[73]」

　　食鹽的生產、運銷、抽稅、緝私爲中國鹽政的四大環節，環環相扣，互相影響，不能掌握關鍵，則鹽價昂貴，私製私銷，腐蝕國課，人民淡食，形成惡性循環；如能掌握肯綮，認真執行，鹽務弊端可盡除。

　　張謇出生於產鹽的淮南，一生關心鹽務，他的鹽務思想，從光緒二十年（1894）殿試策論起，完整周密，前後一貫，不論產銷、稅務、緝私，面面俱到，規模宏闊，都能兼顧現實與理想，且具可行性，值得深思。本節討論張謇的鹽務思想，自不能僅限於民國初年。更值得注意的是，中國傳統士大夫對實際事務的推

---

72 張謇，〈預備資政院建議通改各省鹽法草案〉，《張謇全集》，第二卷經濟，頁 92；〈改革全國鹽政計畫書〉，張怡祖編《張季子(謇)九錄》政聞錄卷十八鹽務類，頁 1003。

73 張謇，〈改革全國鹽政計畫書〉，張怡祖編《張季子(謇)九錄》政聞錄卷十八鹽務類，頁 996。

展，多流於空言高論，少有實務經驗，張謇則於光緒二十九年（1903）六月，與好友集資 10 萬兩，收購呂四場的李通源垣產，成立「同仁泰鹽業公司」，由租商旺長發代辦登記，取得了食鹽收購權[74]。為了降低生產成本，前往日本考察食鹽製造，回國後改良食鹽品質，降低食鹽生產價格，改善鹽工生活，推展他改良食鹽生產的實務工作[75]，張謇曾高中狀元，民國初年先後擔任實業總長、工商總長，一生興辦實業，在政治、社會上都有其影響力，是清末民初在鹽務改革運動中，理論與實務並重，最盡心盡力的一位知識份子。

二、景學鈐、左樹珍與其他鹽務改革派的鹽政主張

（一）景學鈐的鹽政主張

　　景學鈐字本白，又字韜伯，清末任浙江漁業公所董事，因漁業用鹽需求量大，而鹽商壟斷，以至漁業無法獲得充足的食鹽供應，導致閩鹽侵銷，他受漁民委託，向浙江巡撫與鹽商交涉，增加漁業用鹽供應，鹽商卻懼怕漁業用鹽增加，會打破其壟斷的平衡，鹽運司也拒絕了其要求。景學鈐感觸頗深，自此關心鹽務問題[76]。光緒二十九年（1903），景學鈐與張謇相見於上海，張謇代景氏向兩江總督遞交漁業用鹽的呈請，問題雖未獲解決，而浙省漁鹽減稅至每擔二角，為各省最廉者，此次經驗奠定了他和張謇

74　張謇，〈整頓垣章槳場立案文〉，《張謇全集》，第三卷實業，頁 484。

75　參見拙著〈張謇的鹽務思想與實踐〉，《逢甲人文社會學報》第 9 期，2004 年 12 月，頁 175-201。

76　景學鈐於民國九年編《鹽政叢刊》時，於〈漁鹽減稅私議〉一文後誌曰：「前清光緒末年，浙江漁業公所要求漁鹽減稅，由漁戶自己認捐，已批准，卒為引商所破壞，痛惡專商實由於此。」景學鈐編，《鹽政叢刊》（下），頁 346；另外韜園（即景學鈐）編，《鹽務革命史》一書（一）〈革命之胚胎〉中對在清末浙江鹽務改革有更詳細之敘述，見是書頁 3-4。

合作從事鹽務改革的基礎[77]。

　　民國成立後，中央財政困難，善後大借款的談判於民國元年二月二十七日於北京展開。在第三階段時，周學熙繼任財政總長，接下了借款談判，在國務會議中擬定了借款大綱五條，作為和外人交涉的基礎，在外人欲監督鹽務行政一項，中國政府主張：自行整頓鹽務，惟製造鹽場及經收鹽稅之處，可酌量自聘洋人，幫同華人辦理。所收鹽稅，可交存於最妥實之銀行，以備抵還借款之本息，表面上力圖保持鹽務之自主權，實際上周學熙曾任長蘆鹽運使，手上握有引票 40 餘張，本身即是鹽商，為了保障鹽商利益，蓄意阻撓改革，先將張謇與景學鈐撰寫的〈改革全國鹽政計畫書〉洩漏給鹽商，致使上海報紙刊登計畫書時，鹽商即逐段反駁，隨後各省鹽商紛紛致電反對，周學熙又以財政部名義，公佈〈財政部改革鹽務說帖〉，此說帖幾乎全文照抄〈改革全國鹽政計畫書〉，僅在最關鍵的官收部分加上官收、商收並行，將商運改為保存專商引岸，形同全面否定改革計畫[78]。

　　景學鈐最主要的鹽務主張，是在他以張謇名義發表的〈改革全國鹽政計畫書〉一文中呈現，全文共分十章，約一萬五千字，首先分析了中國鹽政之現狀，由於私鹽盛行，鹽稅徵收減少，鹽質也不佳，必須改革。他提出了民製、官收、商運的主張，對改革資金的來源，成立鹽業銀行，鹽務改革的先後次序，改革後的可能績效，都有詳盡的分析與評估[79]。景氏並進一步分析就場專

---

77 劉經華，〈辛亥革命時期的鹽務改革〉，《廈門大學學報》哲社版，2003 年第 1 期，中國經濟史論壇，http://economy.guoxue.com/article.php/3934。

78 劉經華，〈辛亥革命時期的鹽務改革〉，《廈門大學學報》哲社版，2003 年第 1 期，中國經濟史論壇，http://economy.guoxue.com/article.php/3934。

79 張謇，〈改革全國鹽政計畫書〉，張怡祖編《張季子(謇)九錄》政聞錄卷十八鹽務類，頁 989-1026。

賣與就場徵稅，認為商人要求維持引岸，與丁恩主張就場徵稅，自由貿易，都是過猶不及的主張，鹽務改革應循序漸進，不可躐等，認為就場專賣制為達成就場徵稅制過渡時期適當作法[80]。因發表後，財政總長周學熙藉口〈改革全國鹽政計畫書〉反對官制獨立，以致張謇與景學鈐的改革主張不能實行，遂又撰寫了〈鹽政問題商榷書〉一文以為補充[81]。在〈鹽政問題商榷書〉中，景氏首先對鹽政機關應否特設或獨立，國家應先決定鹽政採何種制度，行何種政策為前題，政策確定才能系統分明，如果行自由貿易，即無成立鹽政機關的需要。國內反對將鹽務機關獨立的人，均因誤認鹽務收入為稅務收入，而非專業收入之故，中國食鹽採專賣制，且為人民對國家與商人負有雙重義務的兩重專賣制，欲實行此制應先整理全國鹽產，管理全國的銷售，集權於中央，統一事權，才能解決長久累積的鹽務積弊[82]。

其次，景氏在〈鹽政問題商榷書〉一文中，明白主張廢除封建時代的引票。他認為自來反對改革鹽務的，就是持有引票的鹽商。他反對引票為鹽商的世產，也不認為引票是等同於公債的有價證券，更非財政總長所說的政府與商人間的契約，引地的產生，初意是恐偏遠地方商人不願前往售賣，為便民而劃分的，他質疑：古代專制時期，怎會與人民合意結契約？景氏認為「專商引岸制度」是政府特許下的產物，國家對於特許事業當然有權取消或變更。故鹽票一日不解決，雖有國利民福之政策，一日不能實行[83]。

---

80 本白，〈就場徵稅與就場專賣之比較〉（下），景學鈐編，《鹽政叢刊》（下），頁 601-607。

81 景學鈐，〈鹽政問題商榷書〉，景學鈐編，《鹽政叢刊》（上），頁 5。

82 景學鈐，〈鹽政問題商榷書〉，景學鈐編，《鹽政叢刊》（上），頁 1-4。

83 景學鈐，〈鹽政問題商榷書〉，景學鈐編，《鹽政叢刊》（上），頁 5-10；大陸學者張世明從法律的角度分析研究後，也同意景學鈐對引票法律地位的看法。參見氏著〈清代鹽務法律問題研究〉，《清史研究》2001 年 8 月第 3 期，

　　景學鈐認爲，鹽稅自古即爲害民之苛政，不但未能廢止，且越加越重，各國有稱之爲惡稅者[84]，有指爲不道德，反對鹽稅的理由有五：

　　1.徵收之繁雜：徵收手續繁瑣；

　　2.刑罰之嚴酷：鹽稅重，鹽價高，以嚴刑峻罰防止私販；

　　3.衛生之有礙：貧民無力購食者，影響健康；

　　4.貧富之不均：貧民食鹽多，富人食鹽少，稅負不均；

　　5.實業之衰落：農漁業加工需要食鹽，鹽價高影響其發展。

　　以上說法雖不構成廢止鹽稅的絕對理由，但是中國是五害並備，而且各省鹽稅不一，甚至一縣之中各村也不相同，產地食私鹽，鹽稅低，銷區食官鹽，鹽稅高，相去數十倍，稅負極不公平。如果鹽稅全歸國家，尚可富國利民，實際上鹽稅納於政府的僅有三分之一，大多數入於官商囊橐，實爲不公。因此景氏認爲，食鹽運輸應取消官運、公運，改採官專賣之商運，打破省界，統一鹽政，整理場產，掌握食鹽生產，均一鹽稅，才能達到人民負擔平均，國家歲入確實，即可免除外人藉口干涉中國鹽政[85]。

　　張謇與景學鈐二人的主張雖不盡相同，但改革鹽務的目標是相同的，由於理念的接近，在他二人號召下，於民國元年十二月（1912）在北京組成了「鹽政討論會」，張謇、熊希齡分任正、副會長，首批會員有張弧、梁啓超、徐國安等四十餘人，各省也相繼成立分支會，會員多達數千人，善後大借款合同簽字前，討論會以「平均負擔，增加歲入，外博列強信用，以期減輕借款之條

頁 27-31。

84 金子宏著、蔡宗羲譯，《租稅法》，云：「我們認爲最理想是透過租稅，即向富裕者徵收較多之租稅。」不符合此原則的是惡稅，財政部租稅人員訓練所，世界租稅名著翻譯叢書 23，民國 74 年 3 月出版，頁 3。

85 景學鈐，〈鹽政問題商榷書〉，景學鈐編，《鹽政叢刊》（上），頁 11-22。

件。」爲宗旨，善後借款合同簽訂後，撰文指出：「本會同人對於借款問題，向不反對，以鹽稅抵押，亦無異議，因鹽法不改良，抵押不信用，以稽核鹽款之權予外人，但不侵及我行政範圍，雖損失國威，而鹽政改良，尙能自主。……本會在鹽言鹽，不能不認定合同第五款爲損失鹽政權之契約。」同時嚴厲批評政府：「改良鹽法之議，自去年迄今，已歸一致，而政府屢議屢輟，卒未實行者，實由部長欲維持鹽商，雖明知改革之必要，外則佯託改革之名，內則實行敷衍之實，以致外人有鹽政若歸華人辦理，永無實行改良之日。」的說法，藉此侵犯我鹽政之權。鹽政討論會對財政總長周學熙爲保障鹽商權益，明知改革之必要，卻敷衍推拖，以致內則民食價高之鹽，外予外人控制中國鹽政主權之口實，嚴加批評，不留情面，在傳統中國社會，實屬少見。他們經由研究，提出了解決鹽政主權淪喪的辦法，要求政府依合同第六款，以四省國稅爲第一擔保的規定，三年內國人自己改良鹽務，勿受洋人干涉，則鹽政主權可以確保[86]。

　　鹽政討論會也出版《鹽政雜誌》，以爲鹽務改革者的討論園地，張謇的〈改革全國鹽政計劃書〉及景學鈐的〈鹽政問題商榷書〉等文章，都是在此刊物上發表的，他們的改革主張，對民國初年的鹽務改革新觀念的提倡，各種弊端的揭發，各項改革阻礙的掃除，是有推動之功的，其主要成員如張謇、熊希齡、張弧等人在日後實際改革運動中，都有具體的貢獻[87]。

（二）左樹珍、王樹幹等人的鹽政主張

　　左樹珍曾被張謇稱爲「鹽法博士」，精通古今鹽法，關心鹽

---

86 鹽政討論總會，〈第一次發佈意見書－對於借款合同之補救〉，民國經世文編社編，《民國經世文編》第三冊，台北文星書店民國 51 年影本，頁 949-950。

87 劉經華，〈辛亥革命時期的鹽務改革〉，《廈門大學學報》哲社版，2003 年第 1 期，中國經濟史論壇，http://economy.guoxue.com/article.php/3934

務，光緒二十六年就以「漢東潛夫」的筆名在報紙上撰文，倡議
鹽務改革[88]。民國二年，景學鈐等人草擬〈食鹽專賣法草案〉，特
別請左氏進京擔任審查工作[89]。左氏認為國之大利在鹽，鹽之大
害在私，而私鹽中以官商勾結的商私最為嚴重，即使嚴刑峻罰也
無法禁絕，私鹽盛行另一原因是浮費過多，清朝政府裁減陋規浮
費後，常將浮費充公，變成正課的一部份，鹽價並未降低，狡猾
的官吏又巧立名目，索取陋規，以致成本日重，鹽價愈貴，私鹽
愈多[90]。在鹽務改革的具體作為部分，他認為陶澍、陸建瀛改行
票法，雖然革除了引票，但是鹽法之壞，根本原因，在於引界，
引界之弊，起於專商，因此實行票鹽法並未根除致病之源，欲清
弊源，應完全廢除專商引岸制度，實行就場徵稅[91]；他又主張集
鹽政權於中央政府，才能從事全國鹽政改革，認為欲改革鹽務，
首重場產整理，產額不豐，成本過高的鹽場，應予裁併；應指導
鹽民改良食鹽品質，設立精鹽廠，製造之精鹽，應准其打破銷岸
限制，以資鼓勵；對從前混亂的鹽稅，應加以統一，實行均稅法，
並將各地不同的引重，加以劃一[92]；他對鹽商反對改革，批評鹽
務改革派的主張為書生理想之見，並不同意，直指鹽商言論不過
是想獨占食鹽的利權，卻不顧國家與人民整體的利益，甚至誤指
鹽務改革派提出改革鹽務的主張，以致惹起外人窺伺，導致外人
干涉中國鹽政，實為倒果為因之論。左氏認為，鹽政改革目的在

---

88 景學鈐，〈鹽法綱要敘〉，左樹珍，《鹽法綱要》，北京新學會社民國 2 年 12
　　月出版，頁 3。
89 景學鈐在左樹珍撰寫的〈私鹽治罪法芻議〉一文後附誌，述說兩人結交經
　　過，見景學鈐編，《鹽政叢刊》（上），頁 299-300。
90 左樹珍，《鹽法綱要》〈甲編〉，頁 1-4。
91 左樹珍，〈鹽政叢刊序〉，景學鈐編，《鹽政叢刊》（上），頁 1－2；左樹珍，
　　《鹽法綱要》〈甲編〉，頁 2-4。
92 左樹珍，〈最近鹽政觀〉，景學鈐編，《鹽政叢刊》（上），頁 71-89。

利國、便民、保商三端，現行的制度僅商人獨佔其利，鹽官剝削商人，商人也受其害，人民購食價昂質差之鹽，形成惡性循環，鹽商不應執迷不悟，反對改革[93]。

參與鹽政討論會的王槙幹，曾在《鹽政雜誌》上發表了〈中國鹽政改革規劃意見書〉，文中呼應景學鈐的就場官賣制，他說：「吾人之目的在革除商專賣制，商不專賣而仍能保商，國雖專賣而轉能便民，化全國之私鹽為官鹽，化鹽之楛質為良質，使人民之負擔減少，而國家歲入增多，就歸納的言，即利國便民保商的政策。」他進一步說明，食鹽應保全民製，凡從前場商出資之不動產與動產，由政府估價後給以公債票，照章給息；場商如願成為食鹽製造人，同享應有保障。

全國食鹽應劃一稅率，破除引界，他分析了引界產生的歷史背景與原因，也說明了引界的不合理，但是環境變遷，時空條件變異，「當日立法之初，原為劃一政權，增收稅課起見，而對於人民亦無重大之損傷。但時會推遷，二十世紀之物質文明，非猶是十七世紀之僕僂，由帆船進而汽輪，由氣輪進而鐵道……囊日運輸數月者，今則數日矣數時矣！人情自趨易而避難，捨遠而就近，況在引界之制，由商人操縱把持，人民貼耳聽命，官吏舞弊，莫敢誰何者乎？」以川漢、粵漢鐵路完工後，由川運鄂之鹽，僅需半日，由粵運湘之鹽，不過數小時，誰還能堅持湖北僅在二府三州縣銷川鹽，湖南銷售粵鹽僅限於一府四州縣？堅持原引界，不但人民心理上無法接受，實際上也不可行，如果堅持傳統引界，勉強人民購食運價高，鹽價也高的鹽，勢必無法禁止私鹽的充斥。

王槙幹更積極的提出組織官鹽販賣公司，他以為：傳統運商

---

93 左樹珍，〈關鹽商呈詞之荒謬〉，景學鈐編，《鹽政叢刊》（下），頁453-462。

持有的引票，世襲相沿，積重難返，立即消滅之，也會造成社會經濟的不安，折衷之法是將原票票面額填給國家公債票，令其在原來之銷區，組織官鹽販賣公司，成為其股東，以解決運商問題。在解決問題的同時，應在中央設專賣總局，調查全國食鹽生產狀況，與各省食鹽銷售情形，並從事食鹽生產技術的改良，才能根本解決中國的鹽政問題[94]。

　　除了王楨幹，沈椿年代表鹽政討論浙江支會發表意見書，對張謇所提〈改革全國鹽政計劃書〉內容做了增補，沈氏不反對統一食鹽稅率，但是認為各地情形不同，欲使食私者驟而食官，稅輕者驟焉稅重，人情必有所不願。他建議採取漸進改革，分年圖功，以達負擔平均目的。他並依照實際產銷數字，提出分六年調整稅收的具體計畫，以補張謇計畫書的不足，並求其改革有成[95]。

　　壽鵬飛也提出〈東三省鹽政改革計畫書〉，文中對東三省鹽政沿革與現況做了扼要說明，並提出改革計畫。他認為改革必須有確定正當之稅法，必須與各省一致進行，不應單獨更張。就東三省而論，應將三省化為一個鹽政區域，破除省界，統一行銷，實行就場專賣，酌定鹽稅，持平鹽價，不過他與張謇主張民運、景學鈐主張商運的看法不同，認為東三省素無包商，且吉林、黑龍江二省向採官運，在延續過去傳統，並以減輕鹽價，便利民食為前題，加上三省毗連俄國，國界數千里，外私難以防堵，主張官運可以防私。

　　在解決舊有積弊部份，壽鵬飛提出：破除滷耗、仍設緝私、行常平鹽、統一權量、整理會計法、檢驗鹽質、破除官場惡習、

94　王楨幹，〈中國鹽政改革規劃意見書〉，經世文編社編，《民國經世文編》第三冊，財政七鹽務，頁 31-38。

95　沈椿年，〈鹽政討論浙支會發表意見書－對於張氏鹽政計畫書稅率統一之商權〉，經世文編社編，《民國經世文編》第三冊，財政七鹽務，頁 39-42。

更新官制以節省行政費、重俸勵廉並定鹽官保障法、設立鹽政講習所、改革預算等十餘項計畫，內容豐富，巨細靡遺，值得參考[96]。

辛亥革命爆發，清政府的統治基礎快速崩解，四個月後宣佈退位。中華民國建立後，百廢待興，政府財政更加困難，政治改良、軍隊遣散，無一不需大量金錢。民國元年，財政赤字高達二億六千萬元，不得不向外舉債，詎料銀行團爲確保債權，並進一步控制中國，要求借款以鹽稅爲抵押，引發各界疑慮，擔心主權淪喪，有識之士提出各種解決辦法，瞭解鹽務的人士，在善後大借款合同簽字後，多主張自行改革鹽務，減少中間剝削，增加稅收，降低鹽價，我們從本章張謇、景學鈴、左樹珍、王楨幹、壽鵬飛等人提出的改革方案與計畫內容來看，都一致主張廢除引票，破除引界，掃除專商，統一稅率，降低鹽價，他們對食鹽銷售應採商運、官運、民運的主張雖不相同，但是只是考慮實際執行時，爲了達到相同目標，所採取的階段性手段的不同。

民國初年的鹽務改革派，對中國歷史上鹽務的沿革、弊病的複雜、人性的貪婪，都有深刻的認識，對革命後政治、經濟、社會劇烈的變遷衝擊到舊制度，也有敏銳的感受，對日本及歐美各國鹽務管理制度也有深入的研究，他們不主張貿然突變，都建議採取溫和理性，兼顧各方面的步驟，所以提出的改革方案，切中時弊，也具有可行性，當然不容否認的，他們也受到所處時代與環境侷限，更遺憾的是受制於既得利益的鹽商，與從腐敗鹽制中獲取利益的鹽政官員的抵制，在強大歷史慣性的壓力下，他們改革的主張，都沒有機會實行，但是鹽務改革派對於中國鹽務改革的主張，仍爲當時知識份子關心國計民生，與謀求鹽務發展留下

96　壽鵬飛，〈東三省鹽政改革計畫書〉，經世文編社編，《民國經世文編》第三冊，財政七鹽務，頁53-75。

了光榮的一頁[97]。有學者稱：民初鹽務改革派對鹽務的相關討論，「實質上是鹽務領域的一次思想解放運動」，實在非常允當[98]，奠定了日後解決鹽務問題的基礎，仍有不可磨滅的功績。

　　張謇為了推動鹽務改革，北上出任工商總長，並聯合了熊希齡、梁啓超、張弧、景學鈐、左樹珍等朝野關心鹽務的人士，組成團體，共同推動，發行刊物，傳播改革理念，仍無法撼動既得利益者的堡壘，中國鹽政的改革，只有在丁恩出任鹽務稽核總所會辦，依賴〈善後大借款合同〉為護符，列強銀行團為靠山下，才有機會對抗既得利益者的貪婪與歷史慣性，展開鹽務改革。

---

97 景學鈐推動鹽務改革，提出改革計畫，遭鹽商攻擊為求官位，曾與張謇約定鹽政一日不改革，自己絕不入政界，一日不死，雜誌絕不停刊。見景學鈐，〈鹽政雜誌二十周年宣言〉，景學鈐編，《鹽政叢刊》第二集（下），民國 21 年鹽政雜誌社增刊，頁 569。
98 劉經華，〈民國初期鹽務改革思想論析〉，《鹽業史研究》2003 年第 4 期，頁 20。

第六章　民國初年的鹽務改革

　　清朝末葉，滿州親貴為了排漢的中央集權，從事了中央鹽務
管理機關的改革，遭遇到地方督撫強烈的抵制，辛亥革命爆發後，
所有變革一律取消，改革頓成泡影。革命運動加劇，更增添了地
方鹽務的混亂，1911 年至 1912 年間四川的犍為、樂山、富順、
忠縣四個主要的產鹽區食鹽輸出管道為雲南的革命軍封鎖；在宜
昌，革命軍逮捕了鹽法道；在安徽，革命軍與清軍為爭奪鹽稅發
生戰鬥，革命期間，各地食鹽運銷都受到了衝擊，如民國二年淮
北鹽只運銷了 67,870 引，僅為革命前的 18.8％[1]；又如廣東省自
清末以來由鹽商孔法徠統包承銷的食鹽，每包省配收餉銀四兩四
錢五分，因為私販充斥，銷數日絀，商人不堪虧損，不敢繼續承
銷[2]。鹽政紊亂，地方政府幾乎完全停止向北京中央政府上繳稅
款，滿清退位，應亟謀穩定稅源，健全財政。國內有識之士疾聲
呼籲改革數百年來積弊已深的鹽政事務，北京政府因為財政困
難，向銀行團舉借外債，以鹽稅為抵押，聘任英國人丁恩為鹽務
稽核總所會辦兼鹽務署顧問，適逢二次革命後，國內反對勢力瓦
解，中央集權，展開了鹽務改革工作。

　　本章分為三節，首先敘述辛亥革命後各省鹽務變革情形，及

1　S. A. M. Adshead《The Modernization of the Chinese Salt Adminstration,1900-1920》
　　（Cambridge, Massachusetts Harvard University Press, 1970）頁 70-71。
2　鄒琳編，《粵鹺紀實》第一編，頁 10-11。

善後大借款合同簽訂前後，中國政府為因應借款合同中有監督中國鹽務的條款，採取的鹽政組織調整與相關措施；其次敘述丁恩來中國就職後，因其職權與合同中之規定不符合，所做的澄清與確定職權的努力過程；最後闡述丁恩在任職期間，對中國鹽務改革所提出的主張與努力的過程及其成效作一說明。

第一節　善後大借款合同簽訂前後的鹽務

一、辛亥革命後各省鹽務的變革

辛亥革命期間，各省獨立後，部分省區各自展開了鹽務改革舉措，在江蘇張謇利用出任兩淮鹽務總理的機會，支持就場征稅的做法，因為阻力太大而作罷；在四川，光緒二年（1876），丁寶楨任四川總督時，為解決淮鹽歸復楚岸後川鹽滯銷問題，改革四川鹽政，整理佔川鹽銷額達三分之一的滇黔銷岸，在滇黔實行官運商銷，成效不錯；光緒二十九年（1903），川督岑春煊以督練新軍缺餉，將成都、華陽等官督商銷之地，改行官運商銷。反致機構林立，人員冗雜，經費繁重。民國成立，鄧孝可任鹽政部長，主持鹽政，悉罷舊鹽法，取消官運，破除引岸，於各鹽場設榷稅司，實行就場征稅制，新定稅則不及舊稅的三分之一，以後無論何人，都可以赴場納稅行鹽，自由運銷，惜行之過急，又值大亂之後，成績殊尠[3]；在廣東革命政府為應付財政需求，將中、西、北三櫃開放自由銷售，成為全國最早廢除引權，實行自由銷售的

---

3 魯子健，〈試論丁寶楨的鹽政改革〉，《鹽業史研究》2000 年第 2 期，頁 20-27；曾仰豐，《中國鹽政史》，頁 42；程龍剛，〈鄧孝可鹽政思想改革研究〉，《鹽業史研究》2002 年第 2 期，頁 24-29。

地區之一，不過東、平、南三櫃及潮橋、瓊崖等處，仍由專商承
銷，形成自由運銷與包商二制並行的情況[4]；雲南因邊遠地區鹽價
昂貴，人民反抗激烈，早已實施民運民銷；在浙江，軍政府任命
莊景仲、范運樞為鹽政局長，景學鈐為秘書，在景學鈐主導下制
定〈浙鹽改革大綱〉，禁止私煎私曬，改良製鹽法，劃一鹽價，改
引為斤，統一課釐，引地併合，廢場設局，按實際銷售量變更銷
額，實施官售商買，廢除專商，是各省變更鹽務管理制度中最有
完整計畫的，惜南北統一後，受鹽商運動而取消[5]，其就場專賣制
並在福建、吉林、黑龍江都得到採納[6]。以下列表呈現辛亥革命後
各省的鹽務制度：

表五　民國元年各鹽區鹽制表

鹽　區	鹽　　　　　制
東三省	奉天　自由貿易 吉林、黑龍江官專賣
長　蘆	官專賣
山　東	官專賣
河　東	官專賣
淮　北	官專賣
淮　南	商專賣　就場征稅
兩　浙	商專賣
福　建	官專賣

廣　東	中、西、北三櫃就場征稅，自由貿易 東、平、南三櫃及潮橋、瓊崖等處專商承銷
四　川	就場征稅，自由貿易
雲　南	就場征稅，自由貿易
西　北	官專賣

本表參考丁恩《改革中國鹽務報告書》及鄒琳編，《粵鹺紀實》等資料
編製

　　整體而言，辛亥革命期間，省自為政，各省鹽務改革缺乏共
識，也沒有一致的改革目標，四川、廣東、雲南等省，向自由貿
易方向做嘗試；東北、長蘆、福建、淮北則進一步強化官方控制。
改革原則所顯示的反差，意味著新政權雖然建立，卻無堅實的基
礎，制度缺乏整體性與系統性，在鹽務改革領域更為突出，到民
國元年底，鹽務改革還是分散的，既無統一的綱領，也無全國性
的組織，改革者間的聯繫也不足，直到鹽政討論會成立，並創辦
《鹽政雜誌》，對全國鹽政改革之宗旨、改革之方針、改革思想的
觀念與普及，才有完整的討論與推廣[7]。

　　民國元年二月二十七日善後大借款的談判在北京展開，由於
借款擬以鹽稅為擔保，為了將各自為政的地方鹽政集權於中央，
也為了取信於銀行團，袁世凱不得不表示積極支持鹽務改革，電
請張謇進京，商討改革鹽務方案，才有以張謇名義的〈改革全國
鹽政計畫書〉提出，其主要內涵為是實行官專賣制，雖然要破除
專商引岸，但是仍給舊鹽商一定的優惠權，儘管如此，仍遭到專
商的反對。六月二十四日，銀行團明白提出鹽稅由外人管理之要
求，為談判中首次提到監督中國鹽政，激發了國人強烈的反對，

[7] 劉經華在此問題上有精闢的討論，參見劉經華，〈辛亥革命時期的鹽務改
　革〉，《廈門大學學報》（哲社版），2003 年第 1 期，中國經濟史論壇，
　http://economy.guoxue.com/article.php/3934

熊希齡以其要求妨礙中國主權，加以拒絕，談判中斷。七月，周
學熙繼任財政總長，在國務會議中擬定了借款大綱五條，作為和
外人交涉的基礎，在外人欲監督鹽務行政一項，中國政府主張：「中
國自行整頓鹽務，惟製造鹽場及經收鹽稅之處，中國可酌量自聘
洋人，幫同華人辦理。所收鹽稅，可交存於最妥實之銀行，以備
抵還借款之本息。[8]」力圖保持鹽務之自主權，但是周學熙真正關
心的是保障鹽商的引權，他以為在大借款合同第五款第一條載
明，「中國政府承認即將為此項借款擔保之中國鹽稅徵收辦法，整
頓改良，並用洋員，以資襄助。」並有「由中國總辦一員，洋會
辦一員，主管所有發給引票、彙編各項收入之報告及表冊」[9]一條，
即可確保引票的合法性，並保障專商的合法性。在大借款合同簽
訂前後，不論袁世凱、周學熙、張謇等人追求的目標的差異有多
大，中央政府都對鹽務做了一些調整，以因應銀行團未來可能的
對鹽務主權干涉。

二、善後大借款簽訂前後鹽務相關因應舉措

大借款談判過程中，銀行團於民國元年六月廿四日首次提出
「墊款及大借款應將中國全國鹽務抵押，仿海關現在辦法，聘用
洋人辦理」[10]。為因應外人可能以監督中國鹽稅為條件，北京政
府已開始調整鹽務主管機關。對外談判期間，中國政府為減少主
權淪喪，也曾經提出：「中國自行整頓鹽務，為製造鹽場及經收
鹽稅之處，中國可酌量自聘洋人，幫同華人辦理。所收鹽稅，可

8　高勞，〈大借款之經過及其成立〉，《東方雜誌》9 卷 12 號，頁 4。
9　〈善後大借款合同〉第五款，《革命文獻》，第六輯，頁 32-頁 33。
10　高勞〈大借款之經過及其成立〉，《東方雜誌》9 卷 12 號，頁 4。

存於最妥實之銀行，以備抵還借款之本息。[11]」的對案，以確保鹽務自主權。同時，中國駐歐洲各國公使奉命向非銀行團之資本家進行獨立借款交涉已有成效，駐英公使劉玉麟向克利斯普公司（Birch Crisp & Company）借款一千萬英鎊，以鹽稅為抵押，於八月三十日簽約。此舉引發辛丑條約之各國公使向中國外交部抗議，以中國鹽政收入，已作償還團匪事件賠款之擔保，不能充作他項目的之用為由，反對克利斯普借款[12]。銀行團除了動用外交力量干涉中國向他處借款，同時，干擾克利斯普債票在歐洲之發行，以致債券在歐洲發行並不順利，中國不得不於十月九日再和六國銀行團重新接洽，同意取消克利斯普借款合同，向銀行團借款數額變為兩千萬英鎊，旋增為兩千五百萬英鎊，銀行團也在英國駐華公使朱爾典（Sir John Jordan）的調解下，承諾於鹽務稽核總所中增設華人副總辦一人[13]。雙方對借款條件已有共識。

　　民國二年元月六日，袁世凱下令：「鹽務收入各款，應自民國二年一月份起，專款存儲，無論何事，概不得挪移動用，庶幾內鞏財權，外昭國信」[14]。民國二年元月十一日於北京設立鹽務籌備處，任命齊耀珊為鹽務籌備處處長，同時成立鹽務稽核造報所，任命蔡廷幹為鹽務稽核造報所總辦[15]。以上作為，無非是在外人欲掌控中國鹽政主權的企圖下，搶先成立鹽務機關，任命鹽務主管，控制鹽務行政權，同時，利用國人不願鹽政權淪喪於外人，同仇敵愾，一致對外之心理，確保鹽稅，達到集權中央的雙

11　高勞〈大借款之經過及其成立〉，《東方雜誌》9 卷 12 號，頁 5。
12　高勞〈大借款之經過及其成立〉，《東方雜誌》9 卷 12 號，頁 5。
13　王綱領〈列強銀行團與民國二年善後大借款〉，《思與言》16 卷 2 期，頁 65。
14　《政府公報》民國二年七月，第二四一號。
15　財政部鹽務署鹽務稽核總所編，〈鹽務大事表〉，《中國鹽政實錄》（三），民國 22 年出版，文海出版社影本，頁 2000。

重目的，並作為和外人談判的籌碼。

　　善後大借款合同尚未簽訂，因草約第四款，借款以「中國鹽務收入之全數，作為擔保」[16]，第五款規定：「中國政府承認即將指定為此項借款擔保之中國鹽稅徵收辦法，整頓改良，並用洋員，以資襄助。」同時規定：在中國政府設立鹽務署，由財政總長管轄。鹽務署內設立稽核總所，中國總辦、洋會辦共同發給引票，彙編各項收入之報告表冊。在產鹽地設立稽核分所，任命華人經理，洋人協理各一人，（此二人等級職權完全相等，即英文所稱華洋所長），二人共同擔負徵收存儲鹽務收入之責任。所有華洋人員之任免，由華洋總會辦會同定奪，由財政總長核准。各產鹽地方鹽斤納稅後，須由華洋經協理會同簽字，才能將鹽放行。徵收之稅款，應存放在銀行團認可之存款處，非由總會辦會同簽字之憑據，不能提用[17]。在草約的嚴格的規定下，中國鹽稅收入有可能完全落入外人的掌控之下，事實上也確實引發日後列強銀行團扣留鹽餘，操控中國政府的惡行[18]。

　　又依據草約第五款第三條之規定：「此項借款如本利按期交付，則不得干預以上所詳鹽政事宜。」[19]從草約文字上看，鹽稅由外人掌控，以利償還債款，外人不得干預鹽政，但是此一規定和草約第五款第一條之規定：「中國政府承認即將指定為此項借款擔保之中國鹽稅徵收辦法，整頓改良，並用洋人，以資襄助。」相互矛盾，蓋鹽政不良，鹽稅徵收必受波及，稅收必受影響，更將影響債券本息的償付。所以當中國政府欲避免外人干預中國鹽

16　〈善後大借款合同〉，《革命文獻》第六輯，頁 31。
17　〈善後大借款合同〉，《革命文獻》第六輯，頁 32-33。
18　有關銀行團扣留鹽餘的情形，請參考拙著，〈善後大借款對中國鹽務的影響〉（1913-1917），《逢甲人文學報》第 5 期，頁 140-141。
19　〈善後大借款合同〉，《革命文獻》第六輯，頁 33。

政事務，在民國二年一月十一日成立鹽務稽核造報所，同時擬定
〈鹽務稽核造報所章程〉十四條，規定：

> 本章程為稽核全國鹽務之收入支出及行鹽之數目，因於財
> 政部內設鹽務稽核造報總所，於各省設稽核分所，專司考
> 核鹽務收支款目各事宜。任用洋員充總所會辦，並於各分
> 所設洋協理一人。[20]

雖然同意洋員會同掌控鹽稅，但是章程中特別揭示：

> 稽核造報總所應屬於鹽務署長，凡各省鹽務產製運銷各項
> 行政事宜，均不在總所及各分所權限之內。惟引票可由所
> 員簽印。[21]

稽核造報總所成為鹽務署下屬機構，目的在限制洋員干涉中國鹽
政事務。

　　民國二年三月十三日，財政總長周學熙又將〈鹽務稽核造報
總、分所辦事細則〉核准實施，規定各地方鹽運使收款應開具四
聯單，一聯為存根，其他三聯送該處國家銀行核收，該銀行收款
簽字後，截存一聯，再將二聯，送分所簽字，亦截存一聯，以一
聯送回鹽運使存查。[22]如依照此一辦事細則，則連鹽稅稽徵都由
鹽運使負責，稽核分所只能被動通知簽字，始克了解鹽稅收支數
額。此外，中國政府並依照各處濟銷抽稅的實際情形，及原有引
地或管理區域，在奉天、長蘆、山東、河東、兩淮、兩浙、福建、
兩廣各區域內設立稽核分所，並委派華籍經理，民國二年四月合

20　〈鹽務稽核造報所章程〉，南開大學經濟研究所經濟研究室編，《中國近代
　　鹽務史資料選輯》第一卷，1985 年 12 月 1 版 1 刷，頁 134-135；丁恩，〈改
　　革中國鹽務報告書〉，《中國鹽政實錄》（四），頁 2409。
21　〈鹽務稽核造報所章程〉，《中國近代鹽務史資料選輯》第一卷，頁 134-135；
　　丁恩，〈改革中國鹽務報告書〉，《中國鹽政實錄》（四），頁 2409。
22　丁恩，〈改革中國鹽務報告書〉，《中國鹽政實錄》（四），頁 2410。

同簽訂前已委派洋協理二員，一爲美國人巴爾穆（Palmer），派駐牛莊，一爲丹麥人耿普魯（B. Gimbel），派駐揚州，以宣示中國主權。[23]

　　合同交涉期間，中國政府同意聘請洋員三人，爲善後大借款的監督，原擬聘請德人爲外債室之稽核，丹麥人爲鹽務稽核造報所總辦，司改革鹽政之責，義大利人爲審計處顧問[24]。由於丹麥及義大利並非銀行團之借款國，目的在避免借款國利用外國僱用人員，干涉中國內政，又可有外人公正監督中國財政與鹽務之功。但是法國認爲中立國將偏袒中國，主張應聘請出資國人員擔任監督之職位，爲公平起見，中國政府應聘請六位洋員，分掌各項職務。此說爲銀行團各國贊同，二月廿日銀行團始達成協議，鹽務總辦由英國人出任，另增鹽務副總辦一人，由德國人擔任，外債室稽核也是德國人，審計顧問則由法、俄各一人出任[25]。中國政府初不同意，詎料三月廿日宋教仁案發生，國內討袁聲浪高漲，袁世凱急於獲得借款，對付南方反對勢力，於四月初向英使朱爾典表示願接受各國洋員聘任計畫，財政總長周學熙也表示，若利息降爲五厘，可不經國會，立即簽訂合同。六國銀行團也因新上任的美國總統威爾森（Woodrow Wilson）於三月八日宣布退出銀行團，懼怕美國單獨借款予中國，在雙方各有所圖情況下，於四月廿六日在北京簽訂了善後大借款合同，確定了外人監督中國鹽政事務。

第二節　丁恩受聘擔任鹽務稽核總所會辦

---

23 丁恩，〈改革中國鹽務報告書〉，《中國鹽政實錄》（四），頁 2409-頁 2410。
24 高勞，〈大借款之經過及其成立〉，《東方雜誌》9 卷 12 號，頁 7。
25 王綱領，〈列強銀行團與民國二年善後大借款〉，《思與言》16 卷 2 期，頁 66。

根據善後大借款合同，經袁世凱顧問莫里遜（Morrison, George Emest, 1862－1920）推薦，在五國銀行團認可下，中國政府聘請英國人丁恩（Sir Richard M. Dane 1854－1940）為財政部鹽務稽核總所會辦，他自 1913 年 6 月 28 日到職，至 1918 年 2 月 4 日任滿回國，共任職四年七個月又七天。丁恩就任後，為確保善後大借款債券持有人的權益，在列強政府及五國銀行團支持下，從事鹽政事務改革。

一、丁恩的鹽務背景

丁恩出生於 1854 年，從 1872 年開始在印度任職，曾擔任印度鹽稅務局的總監察官，而當時一般人認為印度的鹽警局相當成功[26]，不過，對大英帝國而言，印度經濟的存在是為了促進大英帝國的富裕，印度鹽的管理，也是為了配合英國柴郡（Cheshire）所產鹽的利益而調整[27]。

印度產鹽地頗多，食鹽可以自給自足，英國統治印度之前，原統治者僅針對商業目的運輸的鹽課徵少許的鹽稅，18 世紀末期，英國柴郡的鹽產增加，為獵取海外市場，在品質及價格都無法和印度本地生產的鹽競爭情況下，在本葛爾省，1765 年先採回教人民包稅制，因為少數人壟斷，1877 年一度改用公眾拍賣法，造成鹽商壟斷居奇，又採定價無限出售制，將鹽稅加入鹽價中，定其出售價格，形成外鹽驅逐內鹽，1855 年試行均一稅率，到 1882

---

26 S. A. M. Adshead《The Modernization of the Chinese Salt Adminstration, 1900－1920》（Cambridge, Massachusetts Harvard University Press, 1970）頁 91；Mark Kurlansky 著、石芳渝譯，《鹽 —— 人與自然的動人交會》，頁 347。

27 Cheshire 為英國產鹽中心，抽取地下鹽水，利用天然氣煎鹽，產量極大，副產品也多，必須外銷以免滯銷，見楊錦森，〈英國鹽業之發達〉，《東方雜誌》第八卷第四號，宣統三年五月二十五日出版，頁 12-16；Mark Kurlansky 著、石芳瑜譯，《鹽－人與自然的動人交會》，頁 313。

年本葛格爾省完全食用進口鹽[28]。在北印度阿葛拉烏拉聯合省，1803 年行專賣制，1804 年改行關稅制，1810 年兼行通過稅制，在各交通要道分段設關卡抽稅，至 1832 年行稅關線制[29]，強迫印度減產或禁止印度鹽運入孟加拉，為防止食鹽走私，英國將印度奧利薩（Orissa）生產的鹽變成專賣品，除英國政府外，任何人生產鹽都是非法的，並且提高鹽稅，英國同時建立了一套報酬優厚的線民系統，以防止私鹽。在以人為防弊的作法下，共設緝私卡 17 區，每區設官一人，僱員共 1,260 人，稅關線延亙 2,472 英里，聘用了 12,911 人輪流緝私，但是，賄賂及貪污事件仍層出不窮[30]，證明了實施食鹽專賣制，靠緝私與圍堵，防止私鹽是無效的。

　　1872 年丁恩到印度任職的同一年，東印度公司廢止了稅關線制，兩年後改行鐵道包運法，由鐵路運鹽，將鹽稅、運費都加在鹽價中，是為官專賣制，1878 年又收回全區鹽場，將交通不便，生產成本高的鹽場，一律給價停產，並實行就場征稅制，1905 年，在此區內行均一稅率[31]。英國鹽商遇到印度鹽的激烈競爭，在英國國會中遊說壓制印度鹽的生產，關閉了奧利薩的部分製鹽中心，致使印度鹽工生活困難，1888 年 2 月，印度克塔克（Cuttack）的政黨在奧利薩召開印度第一共和會議，會中指出，貧困的印度人承擔的稅大約是英國本地居民的三十倍，鹽稅更凸顯了「不公平課稅的帝國特色」[32]。

28　景學鈐，〈書印度鹽務沿革史後〉，景學鈐編，《鹽政叢刊》（下），頁 616。

29　景學鈐，〈書印度鹽務沿革史後〉，景學鈐編，《鹽政叢刊》（下），頁 611-612。

30　Mark Kurlansky 著、石芳瑜譯，《鹽－人與自然的動人交會》，頁 314-318；景學鈐，〈書印度鹽務沿革史後〉，景學鈐編，《鹽政叢刊》（下），頁 613。

31　景學鈐，〈書印度鹽務沿革史後，〉景學鈐編，《鹽政叢刊》（下），頁 614-615。

32　Mark Kurlansky 著、石芳瑜譯，《鹽 —— 人與自然的動人交會》，頁 319-321。

　　到了二十世紀，印度的省議會開始大肆抨擊英國的鹽務政策，並要求重新恢復奧利薩的製鹽業，停徵鹽稅。英國政府並未認真看待印度人的要求，日後穆罕德斯‧甘地（Mohandas Karamchand Gandi 1869－1948）雖不是單純的反抗英國的鹽稅而領導反抗英國殖民地統治的不合作運動，但鹽稅的不合理，卻是甘地反抗運動中的最直接、最引起印度人民共鳴的議題，因為鹽是每個人生活必須的物品，影響了印度每個階層人的生活[33]，所以 1930 年 1 月 26 日，印度發表「獨立日誓辭」。四天後，甘地向印度總督歐文提出十一點要求，其中就有「廢除食鹽專營法，取消鹽稅」的要求。3 月 12 日因歐文無回應，甘地再一次發動不合作運動，率領群眾向丹地（Dandi）的製鹽海灘行進，號召人民挑戰食鹽法，人人製鹽，鹽的「真理之戰」成為對抗殖民地統治的最佳議題[34]。

　　景學鈐在〈書印度鹽務沿革史後〉一文中提及：「印度鹽務沿革史為丁恩氏手著，其治印鹽之成績盡在於是。」是書全文雖未曾得見，但是從景氏對全書重點的節錄與大事年表中可知，英國東印度公司統治印度，其早年鹽政制度完全未顧及印度當地製鹽與食鹽消費者權益，加上所行鹽制弊病極多，管理不易，私鹽盛行，景氏分析其原因，認為：

---

[33] 對印度人來說，鹽象徵著他們對英國的殖民依賴，印度人不論貧富都必須向英國繳納鹽稅，同其他間接稅一樣，他不顧人們的需求與收入，而強加在人民頭上是不公正的。印度產鹽，對印度人強硬的徵收鹽稅是荒謬的，也是一種侮辱。參見 Pierre Laszlo 著，吳自選、胡方譯，《鹽：生命的食糧》，頁 126-131。

[34] 宋子剛編著，《甘地－印度聖雄》，台北婦女與生活社 2001 年 6 月初版，頁 150-152；曾伯堯主編，《印度聖雄－甘地》，台北市克寧出版社 1991 年 2 月初版，頁 173-175；Mark Kurlansky 著、石芳瑜譯，《鹽 —— 人與自然的動人交會》，頁 321-325。

其治法最初行專賣制，繼行關稅制，又行通過稅制（與我國釐卡同），再行稅關線制，卒行就場征稅制，此就其大者而言，至於小改革更不下十餘次，自 1803 年至 1878 年，互七八十年之久，始終未能確定一政策，其故何哉？一由於英人素重習慣，因時勢而推移，不能預定一方針，以示趨向；一由於待殖民地之方法，專顧一時利便，不為印民謀百年之計。蓋英人之治印鹽，無非為徵收鹽稅起見，故其目光專射於鹽稅一方，而於鹽場之整理絕不注意，源既不清，私何能絕，故於緝私方面，雖訂嚴酷之法律，設無數之兵士，卒至鹽稅之所入，半耗於緝巡費中，而印民受無限之苦痛。[35]

在殖民地人民抗爭下，東印度公司不得不作一些調整，但是印度人民對改革並不滿意，成為日後爭取獨立的理由。丁恩於 1872 年到印度任職後，東印度公司不斷試行新制，又逢世界製鹽技術不斷改進，交通運輸日益便利，舊有鹽制無法因應新時代的需求，印度改行就場征稅制，並採均一稅率，這些在印度實行鹽務成敗的經驗，深印在丁恩腦海之中，都是日後丁恩來華後堅持改革的方向。

二、丁恩出任鹽務稽核總所會辦兼鹽務署顧問

善後大借款合同簽訂後，更加激化了國內早已因宋教仁被刺案而引發的政潮，批評政府違法大借款的聲浪高漲，報章雜誌對借款合同中以鹽稅為抵押，並允洋人監督徵收鹽稅多所批評，各方對合同的解釋不同，洋會辦之職權眾說紛紜，莫衷一是，但是國內在袁世凱解決了國民黨武裝反抗後，中央集權說大為盛行，

---

35 景學鈐，〈書印度鹽務沿革史後〉，景學鈐編，《鹽政叢刊》（下），頁 617。

對鹽務改革來說，確實是一個極佳的機會[36]。

　　丁恩在倫敦與中國公使簽訂之聘用合同，係聘請丁恩爲鹽務顧問兼鹽務稽核總所會辦，應受財政總長的監督，但是民國二年一月及三月公佈的〈稽核造報所章程及辦事細則〉規定，洋會辦是鹽務署長的僚屬，和借款合同中的稽核總所總辦、會辦之職權不符。中國政府對於鹽務究竟主張如何，若依〈稽核造報所章程〉，所有鹽務事宜均由運使及所屬員司辦理，所有稽核分所經協理，不過在運使收稅之四聯單內簽字而已，且依照章程稽核總所經費，由鹽務署長按月核發，控制極嚴，購置紙張墨水亦屬困難，拍發電報未經鹽務署長核准者不得拍發，增添英文員司，也受限制。[37]

　　有鑑於此，丁恩來華後，認爲鹽務稽核造報所的地位、職權與借款合同之規定不符，鹽務稽核造報所章程辦事細則將影響其日後工作的推展，妨礙鹽稅之稽徵，損及債券持有人之權益，提出了三項意見：

　　1.稽核造報所不應爲鹽務署的附屬單位，其總、會辦應爲鹽務署首長。

　　2.稽核造報所除考核鹽務收支及保存鹽款外，也應有權管理食鹽之生產、運銷。

　　3.鹽務署應對引岸制度及既得利益者提出有效措施。

　　丁恩並表示：在以上問題未澄清、解決前，拒絕在聘任合同上簽字[38]。銀行團根據丁恩的報告，向中國政府提交了備忘錄，

---

36 景學鈐在〈鹽政問題商榷書〉一文後，於民國十年八月之附誌，《鹽政叢刊》（下），頁23。

37 〈1913年8月18日關於鹽務機構現狀之報告〉，《中國近代鹽務史資料選輯》第一卷，頁141；丁恩，〈改革中國鹽務報告書〉，《中國鹽政實錄》（四），頁2412-2413。

38 丁長清主編，《民國鹽務史稿》，頁54-55。

要求立即取消與借款合同不符之規定。

民國二年七月二日，財政總長將鹽務籌備處長齊耀珊免職，改派姚煜繼任，姚煜呈請將〈稽核造報所章程及辦事細則〉加以修改，政府並未批准。同時，到八月底止，徵收之鹽稅，從未照借款合同規定解交銀行團認可之銀行，各稽核分所經協理也無權管理鹽款，提領鹽款也不知照稽核總所總會辦。揚州稽核分所代理協理耿普魯報告，交通銀行只將鹽務帳目編交鹽運使，中國銀行則聲稱只能憑運署人員提款字據交款，種種情形均與借款合同之約定不符。銀行團代表致函財政總長，要求中國政府妥為解釋，並將不符合同之作法設法改正。[39]

財政總長於八月九日函復銀行團代表，表示願依合同約定，並已飭令遵照辦理。九月一日，財政部正式命令各地區鹽運使暨榷運局依照合同辦理。同時，鹽務稽核造報所總辦蔡廷幹與丁恩也通令各所，要求所有鹽務預算應先行呈請總所核准方准動支，所有鹽務機關之俸給，應編具詳表，呈請總會辦核奪，此外，對各項鹽務開支均有詳細之規定。

民國二年九月廿三日，財政部頒發訓令，嚴格要求地方運使應按照善後借款合同規定，切實履行，如有陽奉陰違，將予嚴懲。所屬官吏，如辦事不力或營私舞弊，也將按律嚴辦。而對產鹽省分所收鹽款，責成稽核總所轉令各分所認真稽核，詳實造報。此一部令對稽核分所的地位仍予人模糊不清的感覺。換言之，善後大借款合同簽訂後，中國政府對原有的地方鹽務機關，如鹽運使署、榷運局的職權仍未加以釐清，甚至故意以之牽制洋員，以免外人干涉鹽政事務。[40]

39　丁恩，〈改革中國鹽務報告書〉，《中國鹽政實錄》（四），頁 2413-2414。
40　丁恩，〈改革中國鹽務報告書〉，《中國鹽政實錄》（四），頁 2417。

民國二年九月十一日，熊希齡出任總理並兼財政總長，[41]爲解決五國銀行團抗議丁恩職權與善後大借款合同不符之問題，接受了景學鈐的意見，善後大借款所抵押的是鹽稅，並非鹽產，更非鹽業，場產運銷自不在稽核範圍內，中國鹽務本有政務與稅務之分，鹽務署與稽核總所各自主管行政與稅務，與善後大借款合同並無抵觸[42]。丁恩接受了景氏的說法，在雙方各自讓步的情況下，中國政府在與銀行團協商後，改以有鹽務經驗的張弧出任財政次長，兼鹽務稽核總所總辦，同時取消鹽務籌備處，改設鹽政署，旋改名鹽務署，以張弧兼署長，鹽務署督辦由財政總長兼任，爲管理全國鹽務最高長官，署長由財政部次長兼任，掌理全國一切鹽務事宜，有考覈及監督本署參事以下各官，及鹽運使、権運局長及所屬各官之權。鹽務署長承督辦之命，鹽務署成爲全國中央政府主管全國鹽務的主管機關，以符合借款合同之規定。[43]

鹽務署成立後，相關法規並未隨之修訂，丁恩以爲依照合同稽核總所雖爲鹽務署內之機構，但稽核總所會辦是財政總長的僚屬，並非鹽務署長的屬下，如依〈稽核造報所章程〉，則不符合借款合同及他個人簽訂之工作合同，經多方協調，民國三年二月九日，北京政府取消了前一年公佈之〈稽核造報所章程及辦事細則〉，並公佈了新的〈鹽務稽核總所章程〉十二條，章程中明訂：

1. 〈稽核總所章程〉是依善後大借款合同第五款各節所訂定，所有鹽務職官及其所屬各局均應遵守。

2. 稽核總所設中國總辦及洋會辦各一人，鹽務署長兼稽核總

---

41 李振華輯，《近代中國國內外大事紀》，民國二年，文海出版社影印本，頁2760。

42 景學鈐，〈上大總統鹽政補救策〉，景學鈐編《鹽政叢刊》（上），頁199。

43 此一變通辦法據說爲景學鈐所建議，見景學鈐編，《鹽政叢刊》（上），頁316；賈士毅，《民國財政史》正編上冊，頁246-247。

所總辦，稽核總所會辦亦兼任鹽務署顧問。

3.所有監理發給引票，彙編報告表冊，及鹽款提用，均需由
　總會辦共同辦理，稽核分所人員任免由總會辦共同定奪，
　再呈財政總長核准。

4.稽核總所總會辦受財政總長管轄，總會辦所發命令經財政
　總長核准，以財政總長名義行之。總會辦彼此有不同意見，
　應呈財政總長核奪。

5.凡總所文件，鹽務署長得隨時調閱，鹽務署文件總會辦需
　用時亦可查閱。

6.凡鹽務署之事務，未記載於總分所辦事章程內者，由鹽務
　署長及洋顧問幫助辦理之。鹽務署長所發之命令，除刻於
　普通公事者外，均需抄送稽核總所。[44]

根據上述章程，又制訂了〈鹽務署顧問辦事章程〉五條，其
中第二條第一款特別規定：

> 鹽務署整頓鹽政及關於鹽稅暨運銷各處鹽劦辦法，官運、
> 商運、民運均包括在內，訂定合同及發緊要命令時，於未
> 決定實行以前，署長應與顧問商議所商筆錄決定。又鹽務
> 署關於鹽務所發命令，若在稽核總所範圍之外者，該命令
> 亦一律抄送顧問檢閱。

同時並規定了與鹽相關的運銷、鹽稅及關於鹽務各項收入、入賬、
支出及政府購鹽、儲鹽、運鹽、賣鹽之方法，都必須與顧問商榷。
[45]中國政府在民國三年五月又公佈了〈鹽務署章程〉十六條。

尤其值得注意的是，依〈鹽務稽核總所章程〉與〈鹽務署顧

---

44 中國第二歷史檔案館編，《中華民國史檔案匯編》第三輯財政（二），江蘇
　古籍出版社 1991 年 7 月 1 版 1 刷，頁 1375-1377。
45 中國第二歷史檔案館編，《中華民國史檔案匯編》第三輯財政（二），頁
　1379-1381。

問辦事章程〉，外人出任的稽核總所會辦兼鹽務署顧問，已非僅備諮詢而已，所有鹽政事務洋顧問沒有不可干預的事項，但是法律上他仍是財政總長兼鹽務稽核總所督辦的僚屬，保住了中國政府的顏面。民國三年二月公佈實行的〈稽核分所章程〉，規定凡徵收鹽稅鹽課之官應由總會辦委任，稽核分所官員有權管理秤鹽、倉儲、放鹽，並監督鹽運使署所屬人員是否有違背章程之事[46]。其職權已大大超出善後大借款合同中之規定[47]。中國政府因為善後大借款，以鹽稅為抵押，原以為另外設立鹽務署，提前制定、公佈〈鹽務稽核造報所章程〉，即可減少外人干預中國鹽務，但在銀行團強大壓力下，鹽務署雖成立，卻形成權操於外人之手，不只鹽稅為外人控制，鹽政一大部分也為外人掌控，實為利權的大損失。但在外人為確保債權的壓力下，清末以前弊端百出的鹽政事務，也因此有了改革的機會。

第三節　丁恩與中國鹽務的改革

民國三年二月九日頒布了新的〈鹽務稽核總所章程〉十二條，〈稽核分所章程〉七條，同時頒布了〈鹽務署顧問辦事章程〉五條，賦予了鹽務稽核總所會辦參與一切中國鹽政事務的權力，滿足了銀行團及丁恩的要求。在丁恩法律地位未定之時，民國二年七月，他就親赴長蘆、東三省考察，是年底又赴山東了解鹽務相關問題，從青島轉上海，溯江而上，了解揚子四岸淮鹽銷售問題，再到揚州十二圩總鹽棧，北上到板浦、新浦、淮北等地調查，

---

46 鄒琳，《粵鹺紀實》第二篇職官，〈稽核分所章程〉，頁 26-27。
47 丁長清，〈鹽務稽核所始末〉，《近代史研究》1994 年第 2 期，頁 133-134。

民國三年二三月間，至廣東、福建、兩浙，五月到河東鹽區，數月間中國十個鹽區跑了八個，做了詳細的記錄，對中國各地鹽務有了深入的了解[48]。在丁恩地位問題解決後，展開了一連串的改革行動，以下分項敘述之。

一、鹽政組織的調整

丁恩曾宣稱：「自從一九一五年他重新建立一套中央化管理的鹽制後，比起從前，鹽的稅收一年增加了百分之一百。」[49]事實上清末曾試圖建立中央到地方鹽務管理系統，並未成功，鹽政事務實際掌握在地方督撫手中。到民國二年善後大借款合同簽訂前後，中國政府為得到列強允諾借款，才要求各省不得挪用鹽稅，庶幾「內鞏財政、外昭國信」，又為了防止外人干涉中國鹽政事務，成立鹽務籌備處，搶先公佈〈鹽務稽核造報所章程及辦事細則〉，將借款合同中的鹽務稽核總所定位為鹽務署的下屬機構，已經試圖建立和整理中央及地方鹽務機構。在銀行團及丁恩抗議下，中國政府堅持保留鹽務署，以為中央政府管轄各省鹽務行政的最高行政機關，經協商，在中國及丁恩各有讓步下，建立新體制，新的中央管理鹽政制度，要說是丁恩所建立，似屬誇大，但丁恩以其違反借款合同為由，逼中國政府讓步，重新調整了由中央到地方的鹽政組織，依據上述章程，稽核總、分所是隸屬於財政部的獨立機構，有獨立的經費與人事權，除了具有徵收鹽稅與鹽稅存儲提用之權，產鹽區設立的稽核分、支所的稽核員，直接管理鹽稅徵收，並監督生產，銷區設立稽核處，行成中央到地方新的三級管理體系，改變了清代中央與地方龐雜散漫的鹽務體系，又不

---

48 丁恩，〈改革中國鹽務報告書〉，《中國鹽政實錄》（四），頁 2413、2419、2455。
49 Mark Kurlansky 著、石芳瑜譯，《鹽 —— 人與自然的動人交會》，頁 349。

能不說受他的影響，從此他以鹽務署顧問身份，參與中國鹽政事務則爲事實，因此，中國政府鹽政官署組織與職權的調整，和丁恩挾銀行團之力的影響不無關係。

　　中國政府陸續制定了相關的組織法，地方鹽務機關也經過一段時間的調整，使得中國鹽務機關形成了以鹽務署爲首，轄有鹽運使司、運副、榷運局所構成的鹽務行政系統，及以鹽務稽核總所爲首，包含稽核分所、支所、稽核處、收稅總局的鹽稅徵收系統，這兩個系統表面上是平行的機構，實際上對鹽務官吏、鹽場生產、緝私掣驗，稽核部門都有權過問[50]。繪簡表如下：

表六　民國二年鹽務系統表

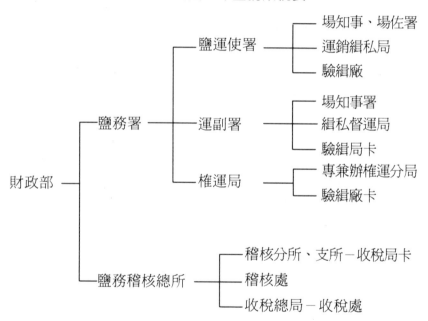

本表參考鄒琳《粵鹺紀實》第二編職官，頁 3，「兩廣鹽務機關統系表」繪製

---

50 劉經華，〈論洋會辦丁恩在民國初期的鹽務改革〉，《廈門大學學報》（哲社版）1997 年第 1 期，頁 105。

二、法規的制定與修訂

　　丁恩任職期間，對鹽務管理制度的建立確實有其貢獻。首先他堅持就場徵稅，均一稅率[51]。中國自古以來，食鹽在生產運銷過程中有場課、引課、雜項，太平天國事件後，又抽取鹽厘，造成運銷皖北的淮北鹽，在產地需交八種鹽稅，在西壩繳納三種，到正陽關再繳四種稅；河東鹽在山西要繳納十八種鹽稅，到了三河口渡黃河時還得繳付十一元的費用[52]，其他各鹽區也有同樣的問題。民國二年秋季，鹽務署署長張弧與丁恩商討鹽務改革事宜，張弧與景學鈐主張實行官專賣制，丁恩則主張自由貿易，雙方看法不一，在鹽稅稅率方面，雙方均主張徵收統一的鹽稅，看法差異不大，遂委由景學鈐起草〈鹽稅條例草案〉，十二月二十四日，中央政府公佈了〈鹽稅條例〉十三條，將中國產鹽及銷鹽地區，大致以淮河至中國西部為界分為兩區，鹽稅每百觔二元五角，但是民國四年一月一日以前，第二區仍依舊稅率徵收，第一區每百觔暫收二元，第一區借運第二區之鹽依第一區稅率課稅。第二區借運第一區的鹽，其稅率依第一區之稅率在產地繳納，不足之數在第二區鹽務機關補徵。從前所產之土鹽，禁止生產，如有生產仍依本條例徵稅，統一了鹽稅的稅率。此一條例是針對舊稅制的混亂與不公平擬定的，傳統鹽稅全國總稅目不下 2000 種，各地鹽稅高低相差 7 倍，且靠近鹽產區是無稅或低稅，加之運輸路途近運費低，鹽價自然較低，距離鹽產地越遠，稅率重且運費高，導

51　〈鹽政顧問丁恩上財政部改良鹽務條議〉，《中國近代鹽務史資料選輯》第一卷，頁 201-203；劉經華，〈民國初期建立食鹽中央集權徵稅制述論〉，《鹽業史研究》2002 年第 3 期，頁 4。

52　S. A. M. Adshead《The Modernization of the Chinese Salt Adminstration,1900-1920》（Cambridge,　Massachusetts Harvard　University Press, 1970）頁 100。

致人民稅負不公，新的〈鹽稅條例〉試圖朝食鹽一經照章納稅，由產地起運後，將所有厘金與地方雜捐盡行豁免的方向改進[53]。

在〈鹽稅條例〉第八條明定：「鹽稅就各產鹽地方徵收之」，僅不同區移售之鹽在移入時徵收，確定了就場徵收的原則；同條例第九條也規定：法定衡量未頒布以前，課稅以司馬秤十六兩八錢為一斤，百斤為一擔，十六擔合英權一噸，鹽之包裝，在定式未頒布前，照實際重量計算；滷耗應照鹽質高下，氣候差異，運道遠近以部令定之。[54]

民國三年三月四日，公布了〈製鹽特許條例〉，規定了製鹽、採滷、掘礦、精製或再製鹽及含氯化鈉百分之四十以上者，非經政府特許，不得製鹽。民國三年九月廿九日財政部又公布了〈製鹽特許條例施行細則〉十五條。此一條例公布前一切收鹽運鹽之權皆操於運商，對於灶戶之走私，無法取締，條例公佈後，對製鹽相關弊端才有法律管理。[55]

民國三年九月，對地方鹽務官署相關法規制度有所規定。首先公佈了各省〈鹽運使署章程〉十條，對鹽運使署組織有所規範，並責成鹽運使負責產鹽區之鹽務行政事宜，調遣緝私營隊負責緝私。十月，公佈〈運副公署章程〉八條及榷運局之組織。十二月公佈〈場知事任用暫行條例〉七條，完成了從中央到地方鹽的生產、運銷官署的法制化[56]。

---

53 景學鈐編，《鹽政叢刊》（上），〈鹽稅法草案〉，頁 273-282；劉經華，〈民國初期建立食鹽中央集權徵稅制述論〉，《鹽業史研究》2002 年第 3 期，頁 6。

54 教令第四十三號，〈鹽稅條例〉，載李振華輯，《近代中國國內外大事紀》民國元年-民國二年，頁 2833-2834。

55 中國第二歷史檔案館編，《中華民國史檔案匯編》第三輯財政（二），頁 1386-1388。

56 相關章程、條例請參見鹽務署編纂處編，《鹽務法規》第一類〈官制〉，鹽務署民國 15 年 5 月出版，頁 1-8。

民國三年十二月二十二日又公佈了法律第二十二號的〈私鹽治罪法〉十條，明定：凡未經鹽務署特許而製造、販運、售賣或意圖販賣而收藏者為私鹽。對私鹽販運者及未遂犯的刑度有明確的規定，凡攜有槍械拒捕者罪加一等；結夥販私，拒捕殺人、傷人者死刑；鹽務官員，緝私員警自販私鹽者，罪加一等；官警知情不報者與犯人同罪。[57]十月二十九日，北京政府又以教令第一五二號公布〈緝私條例〉八條，規定：凡未經鹽務署特許，而製造、販運、售賣或意圖販賣而收藏者，由緝私營隊查緝之，地方官廳負協緝之責；雖經特許，但不依法令製造販運，仍應查禁，緝私時如欲結夥執持槍械者得格殺之；緝獲之私鹽，應解交就近鹽務官署，沒收變價，除提成充賞外，歸入鹽務收入報備充公。[58]

根據緝私條例，制定了〈緝私官弁獎勵懲戒條例〉十七條、〈地方官協助鹽務獎勵懲戒條例〉十一條。民國四年十二月，稽核總所又頒布〈私鹽充公充賞辦法〉，民國六年四月七日頒布〈鹽務獎章條例〉十條，對「服務勤勞着有成績者」給予適當獎勵[59]。以上法規主要在防止私鹽，影響稅收。

此外，鹽務稽核總所也根據行政上的需要，頒布了一些行政命令，例如民國三年十二月頒發〈鹽務人員在職身故發給恤金辦法〉；民國四年四月二十日總所八十九號通函頒發〈運使旅費章程〉及〈一切人員公出旅費相關規定〉；民國四年十一月八日通函一零四號頒發〈稽核人員車船艙位等級之規定〉；民國五年四月十九日一一八號通函〈場知事旅費章程〉，民國五年十二月十三日以總所一百三十號通函頒發〈請假人員領薪辦法〉、民國六年五月二十日

---

57 鄒琳，《粵鹺紀實》第六篇緝私，頁 2-4。
58 鄒琳，《粵鹺紀實》第六篇緝私，頁 6-7。
59 中國第二歷史檔案館編，《中華民國史檔案匯編》第三輯財政（二），頁 1392-1393。

通函一七七號頒布〈關於緝私所支旅費聲明〉、〈運使與其所屬人員開支旅費之限制〉、〈分所人員之旅費章程〉、通函四百三十六號頒發〈分所新任或遷調人員之旅費章程〉[60]。以上行政命令的內容可謂鉅細靡遺，其主要目的在建立一套完整的制度，規範過去混亂的體制，限制鹽務主管機關本身的不法行為及經費浮濫支用，掃除了「民二以前，鹽款收支，既無考核，又不統一，……提用鹽款聽憑各省隨意挪移，而鹽務機關率皆任意濫支，從無一定標準。[61]」的弊病。法規的內容對鹽務相關人員應有的獎勵、撫恤和福利也頗能顧及，可謂合情合理。周詳的法規章程，奠定鹽務改革的基礎，曾仰豐認為：「若就鹽務而論，則機關新設，制度優良，既無舊染之污，且收整頓之效，實於改進鹽法，大有裨益。[62]」英國駐華公使朱爾典也說：「這些法規給予丁恩所需的權力，以做好鹽務工作，並迅速強化了他的地位。[63]」

三、人事制度的建立

民國二年六月二十三日丁恩出任稽核總所會辦時，稽核總所一共只有十二名職員[64]。首先，他依照中國政府和銀行團的協議，聘請德國人斯泰老（Von Strauch）出任副會辦，各分所洋協理的分配是：日人四員、法人二員、俄人二員、英人一員、德人一員。丁恩深知欲改革中國鹽務，必須在稽核總所建立一套良好的人事

---

60 相關行政命令散見鄒琳，《粵鹺紀實》第二篇職官，頁 34、頁 117、頁 118、頁 121、頁 122、頁 123、頁 124、頁 125。

61 左樹珍，〈民國鹽務改革史略〉，載曾仰豐，《中國鹽政史》附錄二，頁 267。

62 曾仰豐，《中國鹽政史》，頁 128。

63 S. A. M. Adshead《The Modernization of the Chinese Salt Adminstration,1900-1920》（Cambridge, Massachusetts Harvard University Press, 1970）頁 99。

64 李涵等著，《繆秋杰與民國鹽務》，中國科學技術出版社 1990 年 10 月 1 版 1 刷，頁 30。

制度，選拔一批負責守紀、廉潔自持的工作人員，才能防止從前
鹽官貪贓枉法，與鹽商狼狽爲奸，營私舞弊等情事發生。

　　丁恩決定採用英國式的文官制度，除首長隨政黨輪替而更
換，事務人員則爲終身職，無故不能任意停職或免職[65]。晉用人
員，除專家外，均須通過公開考試，應試須有中學畢業以上資格，
經體檢合格者。考試科目則視職務需要，在英文、中文、會計、
翻譯、打字等科目中決定選考那些，考取後須經試用合格方予補
實[66]。員工既經任用，禁止冶遊、聚賭、吸食鴉片、接受饋贈、
及洩漏公務機密，更嚴禁在外兼差或擅離職守。各區主管不得錄
用近支親屬，所有員工薪資在 60 元以上者，全由總所考選派充[67]。

　　對於員工待遇，丁恩主張從優，如此才能吸引有能力的人
才，並保其廉潔。稽核所員工的薪俸分爲六等二十四級，每月由
800 圓到 40 圓，按年資升級，升等則需佔缺，達最高俸級滿四年，
表現優良無缺可升等者，可得「額外勞績金」。正式薪俸外，尚有
各種津貼，如職務繁重者有「職位津貼」；邊遠省份有「邊省津
貼」；代理高於本職主管職缺者有「代理津貼」；無公家住宅者有
「房租津貼」；調差出差有「調差津貼」、「旅費津貼」；退職有「養
老金」，身故有「恤金」。另外有休假制度，員工每年可休假 30
天，科員級以上，服務滿三年有長假三個月，隨年遞增，滿八年
即有長假一年，休假期間，薪資照發。此外對員工的調差、辭職、
降職、停職、免職、復職、事假、病假、特別假、急假、調差假，

65　繆秋杰著，《近四十年代中國鹽政之變遷》，載李涵等著《繆秋杰與民國鹽
　　務》，附錄一，頁 220。
66　李涵等著，《繆秋杰與民國鹽務》，頁 9。
67　左樹珍，〈鹽務稽核所關於鹽務改革之總檢討〉，《鹽務雜誌》第 62 期，轉
　　引自李涵等著，《繆秋杰與民國鹽務》，頁 9。

無不有詳細的規定。[68]

　　由於稽核總所的人事制度健全，員工經考試晉用，素質較高，待遇福利優厚，能留住人才，員工且能久任，工作駕輕就熟，培養了一批經驗豐富，辦事能力強、效率高的專業人員，成爲丁恩改革鹽務的得力助手。好的人事制度，「優俸養廉」的做法，是鹽務改革著有績效的重要原因。

四、運銷制度的變革

　　食鹽的生產、運輸、銷售，每一個環節都會影響到其市場價格，也就會影響到人民的生活。丁恩任職期間，對鹽務的關心，主要擺在鹽稅徵收及影響食鹽銷售數量的問題上，以確保歐洲債券持有人的權益，對影響食鹽價格最大的銷售方式用心頗多，對食鹽生產方式的改良及生產成本降低部分則較少觸及。

　　食鹽的運銷制度可分爲：無稅制、徵稅制、專賣制三種。專賣又分爲官專賣與商專賣。[69]明清兩朝，中國大部分地區採商專賣的引岸制度，即鹽商從政府取得專賣權，在規定的區域內銷售食鹽，此一「行鹽有引，銷鹽有岸」的制度，造成專商在特定區域擁有專賣權，鹽商憑引票購鹽，可以任意壓低購鹽價格，剝削鹽工，在銷區則摻假抬價，短斤缺兩，壟斷市場。[70]住在銷區的居民在專商壟斷下，無論鹽價多高，品質多差，都必須忍耐。消費者即使住地離其他銷區較近，鹽價較低，也必須在政府規定的銷區購鹽，否則就是違法。而鹽商尚貪得無饜，賄賂逃稅，走私

68　繆秋杰著，《近四十年代中國鹽政之變遷》，載李涵等著，《繆秋杰與民國鹽務》，附錄一，頁 221-222。
69　景學鈐，〈鹽政改革問題商榷書〉，《民國經世文編》第三冊，財政七，民國51 年 6 月文海影印本，頁 939；《中國鹽政實錄》（一）總敘，頁 35-38。
70　王磊，《徽州朝奉》，福建人民出版社，1997 年 3 月二版二刷，頁 159-160。

販售，摻假抬價，無所不為；官吏則收受賄賂，勒索中飽，弊端百出，鹽商、官吏錦衣玉食，成本全部轉嫁到消費者身上，人民有淡食之虞，這樣的制度，確實有改革的必要。

辛亥革命後，鹽政事務變革隨之展開[71]。但各省各自為政，改革步調不一，方法不同，加上中央與地方爭權爭稅，既得利益者反彈力量強大，改革成效不一。

鹽務改革派主張實施就場專賣，先以民製、官收、商運方式取代原來之專商壟斷，待鹽場整理、鹽工組織起來後，再行自由貿易制[72]。因為既得利益者的反對，未能實行。善後大借款合同簽訂後，明定：「所有發給引票，彙編各項收入之報告及表冊各事，均由該總會辦專任監理。」各分所「各該華洋經協理須會同監理引票之發給」[73]反而讓不合理的引岸制度獲得了保障。

丁恩出任鹽務稽核總所會辦後，以他曾在印度主管鹽政的經驗，認為「就場徵稅，自由貿易」，是治理鹽政的最佳途徑。民國二年六月二十四日，丁恩就任的次日，向財政部提出了「改良鹽政條議」，主張：

> 欲鹽政辦理妥當，最要者須將全課若干，于未啟運之先，即於產地悉數徵訖。……凡鹽稅經照章納稅，由產地起運後，須極力設法維持，俾得其營業發達之望，並須將所有釐金及一切地方雜捐盡行豁免，其有壟斷把持之處，亦需極力禁止。[74]

---

71 曾仰豐，《中國鹽政史》，頁 125。

72 張謇，〈改革全國鹽政計劃書〉，張怡祖編，《張季子（謇）九錄》政聞錄十八鹽務類，頁 996-997。

73 〈善後大借款合同〉第五條，《革命文獻》第六輯，頁 32。

74 《中國近代鹽務史資料選輯》第一卷，頁 201-203；丁恩，〈改革中國鹽政報告書〉，《中國鹽政實錄》（四），頁 2425-2426。

民國二年九月十一日，熊希齡組閣，號稱「第一流內閣」，張謇爲
農商總長，梁啓超掌司法，熊希齡兼財政總長，九月三十日任命
了解鹽務的張弧爲財政次長，兼鹽務署長及鹽務稽核總所總辦，
景學鈐爲鹽務署顧問[75]。熊希齡、張弧、梁啓超與景學鈐都主張
廢除專商，行官運官銷的官專賣制，曾招集全國鹽務專家集會於
北京，討論食鹽專賣法，開了數十次審查會，鹽務署也派員列席，
起草了《鹽專賣法草案》，經張弧同意後，擬公佈實施，與丁恩多
次溝通，丁恩堅持等他到全國鹽區調查了解後再決定，草案遂被
擱置[76]。

　　丁恩親自到各地考察後，了解中國鹽務十分複雜，而各處起
運之鹽，率多不預先照章繳稅，長蘆引地內可收受期票，奉天地
方商人運鹽，僅需聲明將來繳款，即可照准。丁恩核算民國二年
五月二十一日到八月三十一日止，所准運赴奉天、吉林、黑龍江
等處鹽斤計一百二十五萬八千六百四十一擔，依當時稅率，應收
稅款七十六萬二千三百七十九元八角一分，但到民國二年九月四
日，中國銀行只收到十四萬八千六百零六元，鹽稅積欠十分嚴重。
丁恩於七月二十一日曾經建議：商人於未起運鹽斤以前，用足色
銀幣，繳清稅款，非繳有相當抵押者，不准欠稅。代理財政總長
梁士詒態度保留。迨九月熊希齡就職，於民國二年十月九日頒發
部令，要求所有東三省及長蘆鹽區內積欠稅款，應於十月底前收
清，嗣後政府鹽稅應於起運前繳納。長蘆引商呈請准其按照稅款
三成之款繳付期票，此項期票在六個月內分三期還清。但是熊希
齡於民國二年十一月批駁了其請求。從此確立了「先稅後鹽」的

---

75 黨史會編，《中國國民黨 90 年大事年表》，民國 73 年 11 月出版，頁 94。
76 景學鈐編，《鹽政叢刊》(上)，〈鹽專賣法草案〉後識文中，對鹽專賣法之
　　制定過程有詳細說明，頁 241。

政策，且漸漸推行於全國，對鹽稅收入極有裨益[77]。

　　民國二年十二月二十四日公佈之〈鹽稅條例〉第八條規定：
「鹽稅自各產鹽地方徵收之」，確立了「就場徵稅」的法律基礎[78]。

　　民國四年三月七日，袁世凱特任周學熙署理財政總長兼鹽務
稽核總所督辦[79]。周氏對鹽務的主張與丁恩不同，欲挪用善後大
借款中鹽款七十五萬鎊，充作他項經費；另外，有關四川組織運
鹽公司一事，丁恩所陳意見，周學熙一概置之不理；而行銷江寧
之鹽，司馬秤每擔稅一元五角，與之比鄰之皖南各處，需繳稅四
元五角，差距太大，導致江寧食岸專商，偷運大批鹽斤私銷皖南。
此事經稽核總所頒布取締辦法，並規定按每擔二元五角之數補
稅，不料財政總長周學熙於民國四年五月十四日，以鹽務署督辦
名義將前令取消，此舉不啻准許各專商侵蝕國課。此時，袁世凱
為了稱帝，缺少款項，勒令全國鹽商報效一千萬元，財政部同意
在清朝舊引票上加蓋民國印信，並保證永不廢引。丁恩了解，按
中國慣例，一遇政府財政困難，即令鹽商出資報效，換取政府給
鹽商他項利益，如此鹽務改革必受影響，且報效之款，即變相之
稅款，勒令鹽商報效，即間接違反借款合同，周學熙取消江寧食
岸取締辦法，和勒令鹽商出資報效，未始無關係。又因鹽務署長
張弧不支持報效案，周學熙於三月三十一日派龔心湛、方碩輔分
赴各產鹽區考核督催整理場產事宜，六月二十日以「藉公舞弊，
罔上營私」為由，下令免財政次長兼鹽務署長張弧職。六月二十
三日任命龔心湛為財政部次長兼鹽務稽核總所總辦[80]，這些作為

77　丁恩，〈改革中國鹽務報告書〉，《中國鹽政實錄》（四），頁 2417-2418。
78　教令第四十三號，〈鹽稅條例〉，李振華輯，《近代中國國內外大事紀》，民
　　國元年－民國二年，頁 2833-2834。
79　李振華輯，《近代中國國內外大事紀》，民國四年－民國八年，頁 3340。
80　李振華輯，《近代中國國內外大事紀》，民國四年-民國八年，頁 3390。

影響到丁恩鹽務改革方向，在丁恩影響下，銀行團一方面拒不撥付鹽餘款予中國政府，並先後三次致函財政總長，要求說明中國政府政策[81]。七月二十九日，龔心湛代表中國政府向丁恩聲明中國政府鹽政方針：

> 中國政府願照民國二年十二月二十四日大總統公佈條例，由所定宗旨辦理，所有鹽斤於未由場坨起運之先，一律抽收統一直接稅，凡在現無官運之地點，不再舉行官運。至現行官運辦法之各處，其所收稅款項目，如不及施行直接稅法所收稅款之多，亦必將官運辦法取消。

同時，稽核總所將五月二日財政部飭長蘆、山東、兩淮及兩浙鹽運使將抽捐之議作罷的訓令抄寄各分所，報效之議正式作罷[82]。

　　龔心湛的聲明，丁恩於八月十三日抄送各借款國代表查閱。此一聲明，再次確定了「就場徵收，先稅後鹽」的原則，確立了中國鹽務改革的方向，也可看出丁恩在中國鹽務改革中的影響力。

五、引地的漸次開放

　　中國食鹽自漢武帝元狩四年（西元前 79 年）實行官專賣制度，唐代宗寶應元年（762）行政府控制下的分銷專賣制，明神宗萬曆四十五年（1617）後，則爲政府監督下的商人包銷引岸制，鹽稅早已成爲中央政府重要稅收，唐代鹽利稅歲入達六百八十萬貫，宋代增至二、三千萬貫，元代有七百餘萬錠，明代有兩百餘萬兩白銀，清代則超過一千萬兩白銀[83]。政府爲確保稅收，和商人合作，將官鹽的支配權逐漸有條件的轉歸商人代爲行使，也就

---

81 丁恩，〈改革中國鹽政報告書〉，《中國鹽政實錄》（四），頁 2470-2474。
82 丁恩，〈改革中國鹽政報告書〉，《中國鹽政實錄》（四），頁 2477-2478。
83 郭正忠主編，《中國鹽業史》古代編，頁 4-7。

是專商逐漸壟斷了食鹽的運銷，這個轉變是長時間發展的結果，要改變並非一朝一夕可收其功的。故而鹽務改革派的張謇提出〈改革鹽政全國計畫書〉，目的就是廢除引岸專商制度，但也由於其違反了專商的利益，立即遭到堅決的反對與抵制，其主張終不能行。新的政權成立了，專商引岸制度依然存在，許多地區的人民被迫購食質劣價昂的食鹽，例如江蘇的蘇、松、太、常、鎮五屬，松江自產食鹽，卻規定食浙鹽，鹽商以每斤六七厘購買本地產的鹽，再以每斤五十六至六十四文的價格賣出，賺取暴利。民國成立後，蘇五屬人民呈請袁世凱政府，要求收回松江鹽場自辦，並改食淮鹽，為政府以保持舊有引岸秩序為由駁覆[84]。

　　丁恩就職後，曾親自赴中國各地考察鹽政事務，了解到中國鹽務的複雜，決定對兩淮、長蘆等鹽商勢力龐大地區的改革，採取漸進的做法，逐步廢除引權，以減少改革的阻力。民國二年十二月十一日丁恩建議廢除專商引權，自民國三年一月一日起先將長蘆引商革除，蘆商一方面四出陳情，一方面籌集巨資到處活動，鹽務署長張弧以反對力量太大為由，建議在直隸、河南官運引地試行，丁恩也表贊同[85]，他在民國三年四月三十日致函五國銀行團代表錫麗爾（E. G. Hillier）云：

> 至商人世傳引權，於整頓鹽務殊屬有礙，且於國於民皆為蟊賊，極宜設法消滅之，而所需賠償之款則甚鉅。但此事之行，宜悉心籌畫，起首宜先擇其最有害於於整頓者而消滅之。中國全國此項引權極多，故所需賠償之費實屬不貲。是以鄙意謂欲同時將其盡行廢止實極不智之舉，而消滅此項

84　〈蘇鹽松運之請議書〉，《民立報》1913 年 2 月 19 日，黃季陸主編，中華民國史料叢編，中國國民黨黨史史料編纂委員會民國 58 年 6 月影印初版，頁 6593。

85　丁恩，〈改革中國鹽政報告書〉，《中國鹽政實錄》（四），頁 2528-2531。

引權，宜擇於一處先行，使能收效，他處當不難下手也。[86]

丁恩了解到廢除專商引岸必將遭到強大的反對力量，他採取漸進的手段，先確立了「就場徵稅，先稅後鹽」的原則，逐漸在各官運地區實施自由貿易，以為開放引地的準備工作，民國三年七月一日稽核總所下令：將河北、河南原有官運引地共七十四縣開放，採自由貿易。但是在袁世凱親自出面干預下，規定此區域內販鹽人數限制在三千至三千五百人，由地方官或鹽務署審查，確為華商者，發給販鹽特許證，以不得高於當時鹽價為原則，可自由販運食鹽。民國四年四月，經實地調查發現，許多特許鹽商本身並不運銷食鹽，將取得之食鹽轉包散商販售，居間坐作收厚利，以致雖自由販售，鹽價並未降低，遂決定廢除特許證，改為全部自由貿易[87]。

山西北部三十多縣出產土鹽，味苦質差，因價錢便宜，他處價高質佳之鹽無人購食，亦無人願運售，成為廢岸。民國二年鹽務署將此區改行官專賣，設立了晉北榷運局，將土鹽稅率自每擔數角增加到一元，並實行官收、官運、官銷制，丁恩認為榷運局官專賣違背了他自由貿易的原則，主張將晉北榷運局裁撤，而准許蘆鹽及蒙鹽自由貿易，惟土鹽充斥，外地之鹽行銷困難，直到民國六年才逐漸在晉北實行自由貿易，首先開放的有太原以東的平定、遼縣、和順、榆次、榆社、昔陽、陽曲、壽陽、盂縣等九縣，開放以後，僅接近鐵路的地方能銷售蘆鹽，偏僻之地，仍難以推廣。有此經驗，稽核總所決定，以運道便利與否作為日後開放自由貿易的標準，也算是開放引地所累積的經驗[88]。

86　〈丁恩致五國銀行團代表函〉，《中國近代鹽務史料選輯》第一卷，頁201。
87　《中國近代鹽務資料選輯》第一卷，頁218-225。
88　《中國近代鹽務資料選輯》第一卷，頁225-228。

　　雲南省四個銷區，由本省黑井、白井、磨黑井所產之鹽各配銷一區，四川鹽配銷第四區，各處產鹽不得運銷他區，民國五年一月一日此一制度廢止，各地產鹽納稅后可自由運銷各地[89]。

　　辛亥革命後，福建省以債票一百五十餘萬元，將全省商辦三十三幫全部收歸公有，改行官專賣制，是全國廢除引岸制成功的省份之一。民國六年丁恩親赴福建調查，以福建一年所產之鹽為官銷鹽數的三倍，可見私鹽為數不少，不宜再行官專賣制，丁恩於三月二十三日建議改行自由貿易，民國七年八月一日起，開放閩侯、閩清、永泰、長樂、平潭等 26 縣自由貿易，不久又增加福鼎、福安、壽寧、寧德、霞浦等五縣，共計 31 縣，並預備全省一律採行自由貿易制[90]。

　　總計丁恩任職期間，開放引地列表如下：

表七　民國三年至民國七年開放引地表

開放年份	准許運鹽產地	開放銷區
民國 3 年	長蘆	河北、河南共七十四縣
民國 3 年	山東	虞城、商丘九縣
民國 3 年	淮、蘆、山東、遼寧	安徽宿、渦二縣
民國 3 年	取消淮北票權	淮北票鹽銷皖、豫引地
民國 4 年	兩淮、山東	山東臨沂六岸
民國 4 年	兩廣	平南櫃雷州、瓊州及廣東沿海地區
民國 4 年	長蘆	永平七縣

---

89 丁恩，〈改革中國鹽務報告書〉第十一章雲南，《中國鹽政實錄》（四），頁2708-2709。
90 丁恩，〈改革中國鹽務報告書〉第八章福建，《中國鹽政實錄》（四），頁2623-2731。

民國 5 年	淮北	淮北近場五岸及徐淮六岸
民國 5 年	雲南	雲南全省
民國 5 年	兩浙	永武經銷地
民國 5 年	川南、川北	自由販賣
民國 6 年	長蘆	山西平定九縣
民國 7 年	潞	陝岸
民國 7 年	福建	閩侯等三十一縣

參考丁恩〈改革中國鹽政報告書〉及丁長清，唐仁粵主編《中國鹽業史》近代
當代編製表

　　上述就場徵稅，開放引地，自由貿易等工作，是丁恩任職期間十分堅持的改革方向，在推動的過程中雖然遭遇了許多阻力，但一方面丁恩以列強外交團爲靠山，銀行團支持爲後盾，加之他常親自到各地考察中國鹽政，深知中國鹽務弊病所在，所提改革主張頗能一針見血，切中時弊，改革又是採取局部、漸進式，引發的反彈較少，才能踏出改革的第一步，改革的成效日漸彰顯。

六、鹽場的整理

　　欲實行丁恩「就場徵稅、自由貿易」的主張，先決條件是要整理鹽場，將食鹽集中管理，防杜走私。

　　丁恩於民國二年提出改良長蘆鹽務辦法，建議在長蘆鹽區各鹽場建築官坨，以取代原有之商坨，因爲漢沽的蘆台場年產鹽三百萬擔，塘沽及鄧沽的豐財場年產也達三百萬擔，且蘆台及豐台兩地泥灘甚廣，最宜於製鹽，此二鹽場產鹽佔全國產量百分之十二。他的建議民國二年十一月六日爲中國政府同意，在漢沽、鄧

沽、塘沽三鹽場建築改良鹽坨，可儲鹽一千五百萬擔；[91]民國六年，兩淮鹽區建青口、三矑鹽坨；同年，山東濤雒場建官坨十處。[92]

在鹽場整理方面，以各產鹽區分論之：

兩浙鹽區，清代設三十一處鹽場，民國五年時，裁永嘉場併入雙穗場，增設北鹽、南鹽二場，民國六年從雙穗場分出上望場，又裁撤了下砂場。[93]

在福建鹽區原有十三處鹽場，民國四年祥豐場併入蓮河場，前江、下里二場合併爲前下場；民國五年，分惠安場爲山腰、埕邊二場；民國六年裁撤福清、江陰二場，改爲韓厝寮、江陰二特別區。[94]

兩廣鹽區清季有十八處鹽場，民國四年裁上川場併入雙恩，裁東界場併入海山，裁河西併入招收，隆井與小江場合併，而小江場後荒廢不再產鹽。[95]

山東鹽區原有八處鹽場，民國二年遷石河場至即墨之金口鎮，場區如故，民國五年官臺、王家岡二場合併爲王官場，永阜廢場，民國六年西繇及富國場改爲萊州場，另增設石島場，民國七年又改石河場爲金口場。此外，青島於民國四年收回，在青島鹽區設立膠澳場，威海衛租地收回後，將威海鹽田與石島所屬之寧海區合併爲威寧場。[96]

長蘆鹽區清代有八處鹽場，民國三年將海豐、嚴鎮二場併入

---

91 丁恩，〈改革中國鹽政報告書〉，《中國鹽政實錄》（四），頁 2519-2522。

92 丁長清主編，《民國鹽務史稿》，頁 77-78。

93 曾仰豐，《中國鹽政史》，頁 61。

94 曾仰豐，《中國鹽政史》，頁 63。

95 鄒琳，《粵鹺紀實》，第三編場產，頁 2-3。

96 曾仰豐，《中國鹽政史》，頁 67-68。

豐財場,將越支場併入蘆台場,濟民、歸化併入石碑場。[97]

遼寧鹽區清代設八處鹽釐局管理鹽灘,民國三年改鹽釐局為場務局,將廣寧局改名北鎮局,寧遠局改名興綏局,復州局改名復縣局,錦州局改名錦縣局,又將安鳳局併入莊河局,改名莊安局。民國五年,又將場務局改名鹽場分署。[98]

四川均為井鹽,清代盛時共有四十一縣鑿井製鹽,民國成立稍有裁併,民國四年將富榮鹽場分為東西二場,另增設彭水、大足二場,民國五年井研、仁壽二場為井仁場。[99]

以上的整理工作,主要以集中管理為主,將效益不高及零星的鹽灘,加以封閉或合併管理,其目的在減少行政支出,降低生產成本,以利就場徵稅,不過由於鹽場極多,又散處各地,此一部份的調整,在整個鹽務改革上,並非重點工作,成效也較不明顯。

七、滷耗的廢除

古代製鹽,無法產生較純的氯化鈉,往往含有硫酸鎂等各種雜質,多含苦滷,遇到空氣中的水氣,極易變成流質,故不論儲藏、運輸均會流出滷水,產生鹽斤的損失,謂之滷耗。[100]所以自古運送鹽斤,運途中難免發生耗損,商人為減少損失,秤放鹽斤時,都要求加放若干以為滷耗,日久生弊。左樹珍云:

> 耗鹽本應有額定斤重,最初每百斤鹽,只許加色索滷耗五
> 斤,其運道遠者,亦不過百分之十。迨後鹽官遇事需索,
> 鹽商亦動輒要求加耗,鹽官以加耗可以收受賄賂,每以調

97 財政部鹽務稽核總所編,《中國鹽政實錄》(二)頁 1141-1142。
98 曾仰豐,《中國鹽政史》,頁 69-73。
99 財政部鹽務稽核總所編,《中國鹽政實錄》(二)頁 808-812。
100 鄒琳,《粵鹺紀實》第三編場產,頁 57。

劑為名，呈請政府加耗，由百分之五增至百分之十五或二十，甚至加至百分之三十。然鹽商於加耗之外，仍夾運私鹽，乘機誅求無厭，又呈請政府以恤商裕課為詞，並謂與其暗中夾帶，不如明予加斤，於是每引有加至四五十斤，並有加至七十斤者，此項加斤，均係免稅。故在民國二年以前，鹽務腐敗，已達極點，國計民生，兩受其害，稅收損失，自不待言。[101]

以上所言尚是專商運鹽的滷耗，至於官運之鹽，因為官官相護，夾帶滷耗更是驚人，如黑龍江官運之鹽，每石（六擔）八十二斤八兩，四川每石六十斤，有權有勢之人，打通關節，滷耗更多，吉林高達一百二十斤，黑龍江更達一百八十斤，商人、鹽店獲利驚人，政府稅收頗受損失。[102]

　　丁恩認為貯存、運送食鹽會產生滷耗是事實，但沒有人能事先確知滷耗的實際數量，從前所核准的滷耗太高，況且放鹽沒有固定標準，就容易發生侵吞及舞弊之事。民國二年十月三十日，丁恩就建議將鹽場放鹽時的滷耗一律取消，所有商人由場起運時之消耗、損失，無論損失多少，均由運鹽之人負擔，官坨及官店儲鹽時的滷耗，則可於帳內註銷。此一辦法經總辦張弧同意，同年十二月二十四日〈鹽稅條例〉公佈，統一規定全國鹽務均以司馬秤為衡量，每斤合 1.4 磅，每擔合 140 磅，每六十擔合英權一噸，並統一了稅率，丁恩趁此條例公佈，再次要求取消滷耗，民國三年二月七日財政部正式下令取消滷耗，解決了長久以來的一大弊端。[103]

101 左樹珍，〈民國鹽政改革史略〉，載曾仰豐，《中國鹽政史》附錄二，頁 266。
102 丁恩，〈改革中國鹽政報告書〉，《中國鹽政實錄》（四），頁 2439-2441。
103 丁恩，〈改革中國鹽政報告書〉，《中國鹽政實錄》（四），頁 2441。

八、改革的績效

丁恩出任鹽務稽核總所會辦兼鹽務署顧問，根據〈鹽務稽核總所章程〉、〈鹽務署顧問辦事章程〉，對中國鹽政事務沒有不可以干預的事項，憑藉他豐富的管理知識和技能，親自調查中國鹽政事務的實情，以確保歐洲債券持有人權益為目的，依賴列強外交力量及銀行團的支持，從事鹽務改革，成效卓著。最直接而且明顯的就是鹽稅的增加。

中國產鹽總額，向無統計，不能知其確數，全國銷數，亦無確實統計，就宣統三年（1911）清政府鹽政處檔冊，年之總銷額為二千六百七十六萬擔[104]，但是全國商私、場私、洋私充斥，據張謇推斷：「無稅之鹽與有稅之鹽相等」，張氏另依全國人口與世界各國每人年食鹽量推估，則全國食鹽銷量應達五千萬擔[105]。全國鹽稅，依清宣統三年鹽政處統計，應為四千五百四十餘萬兩，合洋六千八百餘萬元[106]。另依照銀行團代表向倫敦銀行團報告中國鹽稅收入之估計：1900 年以前，中央鹽稅當在一千三百萬兩以上，加上各省截留，鹽稅總額應有二千六百萬兩；1900 年以後，為償付庚子賠款 及各省增加之開支，鹽的附加稅達原稅之 50% 以上，因此稅額應達三千九百萬兩[107]。此數字和宣統三年清政府所提宣統四年預算，鹽稅為四千七百五十七萬五千四百八十六兩之數[108]，尚稱接近，應可接受。

---

104 張謇，〈改革全國鹽政計劃書〉，《張季子(謇)九錄》政聞錄卷十八，頁 991。
105 張謇，〈改革全國鹽政計劃書〉，《張季子(謇)九錄》政聞錄卷十八，頁 992。
106 張謇，〈改革全國鹽政計劃書〉，《張季子(謇)九錄》政聞錄卷十八，頁 993。
107 〈1912 年 7 月 13 日銀行代表向倫敦銀行團報告對於中國鹽稅之估計〉，《中國近代鹽務史料選輯》第一卷，頁 32-34。
108 賈士毅，《民國財政史》正編上冊，第二編歲入，頁 288。

以上鹽稅收入，大多為合理的推估，由於帳冊不清、稽核不嚴、商人欠稅、地方截留等原因，中央政府始終無法將鹽稅全數收齊。大借款合同簽定後，鹽稅必須統一存放於銀行團認可之銀行，歸入中國政府鹽務收入帳內，動用時非由稽核總所總會辦共同簽字，不能動用。從此各省截留稅款極少截留鹽稅，鹽稅成為中央政府穩定的財源之一。鹽務改革後，鹽稅逐年增加，列表如下：

表八　民國二年至民國七年鹽稅統計表

年　　　　　　　　分	稅收數（元）
民國二年（5 月 21 日－12 月 31 日）	19,044,000
民國三年	68,483,000
民國四年	80,503,000
民國五年	81,065,000
民國六年	82,246,000
民國七年	88,394,000
說明：稅收數不包括各省截留稅款及附加稅	

本表參考《中國近代鹽務史資料選輯》第一卷，頁 447 編製

由表中鹽稅逐年增加的情況，可見丁恩任職期間整頓稅收的績效。

丁恩對鹽務稽核總所雇用人員給予優厚的待遇及福利，對紀律的要求也十分嚴格，行政效率頗高，民國二年鹽務部門提支各項經費共計 3,891,000 元，佔全部鹽稅收入的 20.43%，民國三年降為 8.9%，民國五年更降至 8.5%，人員增加，待遇提昇，福利優渥，而管理經費佔鹽稅收入的比例卻大幅度的降低，可見其管

理的績效[109]。

　　由於鹽稅的穩定增加，以鹽稅為抵押的善後大借款，得以依約還款，並未發生善後大借款第五款規定：倘借款本利償還有拖延展緩，應將鹽政事宜歸入海關管理[110]，對國家主權損害更大的情況，也是丁恩改革鹽務的貢獻。

　　民國成立，四川、廣東等少數省份改行自由貿易，惟各省各自為政，步調不一，況且，專商勢力龐大，以各種手段影響政府官員，改革阻力重重，鹽務改革派如張謇，雖曾擔任實業總長、工商總長等職，主張溫和漸進的鹽務改革，暫行就場專賣，把原來被鹽商壟斷的食鹽，改由國家掌控，待時機成熟，再廢除引岸制度，都因既得利益者的反對，毫無實行的機會，可見舊勢力的巨大。

　　丁恩就任鹽務稽核總所會辦以前，鹽商即和政府合作，於民國二年一月十一日公佈〈稽核造報所章程〉，限制其職權僅在審查鹽稅收支，且其人事、經費均由鹽務署掌控，中國政府並利用善後借款合同第五條明定：「所有發給引票，彙編各項收入之報告及表冊各事，均由該總會辦專任監理。」[111]企圖將專商引岸制度的引票載入條約，以確保壟斷引岸的護身符。

　　丁恩就任後，在任職的前兩年，以六十歲的高齡，跑遍了中國十大鹽區，調查鹽業相關事宜[112]，對中國鹽務弊病知之甚稔，任職期間，破除情面、徐圖漸進，堅持「就場徵稅，自由貿易」

---

109 〈北洋政府時期鹽稅收入提支各項經費表〉，載《中國近代鹽務史資料選輯》第一卷，頁 448。
110 〈善後大借款合同〉第五條，《革命文獻》第六輯，頁 33。
111 〈善後大借款合同〉第五條，《革命文獻》第六輯，頁 32。
112 劉經華，〈論洋會辦丁恩在民國初期的鹽務改革〉，《廈門大學學報》（哲社版）1997 年第 1 期，頁 109。

的原則，制定法規、建立制度、查緝走私、廢除滷耗、增建場坨、劃一斤重、統一稅率等都頗具績效，但是在開放引地、取消專商特權方面，成績較為遜色[113]，不過在他的主持下，踏出了中國鹽務改革的第一步。

丁恩自民國二年六月就職，民國五年六月三年任滿，以年老力衰，原擬解職歸國，中國政府以歐戰其間，若其離職，各國爭此職務，對中國不利，且改革績效卓著，請他延長任期至歐戰結束，中國政府原欲增加其薪金，但恐此端一開，其他顧問要求援例，乃給他恩賞一萬英鎊，並允諾如他繼續任職三年，前兩年每年給假六週，第三年給七個月長假，假期中可支全薪，期滿另給予恩賜五千鎊，以為酬謝[114]，由此優遇可見，丁恩對中國鹽務的改革，獲得中國政府的肯定。曾與他共事的張弧於民國四年對記者說：「丁恩氏不特於鹽政情形瞭如指掌，即以其個人人格而論，亦艱辛耐勞，甚可欽佩。試觀其對於中國各事，無不悉心贊助，時為平生不多覯之人物。[115]」原來主張與丁恩不同，且在內心中對丁恩角色抱持懷疑態度的景學鈐，在十餘年後撰文討論稽核總所存廢時說：

> 當該所初成立時，會辦係丁恩氏，彼在印度以改革鹽政著
> 名，腦經靈敏，魄力偉大，而又實心任事，遍歷全國鹽場，
> 種種施設，均有一定計畫，且胸有主宰，不為他人搖動，
> 關於職責所在，絲毫不肯放棄，當時各省未始無破壞鹽政

113 S. A. M. Adshead《The Modernization of the Chinese Salt Adminstration,1900-1920》
（Cambridge, Massachusetts Harvard　University Press, 1970）頁 110-117。

114 〈1916 年 1 月 7 日財政總長周學熙致丁會辦函〉,《中國近代鹽務史資料選
輯》第一卷，頁 164。

115 〈中央紀事〉,《鹽政雜誌》第十八期，轉引自李涵等著,《繆秋杰與民國
鹽務》，頁 28。

之軍閥，而彼抱百折不回之精神，務必達其目的而後已。[116]
對丁恩主持鹽務稽核總所的表現，可說是讚譽備至。我們從當時的環境與主客觀條件來分析，民國初年的鹽務改革，上有北京政府爲了集權中央，增加稅收，大力支持；中有鹽務改革派宣傳改革思想，傳播改革理念；下有人民對降低食鹽價格，提高食鹽品質的期待；外有銀行團爲確保債權，以償還善後大借款的壓力，內有丁恩堅持就場征稅自由貿易的目標與務實做法，改革方能逐步推行，日起有功。

民國六年七月，丁恩計劃將中國政府允諾的長假在民國七年一次休完，提前離華，他依中國政府允諾，推薦曾在印度接其職務的甘博（Reginald Gamble）代理其職務[117]，財政總長梁啓超同意丁恩推薦的代理人博，也致函要求丁恩休假期滿繼續任職，俾奏改革之全功[118]。丁恩以年屆六十五歲，恐難繼任艱鉅，四年多「整頓鹽務無不竭盡棉薄，至今心力交瘁」[119]；另一原因是大環境的改變，民國五年六月袁世凱逝世以前，除了廣西、雲南、貴州等邊遠省份可以從鹽餘中獲得協餉，其他各省都不敢截留鹽餘，所有鹽餘都撥付北洋政府，中央政府權力集中，有利於鹽務改革。袁世凱死後，湘、川、貴、滇各省，處於獨立狀態，影響於鹽務改革，護國軍起義後，雲南、貴州、廣東，四川等省不承認北京政府，開始截留鹽餘款，湖南、湖北、福建各省相繼仿效，雖然引起列強外交團的抗議，但是因爲地方軍人扣留之鹽餘，並

---

116 景學鈐，〈鹽務稽核所存廢問題〉，《鹽政叢刊》第二集（上），頁 244。
117 〈民國 6 年 7 月 21 日丁恩致李思浩總辦函〉，《中國近代鹽務史資料選輯》
　　第一卷，頁 164-166。
118 〈民國 6 年 8 月 8 日財政總長梁啓超致丁會辦函〉，《中國近代鹽務史資料
　　選輯》第一卷，頁 166。
119 〈民國 6 年 8 月 13 日丁恩致財政總長梁啓超函〉，《中國近代鹽務史資料
　　選輯》第一卷，頁 166。

不影響其債款本利之償付，遂由稽核總所與各省當局協商，同意將鹽務經費以外之鹽餘，聽由地方提用，稱爲「奉准截留」，地方軍人也保證不擾亂稽核所的業務[120]。各省爲了籌備餉需，於正稅外任意增加附加稅，甚至在「奉准截留」外，強行提用鹽稅，使得鹽務行政與稅收受到極大的干擾，鹽務改革步調受到嚴重影響，丁恩應該感受到改革前途多舛，不願續任[121]。因而辭謝了財政總長梁啓超的挽留，於民國七年二月離華，結束了他在中國鹽政改革的歲月。

　　丁恩任職期間，中國政局變化迅速，官員易動頻繁，財政總長（包含代理）共換了 11 人，鹽務署長也四次更替，丁恩得以長期擔任鹽務稽核總所會辦兼鹽務署顧問，其原因頗多，清末至民國元年，地方全力擴張，中央政府無法號令全國，民國二年袁世凱以軍事力量打敗了反對勢力，完成了國家統一，丁恩處在一個中央集權的環境中，得到中國政府的支持，甚至利用他將地方鹽政權與鹽稅收歸中央；稽核總所又得到五國銀行團與其背後的列強政府支持，無懼於地方勢力，地方政權懍於列強勢力，不敢扣留鹽稅；加之二十世紀以後，國家銀行系統的發展，中國銀行、交通銀行在大部分鹽稅局所在地，相繼設立分行，爲建立中央集權的徵稅制度提供了有利條件[122]，當然丁恩瞭解世界鹽務改革趨勢，勤勞負責，討論任何改革之事，都能拿出他至各地調查鹽務的實際數據，說服反對者，務實的提出可行方案，故而能堅持改

120 〈1918 年 4 月 1 日簽訂之四川省撥借川南川北鹽務稽核分所鹽稅款項條件〉，載《中國近代鹽務史資料選輯》第一編，頁 381-383。

121 左樹珍，〈民國鹽政改革史略〉，載曾仰豐，《中國鹽政史》附錄二，頁 271-281。

122 S. A. M. Adshead《The Modernization of the Chinese Salt Adminstration,1900-1920》（Cambridge, Massachusetts Harvard　University Press, 1970）頁 102。

革了方向與步驟，方能抗拒改革的阻力，完成銀行團賦與的使命，也滿足了中國政府將鹽稅收歸中央的目的[123]。

善後大借款予外人監督中國鹽務，對中國主權自然是一大損害，但丁恩名義上是中國政府聘用，在財政總長監督下，與中國籍鹽務稽核總所總辦共同從事鹽務改革，他的改革目的在徵收足夠的鹽稅，確保善後大借款債券持有人的本息正常繳付，倘若不進行改革，鹽稅不足以依照借款合同支付借款本息，依善後借款合同第五條，鹽政將歸海關辦理，完全由外人控制，則中國主權將進一步喪失。在丁恩堅持改革下，地方軍閥不敢任意截留鹽稅，鹽稅也明顯增加，其羨餘永為中國政府所用，人民負擔並未加重，福國利民，與王夫之稱許劉晏時說：「其所取盈者，奸商豪民之居贏與墨吏之妄濫而已。」「榷鹽之利得之奸商，非得之食鹽之民也。」有異曲同工之處，東西方兩位鹽務改革者，都主張「就場征稅，任其所之」的自由貿易產銷原則，其結果也相同，丁恩在善後大借款後主導鹽務改革，是國權喪失巨大代價下的收穫，丁恩對中國鹽務改革是有其貢獻的。

---

123 劉經華，〈論洋會辦丁恩在民國初期的鹽務改革〉，《廈門大學學報》（哲社版）1997 年第 1 期，頁 110；劉洪升，〈北洋初期的鹽務改革〉，《鹽業史研究》1997 年第 1 期，頁 17。

第七章 結 論

　　梁啓超曾說:「吾國有一物焉,為人人所必需,國家所託命,數千年來隱於黑幕之中,承平之時因此而殺身破家者,始(殆?)不可以數計,一遇亂世,則劇盜流寇,憑借於茲,以亡人國。[1]」他所說的「一物」,指的就是食鹽。一個人一天只需要 5－10 公克的鹽,從數量上看並不算多,但卻是人人少不了它,古人早就知道「惡食無鹽則腫」[2],其關係於國計民生、社會穩定者卻十分重要。

　　所謂關係於國計民生者,是自古以來歷朝政府無論採取食鹽徵稅或專賣,鹽課都是政府重要的歲入之一,所佔比重都不低。春秋時代管仲在齊國實行的部分專賣制、漢武帝時施行的全部官賣制,鹽課收入佔國家全部稅課的比例雖不得而知,但是齊國因魚鹽之利,稱霸於當時;漢武帝因鹽鐵專賣,解決了一部份國用不足的問題,可見食鹽專賣在國家財政上的重要性。安史之亂後,劉晏實行就場專賣制,唐代宗大歷末年(776)鹽利增加至六百餘萬緡,而通計一年政府稅賦共一千二百萬貫,鹽稅佔全國稅賦一半;宋代發展形成商運商銷的鈔鹽制,鈔鹽成為國家主要收入,南宋以後外患頻仍,戰爭迭作,軍費浩大,鈔鹽錢成為維繫政府財政的重要支柱;明代實行的「開中法」,不但可省轉輸之費,軍

---

1 梁啓超,〈鹽政雜誌序〉,景學鈐編《鹽政叢刊》(上),頁 1。
2 《管子》卷 23,〈地數〉第 77,頁 3、卷 23,〈輕重〉甲第 80,頁 15。

儲之用充足，鹽課收入也佔歲入之半[3]。有清一代，鹽課收入從佔
歲課的百分之八，攀升至清末的百分之二十左右，比例仍然不低
[4]。民國初年，鹽稅佔歲入的比例約爲百分之二十五[5]。從鹽稅佔
歲入比重上看，鹽稅徵收的多寡，影響國家財政收入。食鹽爲人
民日常生活所必需，沒有替代品，政府爲了解決財政問題，抽取
重稅，鹽商爲求暴利，摻沙和土，導致食鹽品質低劣，價格高漲，
逼使人民購食私鹽，又因爲購食私鹽也是違法行爲，需要非常隱
蔽，人民也必須保護販售私鹽者以自保，造成私鹽橫行，國家以
嚴刑峻罰對付走私與購私者，影響於人民生活者至爲巨大[6]。

　　中國從唐代中葉以後，出現了以武裝販售無稅私鹽的鹽梟，
其原因是各地食鹽價格不同，走私食鹽獲利數倍，政府厚集兵力
以捕梟，私梟仍明目張膽，結隊橫行，勾結官兵，狼狽爲奸，甚
至變本加厲，豎立名號，揭竿聚衆，釀成大禍，唐末之黃巢、蜀
王建、吳越錢鏐、元末張士誠、方國珍等人，殺人百萬，造成社

3 據研究，明代世宗嘉靖元年（1522）至萬曆十八年（1590），太倉庫主要收
　入約 209.2 萬兩，鹽稅收入約 100 萬兩，占總收入的 47.8%，見黃仁宇著，
　阿風等譯，《16 世紀明代中國之財政與鹽稅》，聯經出版公司 2001 年 1 月初
　版，頁 316；不同的統計數字是，萬曆年間歲入約 400 萬兩，年收鹽課銀 240
　餘萬兩，比例高達 60%，參見劉淼，《明代鹽業經濟研究》第六章〈鹽課統
　計與折納〉，頁 193-220。
4 趙爾巽等撰，《清史稿》卷 129，〈食貨志四、鹽法〉，頁 3；卷 131，〈食貨志
　六、會計〉，頁 20；賈士毅，《民國財政史》正編上冊，〈清代之財政〉，頁
　3-45。
5 民國初年地方截流稅款情形嚴重，歷年歲入歲出頗有變化，鹽稅佔歲入比重
　也有不同，以民國五年爲例，歲入三億一千五百七十八萬餘元，鹽稅收入八
　千四百七十七萬餘元，比例爲 26.8%，參見賈士毅，《民國財政史》正編上冊，
　〈中央之財政〉，頁 67-69；賈秀岩、陸滿平合著，《民國價格史》，中國物價
　出版社 1992 年 5 月 1 版 1 刷，頁 26-31。
6 佐伯富著、楊合義譯，〈鹽與中國社會〉（下），《食貨月刊》復刊第 4 卷第 12
　期，民國 64 年 3 月出版，頁 35-36。

會不安，荼毒生靈[7]。故而食鹽的產銷成為歷朝政府的一大問題。

中國重視鹽業由來已久，歷代均以治鹽為要務，講求鹽務者，均以裕國利民為主旨，而以財政稅收為目的[8]，難怪有人感慨的說：「中國鹽政問題，問之鹽官，但知有鹽稅，不知有鹽政；叩諸鹽商，但知有鹽務，不知有鹽政……官府之案牘，除鹽稅外，欲求一鹽務行政之統系，絕不可得。所謂欽定鹽法志者，亦不過一部零碎不統一之鹽稅科則表耳。[9]」此雖為偏激之論，但是揆諸相關史實，亦頗能顯示中國歷代鹽務之弊病[10]。

鹽在地球上儲量很大，以各種方式存在，海水中含鹽比例為百分之三左右，幾乎是取之不盡，用之不竭的物質[11]，製造也不困難，人人必食，控制食鹽的組織或個人，獲利豐厚。世界各國對食鹽採取的管理制度，因稅制不同而異，我們從中國歷史上各個朝代鹽務管理的經驗來看，採取無稅制的時間極短，沒有鹽務管理問題發生，可置而不論；有徵稅制，所謂徵稅制包括國外生產之鹽進口徵收之關稅，根據清代與民初鹽法規定，鹽非經政府

---

7 梁啓超，〈鹽政雜誌序〉，景學鈐編，《鹽政叢刊》，頁 1-3。
8 中國鹽政實錄第六輯編纂委員會編，《中國鹽政實錄》第六輯，經濟部民國 76 年 12 月出版，頁 1。
9 本白，〈鹽稅與督軍〉，《鹽政叢刊》（上），頁 91。
10 陳滄來曾以鹽價為例，濱海產鹽地區食無稅之鹽，鹽價極低，貴州等內地民眾，購食每百斤數十元之鹽，當地人民以鹽為珍品，宴客時以線懸鹽塊於宴上，下置清水一碗，主人將鹽溶於清水做鹽湯以宴客。他感慨的說：「政府何以厚於濱海之民，又何以薄於內地的民眾？是以知我國有鹽稅無鹽政。」見氏著《中國鹽業》，王雲五主編萬有文庫，上海商務印書館民國 18 年初版，頁 7。
11 各地海水中含鹽量不一，河川出口附近淡水大量匯入，含鹽量常低於 2.5%，大西洋含鹽量 2.77%，封閉型的海中含鹽量較高，地中海為 2.94%、紅海為 3.1%、死海含鹽量高達 33%。參見鄭尊法，《鹽》，頁 25；張彭熹，《沈默的寶藏 ── 鹽湖資源》，頁 2。

同意不得由外國輸入，因此中國無關稅徵收問題[12]；另有對國內生產的食鹽徵收鹽稅，中國歷史上實行徵稅制的時間相較於專賣制也不算長，春秋戰國時期除了齊國，各國多採行徵稅制，包括東漢光武及和帝至獻帝時期、東晉、南北朝（除了東魏與高齊）及唐玄宗時採行徵稅制，從這些政權統治時多屬分裂或衰落時期，可知徵稅制是中央權威衰落之時，無法貫徹執行專賣制，以致中央無法靠專賣所得之稅賦，集中資源，整軍經武，壯大國力，強大其政權，可見集權與集財往往互為因果，影響頗大。

中國食鹽採取專賣制度的時間最為長久，變化也大。春秋戰國的齊、西漢武帝至平帝、東漢明章二帝、三國、西晉、北朝東魏與高齊、唐肅宗以後、五代、宋、元、明、清均是。從本書第二章簡短的敘述中可知，專賣制又分全部專賣、部分專賣與商專賣，其中以劉晏實行的部分專賣制最成功，也最為後世稱道。劉晏的成功，主觀上因他個人明敏，用人得當，管控得宜，所用之人，雖在千里之外，不敢欺瞞妄為，而其「就場徵稅，任其所之」的原則，減省鹽官，既不擾民，又節省管理費用與官吏貪腐之浮費的做法，實為古今管理鹽務最了不起的經驗結晶。宋代以五代「折博」為基礎，發展出「入中」與「折中」的辦法，將鹽稅由地方稅變成了中央稅，佐伯富認為，宋代雖然武力不振，卻能繼續穩健前進，是因鹽價低廉之故，鈔鹽制既能維持政府財政，又能讓人民食低價之鹽，可知鹽在維持政權穩定上的重要性[13]，這個制度更加強了日後中央集權的財政基礎，也是明代「開中法」

---

12 清代禁止外鹽輸入，見本書第三章第二節，〈清代的私鹽〉洋私部分，民初亦禁洋鹽進口，參見財政部鹽務署鹽務稽核總所編，《中國鹽政實錄》（四），頁 2727。

13 佐伯富著、楊合義譯，〈鹽與中國社會〉（下），《食貨月刊》復刊第 4 卷第 12 期，民國 64 年 3 月出版，頁 38。

的濫觴。

明代初年實行開中法頗能解決邊境後勤補給問題，並繁榮市場經濟，後期，由於開中制與食鹽運銷結合的體制弊端百出，有了袁世振制定綱鹽制度的出現，也就是商專賣制，綱鹽制本欲解決引鹽滯銷，鹽稅歉收的問題，初期也頗能解決食鹽壅滯的問題，但是袁世振為了彌補鹽商因為減斤加稅的損失，綱冊編定後，即永留與眾商，永永百年，據為窩本，年年照冊上數派行新引，冊上無名者，不得參與銷鹽，形成引權世襲化，造就出世襲專商，加上原有的引岸，形成了沿襲三百多年「專商引岸」這一巨大怪獸。清因明制，繼承了綱鹽制度的一切優缺點，順治、康熙、雍正及乾隆初期，吏治尚稱清明之時，雖有小疵，問題尚不嚴重，乾隆中葉以後，統治者懈怠於上，官吏貪腐於中，人民受害於下，上下交爭利，賄賂公行，吏治敗壞，鹽務也大受影響。

道光以後，政府財政問題日趨嚴重，田賦、關稅無法增加，唯一有增加潛力的鹽稅，又因官鹽壅滯，私鹽盛行，欠課嚴重，才有道光皇帝全力支持下陶澍在兩淮的鹽務改革。陶澍在淮南僅從執行層面改善，用人得當，監督得宜，掃除弊端，革除陋規，減少浮費，績效自然顯現；在淮北實行票鹽法，則為制度層面的改革，從票鹽法實施後，不限定持有引票才能販鹽，破除專商，引鹽暢銷，私梟轉而合法販鹽，鹽稅大增，績效更為明顯。我們從陶澍在淮南、淮北的鹽務改革，可以得到一個和劉晏改革成功完全相同的道理，那就是政府想要從食鹽販售中獲得充足的財稅，就必須建立良好的運銷體制，任用清廉負責的人員，減少政府干預，利用民間商人，提高生產、運銷效益，降低食鹽成本，鹽價降低，減輕人民負擔，市場上私鹽自然絕跡，政府鹽稅反而能夠增加。其實陶澍所實行的票鹽法，和引鹽制度系出同源，僅

僅打破了專商壟斷，並未消除引岸的限制，更未根本解決中國鹽
務的所有弊病，其所以績效明顯，用人得當，監督得宜等人為因
素佔的比例不小，這一點我們可以從太平天國事件平定後，曾國
藩，李鴻章在兩淮再行票鹽制，鹽法紊亂，弊病不下於綱鹽舊制，
得到證明[14]。

　　清代中央集權體制下，鹽政權操於地方督撫，陶澍的改革若
無道光皇帝的支持，仍無法對抗既得利益的鹽商，與共同分享利
益的官吏集團。值得注意的是，陶澍過世後，內憂外患更加嚴重，
帝國主義國家以政治、軍事、經濟各種形式侵略中國；太平天國
起事，擾攘十餘年，清政權一度為了解決長江運道不通，淮鹽無
法運銷，兩湖地區無鹽食用，稅課民食兩缺的窘境，打破引界，
同意「川鹽濟楚」，清代後期若能在平定太平天國事件後，將陶澍
改革廢除專商成功的經驗，加上「川鹽濟楚」打破引界的作法，
結合以後，推廣於全國，則根深蒂固的「專商引岸」制度，並非
沒有革除的機會，可惜此時清政府內憂外患紛至沓來，無心於此，
中央權力衰落，無力貫徹鹽務改革，既得利益者的城堡堅實異常，
必須等待更強有力的力量，才能摧毀鹽業保守勢力的堡壘。

　　至於清政府宣統年間企圖建立中央至地方事權統一的鹽務
管理組織，固然因為改革內涵中包含了滿漢之爭、中央與地方權
力之爭，使得鹽務改革的目標幽隱不顯，即使清廷能從地方督撫
手中奪回鹽政主導權，設若弊病百出的「專商引岸」制度不能革
除，官吏貪腐習性不能改變，鹽商奢糜浪費風氣不能去除，欲求
鹽價降低，私鹽匿跡，國課日增，民無淡食之虞，有如緣木求魚，
鹽務改革成功是不可能實現的。

---

14 左樹珍，〈鹽政叢刊序〉，景學鈐編，《鹽政叢刊》（上），頁1。

　　清朝二百六十餘年，專商積弊，迄未革除，各省鹽務，紛亂如絲，引界之爭，幾如國防，引岸之專，視若采地，國課民生，交受其困[15]。民國初建，有識之士，倡議改革鹽務，張謇、景學鈐、左樹珍等人為其代表，他們對外人很難深入了解，無人能盡窺其內容，號稱「鹽糊塗」的鹽務，提出了改革的主張[16]，他們關心的範圍極廣，舉凡專商的廢止，引岸的破除，權量斤重的劃一，鹽稅的統一，場產的整理整併，製鹽技術的改進，緝私機關的整頓，會計法規的制定，官場惡習的改良，鹽務官員權益的保障，鹽質的檢驗，巨細靡遺，無所不包。他們對廢除專商引岸制度後，應採取何種運銷制度，初期看法不同，張謇主張「就場徵稅，任其所之」的自由運銷，景學鈐認為短期內不易達成，主張民製、官收、商運的運銷體制，張謇為謀求鹽務改革派主張與立場的一致，同意景學鈐的主張為過渡時期的作法，以減少阻力，最終仍應實行自由運銷體制。鹽務改革派為了實現鹽務改革的理想，達成增加國課，便利民食的目的，並不主張採取激進的作法，在他們溫和的主張中，處處為鹽商設想，卻仍然沒有得到鹽商的支持，鹽商出身的財政總長周學熙暗中阻撓下，改革派的主張多未能實行。張謇一生在政治、社會與實業領域的成就，早為世人

---

15 左樹珍，〈歷代引法通論〉，轉引自田秋野、周維亮合編，《中華鹽業史》，頁 322、324。

16 林振翰在《鹽政辭典》〈鹽糊塗〉條曾說：「糊塗者，明白之反對詞也。我國政務之紊亂秘密，無過於鹽，因紊亂而秘密，因秘密而糊塗，官商勾通，奸弊相習，以此為舞弊之具，以此為不傳之訣。以故千數百年來，鹽務隱於黑暗之中，敢言者苦不知其內容，而不能言，或言而不能盡；能言者非鹽之關係人，不欲言，即慮鹽之關係人之反對，而不敢言，於是鹽務一道，遂成黑幕中之專門學，非局外人所得問津，此鹽糊塗三字，是以至今猶未能削除也。」頁亥 40；陳滄來也說：「平心而論，鹽那裡會糊塗，不過大家要把它弄到糊塗的地步，才好打混水來捉魚。」見氏著《中國鹽業》，頁 7 ；景學鈐，〈鹽政叢刊自序〉，《鹽政叢刊》（上），頁 1-2。

肯定，其在鹽務方面的主張堅定而有系統，景學鈐與左樹珍雖無官位，卻一生從事鹽務改革觀念的宣導，實務的推展，值得後世景仰。

善後大借款以鹽稅為抵押，固然有損國家主權，卻也開啓了鹽務改革的契機。根據善後大借款合同，中國政府聘請英國人丁恩（Sir Richard M. Dane 1854–1940）為財政部鹽務稽核總所會辦，丁恩名義上是中國政府聘用，在財政總長監督下，與中國籍鹽務稽核總所總辦共同從事鹽務改革，他任職四年七個月又七天中間，為確保善後大借款債券持有人的權益，在列強政府及五國銀行團支持下，從事鹽政事務改革。以六十歲之年齡，跑遍中國十大鹽區，收集完整數據資料，以為改革的依據。任職期間，堅持「就場徵稅，自由貿易」的原則，建立中央到地方的鹽務稽核體系、制定法規、查緝走私、廢除滷耗、增建場坨、劃一斤重、統一稅率等都頗具績效，但是丁恩也明白，中國鹽務積弊已久，非短時間能夠清除殆盡，在開放引地、取消專商特權方面，需要大量資金以為補償，則採取徐圖漸進的做法，丁恩不尚空談，實事求是的做法及其成效，贏得各方好評，一向對丁恩「就場徵稅，自由貿易」主張抱持懷疑態度的景學鈐，日後對丁恩改革的成效，都給予高度的肯定[17]。

景學鈐回顧中國鹽務改革時曾說：「實行官專賣制有三個必

---

17 景學鈐主張鹽務改革應循序漸進，不可躐等，就場專賣制為達成就場徵稅制過渡時期適當作法。民國十二年，景學鈐在《鹽政雜誌》上發表宣言，聲明放棄他一向主張的就場專賣制，贊同就場徵稅自由貿易。他改變的原因，一則是肯定丁恩改革的成效，再則是實行就場專賣制，必須中央集權才能達成，袁世凱逝世後，此一條件已不存在，因而正式宣布同意就場徵稅。晚年則肯定丁恩改革的績效。參見本白，〈就場徵稅與就場專賣之比較〉（下），景學鈐編，《鹽政叢刊》（下），頁601-607；〈鹽政雜誌社最近宣言〉，《鹽政叢刊》第二集（上），頁145-152。

要條件：必須有集權之中央政府，正直廉潔之官吏，與充足之官收資本。[18]」其實不僅實行官專賣需要上述三個條件，任何鹽務改革都必須具備上述條件。民國五年六月六日袁世凱逝世，地方軍人勢力抬頭，中央權威衰落，此時丁恩剛好同意延長任期，由於四川、雲南、廣東、湖南、湖北、福建各省相繼截留鹽稅，加徵鹽的附加稅，鹽務行政與稅收受到極大的干擾，鹽務改革步調受到嚴重影響，丁恩第二任期中改革的步調已不如從前，丁恩離職時，他主張的「就場徵稅，自由貿易」並未能夠實現。一直要到北伐以後，民國二十年五月三十日國民政府公佈的〈鹽法〉，在這部一共七章三十九條的新鹽法中，第一章總則第一條即開宗明義的規定：「鹽就場徵稅，任人民自由買賣，無論何人不得壟斷。[19]」整部新鹽法主要特色就在廢除壟斷民食的世襲專商，並打破此疆彼界各自獨立的銷鹽引岸[20]，中國人民數千年來在食鹽問題上所受不合理待遇，在法律上獲得了解放[21]，國民政府這樣的改革，當然是建基於民國初年丁恩改革的基礎之上才得以進行的，可證明丁恩在中國四年餘，雖因善後大借款以鹽稅爲擔保，賴銀行團與列強勢力，爲保障債權人利益而從事鹽務改革，卻是碰觸

---

18 景學鈐，〈四十年來鹽務革命之總檢討〉，《鹽迷專刊》第一卷，民國 24 年 12 月出版，轉引自李涵等著，《繆秋杰與民國鹽務》，頁 23。

19 〈鹽法〉，財政部鹽務稽核總所編，《中國鹽政實錄》（四），頁 2725。

20 中國鹽政討論會電台演講稿，〈中國鹽務之現狀〉，民國 24 年 11 月中國鹽政討論會發行，頁 2。

21 景學鈐在〈鹽政雜誌二十周年宣言〉一文中，縷訴推動鹽務改革二十年來之艱辛，令人敬佩鹽務改革派之毅力，也令人感慨改革之艱辛。但是新〈鹽法〉公佈後雖獲各界好評，惟因國家財政困難，無力全面整頓鹽場，降低稅率，亦無力照顧裁汰鹽場失業鹽工，復以專商強烈反對，實際上未獲實行，僅將部分引岸開放自由貿易。見景學鈐，〈鹽政雜誌二十周年宣言〉，《鹽政叢刊》第二集（下），頁 569-575；曾仰豐，〈中國鹽政之新動向〉，《東方雜誌》第 34 卷第七號，頁 79-80；何思瞇，〈抗戰時期時鹽專賣制度的建立與發展〉，民國 82 年 9 月 9 日至 11 日中華民國史專題第二屆討論會，頁 1。

到中國歷朝都不願甚至不敢碰觸的鹽務改革，堅定不移，百折不撓，溫和而不躁進的朝他所認定的目標前進，他所倚賴的銀行團與列強，反而成為推動中國鹽務改革的助力，得以向保守的既得利益者挑戰，踏出了鹽務改革的第一步，奠定了日後改革的基礎。

綜合以上所述，陶澍在道光十年展開的改革，是清朝政府有感於官鹽壅滯，鹽課欠收，財用不足，鹽務弊端太多，主動採取的改革措施，當時鴉片戰爭尚未發生，太平天國也未起事，中央政府權柄尚未下放，在道光皇帝全力支持下，兩淮鹽務改革尚稱見效，可惜內外環境發生變化，陶澍鹽務的經驗未能推行於全國；洪楊事起，粵鹽濟湘、川鹽濟楚，被動打破食鹽引界的臨時性舉措，未能延續並擴大行之全國，失去了另一次全面改革的機會；宣統年間，中央權威已失，滿漢界限漸泯，滿州親貴卻表面上推行中央到地方上鹽政組織的調整，暗地裏欲求「排漢的中央集權」，不但漢人督撫無法同意，滿人督撫也不願支持，鹽政組織的調整隨著辛亥革命的成功而消逝。民國成立，鹽務弊端依舊，專商引岸仍存，貪婪的鹽商掌控著如同世襲采地的引岸，腐蝕著國課，吮吸著人民膏血，張謇、景學鈐等人振臂疾呼，籲請改革，他們的力量對抗歷史的慣性，有如蚍蜉欲撼大樹，顯得那麼微弱，但是他們努力宣傳理想，對抗財大氣粗鹽商的勇氣，值得敬佩。善後大借款合同簽訂後，袁世凱同意以鹽稅為抵押，引發各界一片撻伐，視為喪權辱國。中國政府為償付善後大借款本利，被動從事鹽務改革，孰料丁恩受聘出任鹽務稽核總所會辦以後，以其對世界鹽務管理發展趨勢之了解，與勤走各大鹽區收集資料的努力，戮力改革，在民國五年以前，利用五國銀行團與列強支持，配合北洋政府欲求達成集權中央，必先收鹽稅於中央，趁勢解決清末以來鹽稅大部分分散於地方的意願，鹽務改革成效逐漸顯

現，是始料未及之事。

我們並可進一步的得出以下三項結論：

一. 鹽業是明、清兩代中國最大的產業，在開中法日久生弊，以致官鹽品質不佳，私鹽盛行，鹽稅減少的惡性循環之時，袁世振創行綱鹽制度，將食鹽運銷由官專賣制變更爲商專賣制，以致鹽商必須依賴政治權勢才能經營鹽業，鹽商必須處處巴結官府，才得以繼續運銷食鹽，導致食鹽銷售部分利潤爲官僚體系分潤，遂致商業資本不能朝商品改良的產業資本方向轉移，影響中國產業革命至鉅。鹽商爲了繼續保有食鹽銷售的壟斷地位與銷售引地，將一切心智用於對抗改革的主張，而不圖食鹽生產方式與運銷工具的改良，以求降低生產成本，追求鹽稅增加、企業獲利、人民得食物美價廉食鹽的三贏局面，反而成爲改革鹽務最大的阻力。

二. 鹽業改革必須在中央政府權力集中時進行，清代繼承了明代專商引岸制度的優缺點，卻不能在前期中央政府權力集中時改良鹽政，革除弊端，反而不斷增加鹽稅，勒取報效，加速了鹽政的腐化。迨中央權力式微，財政問題日益嚴重，才驚覺鹽務弊端嚴重，亟謀改進，因鹽政權力失之於地方，陶澍的改革是局部的，也非根本的改革，更無力推廣於全國，以後無論被動的川鹽濟楚打破引界，或宣統年間中央鹽政組織的調整，都因短視與改革目標不明確而失敗。反而是民國初年，袁世凱以武力打倒國內反對勢力後，與外國銀行團相互利用，於中央權力大增之時，在丁恩主持之下，從事鹽務改革，因地方勢力衰退，改革方向正確，頗具成效。

三. 從中國歷史上鹽務改革的經驗看來，凡是中央政府過度控制鹽業，或任由少數商人壟斷，在中央政府政治力強大，能嚴

密掌控，吏治清明之時，短時間內或許尚不致產生問題，但是時間一久，社會經濟情勢變遷，政府對生產和流通過程控制力減弱，加上鹽務組織與制度上的缺點，綱紀日漸廢弛，執行又不能得人，必然弊病百出，以致私鹽盛行，鹽稅減少。反觀無論是劉晏主張的「就場專賣，任其所之」；陶澍在淮北實行的票鹽法，允許一般人販運食鹽，打破專商壟斷；川鹽濟楚時期，四川鹽斤入楚，不論官鹽私鹽，設關抽稅，一概准許自由販售；亦或丁恩朝就場征稅，打破專商引岸的方向改革，都能造成鹽價因而平抑，私鹽減少，稅收增加，一舉數得的結果，成效十分可觀。可知，政府制定完整的法規制度，減少干預，尊重市場機能，讓商品自由流通，才是最佳策略。

　　時代不斷進步，任何個人或制度都必須因應環境的變遷作調整。清代後期陶澍改革兩淮鹽務時，鹽從江蘇儀徵十二圩起運，逆流運至江西、湖北，一年兩運，鹽船沉重，如遇河道淤積或無風之時，運輸時間延長，更增運輸成本，造成鹽商成本積壓。清末民初交通改善，氣輪、鐵道改變了運輸工具，縮短了運輸時間，原來兩淮引岸運銷江西、安徽、兩湖四省，是依賴長江水運而建立的，川漢鐵道通，由川運鄂僅需半日，粵漢鐵路通，由粵運湘之鹽不過數小時[22]，平漢、粵漢、川漢、鐵路完工後，川鹽、粵鹽、蘆鹽利用快速、廉價、便捷的鐵路，可以源源不絕的運到鐵路沿線銷售，從前的引地必然無法維持，原來持有引票的專商，也無法在政府的保護下壟斷運銷。

　　製鹽技術改良，對專商引岸的衝擊也不小。二十世紀以後，製鹽技術改進，將原鹽化滷重製，把粗鹽中所含造成苦味的鈣、

22　王槙幹，〈中國鹽政改革規劃意見書〉，經世文編社編，《民國經世文編》第三冊，財政七鹽務，頁 33-34。

鎂、芒硝等物質分離出來,民國三年范旭東在塘沽創辦的久大精鹽公司,生產精製鹽,氯化鈉成分可達百分之九十八以上,並減少內涵之微生物,以提升人民食鹽品質[23]。當時的動機是改進食鹽品質,以抵制走私洋鹽,但是卻引發專商以精鹽侵占引界引岸,極力反對抵制,而精鹽深獲食用者好評,相繼有淮北的樂群公司、煙台的通益、通達公司成立[24],產量日增,對品質不佳的粗鹽銷售自然造成一定程度的影響。時至今日,精鹽製造方法更是日新月異,除了久大公司使用洗滌法精製食鹽,另有鍋熬法、真空罐製法、離子交換膜製鹽法等精製食鹽方法出現,其中離子交換膜製鹽法所製食鹽,含氯化鈉成分在百分之九十九以上,全部在室內以機器操作生產,不受天候影響,產量穩定,不需廣大鹽灘,節省工力,品質優良,合乎衛生,如大量生產,傳統製鹽法無法與之競爭,專商引岸制度也必然受其影響而消失[25]。

　　從道光十年(1830)到民國七年(1918),不到九十年間,中國經歷了翻天覆地的改變,外敵入侵,內部擾攘,國體變革,政體改易,允稱中國歷史上變動最劇烈的時代。鹽務制度也在這一變動快速的期間,受到衝擊,有時主動,有時被動的進行變革,但是所有的改革,不論成功或失敗,都點明了鹽務改革必須在中央政府權力集中的狀況下,有完整計畫,任用人才、破除情面下進行;而改革應該是朝向符合自由經濟思想的原則,以全民的利益為依歸,而非以財政為目標來進行改革,才是正確的方向。

---

23 田秋野、周維亮合編,《中華鹽業史》,頁 18;陳滄來,《中國鹽業》,頁 53。
24 景學鈐,〈推廣精鹽議〉,景學鈐編《鹽政叢刊》(下),頁 347-358。
25 田秋野、周維亮合編,《中華鹽業史》,頁 19-20。

　　台灣四面環海，製鹽技術進步，食用鹽從不欠缺[26]，光復以後，取消日治時期食鹽專賣，自民國六十六年七月一日起，取消鹽稅[27]，鹽品自由販售，價廉物美，久已不聞私鹽問題；中國大陸至今仍實行食鹽專賣制[28]，為了防止私鹽，1950 年緝私部隊有鹽警12,255名，至2006年增至25,000 名，但是私鹽之多仍令人吃驚，2003 年 11 月 26 日河南破獲萬噸私鹽；2006 年 4 月 6 日四川鹽務局查獲私鹽 1600 公噸，許多私鹽為含有亞硝酸鈉的工業用鹽，吃了會影響健康甚至死亡，部分私鹽是和鹽政官員勾結，形成產銷運一條龍式的作業[29]，與民國初年以前食鹽產銷弊端類似，都可證明食鹽充分供應，自由貿易，是解決鹽務問題最佳的辦法。

　　生活在 21 世紀台灣地區的我們，由於營養過剩，一般人尤其患有心血管疾病的人，常常從醫生、媒體上聽到、看到少鹽、少油，多吃蔬菜、水果的建議，以保健康[30]，甚至在坊間有些出版品，專門教人以鹽洗滌蔬果、減輕體重、美化肌膚、治療過敏，

---

26 食鹽在今日主要為工業用途，加上台灣人工日貴，土地不足，氣候因素食鹽生產以由餘鹽外銷，轉為食鹽進口，參見周維亮，〈台灣之製鹽工業〉，《台灣銀行季刊》第 26 卷第 2 期，頁 206-239。

27 中國鹽政實錄第六輯編纂委員會編，《中國鹽政實錄》第六輯第四節〈鹽稅取消的經過〉，頁 6-10。

28 何世庸，〈繆秋杰與民國鹽務序〉，李涵等著，《繆秋杰與民國鹽務》，頁 2。

29 中國大陸私鹽販售情形普遍，河北、四川、廣東都有，參見丁長清、唐仁粵主編，《中國鹽業史》近代當代編，頁 367-432；〈河南破獲萬噸私鹽大案〉《大眾標準化》2003 年第 2 期，頁 22；〈1800 噸死亡私鹽入川〉《大紀元時報》，2005 年 10 月 15 日、2006 年 4 月 10 日；《解放日報》2003 年 10 月 15 日刊載一個十歲兒童因食用私鹽死亡的案例；另何克拉在〈私鹽流通及其危害初探〉一文中分析了 1949 年大陸政權建立後，鹽業管理法規及私鹽產生的原因。見《鹽業史研究》1995 年第 3 期，頁 57-62。

30 陳南君，〈您鹽重了 —— 聰明用鹽健康美味一把抓〉，《常春月刊》第 204 期，民國 89 年 3 月，頁 90-93。

化解疼痛，發揮諸多非食用的功能[31]，實在不易體會從前因過度
從食鹽上徵稅，鹽商貪婪，運輸不便，鹽務不良，造成鹽價昂貴，
人民生活有乏鹽淡食之苦，鹽法嚴苛，人民動輒受到嚴厲處分的
困境。

　　食鹽是一種特殊的物質，所有動物都不能少了它，但是也不
能過度食用，它的特殊性，造就了它在歷史上非常特殊的地位，
也由於它的特殊性，被有權力的人濫用，專賣或抽取重稅，導致
升斗小民，無力購食價昂的官鹽，生活陷於困境，了解了食鹽與
鹽稅在歷史上的變遷，一方面令人唏噓不已，一方面也應引以為
借鑑，任何物資以政治力量過度控制，短時間內可能有效，長久
必定弊病叢生，不可不慎，中國歷史上鹽務變革的歷程，就是很
好的範例。

---

31 經濟部，《鹽品多樣化及利用之研究》（二）一書中對用鹽洗滌蔬菜水果、
　　沐浴都有實驗以證明其成效，見經濟部 82 年度研究發展報告，民國 82 年 7
　　月 31 日印行；安心編輯部著，林佩琪譯，《鹽療治百病》，全書介紹了五十
　　種鹽的用法。

參考書目

壹、史料及工具書

丁寶楨纂修，光緒《四川鹽法志》，上海古籍出版社據光緒刻本影印。

《大清仁宗睿皇帝實錄》，臺灣華文書局影本。

《大清宣宗道光皇帝實錄》，臺灣華文書局影本。

王定安纂修，《重修兩淮鹽法志》，《續修四庫全書》史部政書類，上海古籍出版社 1995 影本。

王夫之，《讀通鑑論》卷 24，臺灣中華書局四部備要本。

王守基，《鹽法議略》，北京中華書局叢書集成初編，1991 年北京一版。

中國第二歷史檔案館編，《中華民國史檔案匯編》，江蘇古籍出版社 1991 年 7 月 1 版 1 刷。

中國鹽政實錄第六輯編纂委員會編，《中國鹽政實錄》第六輯，經濟部民國 76 年 12 月出版。

《內閣官報》，文海出版社影本。

方濬師輯《鹺政備覽》（兩廣），臺北文海出版社影本。

司馬遷，《史記》，藝文印書館史記會注考證影印本。

司馬光，《資治通鑑》，臺灣中華書局民國 54 年出版。

《世祖章皇帝實錄》,《清實錄》第三冊,北京中華書局 1985 年 8
　　月 1 版 1 刷。

《世宗憲皇帝實錄》,《清實錄》第七冊,北京中華書局 1985 年 8
　　月 1 版 1 刷。

汪砢玉,《古今鹺略》,續修四庫全書史部政書類,上海古籍出版
　　社 1995 年影本。

臺灣中華書局辭海編輯委員會編,《辭海》,民國 89 年 5 月 10 版。

包世臣,《安吳四種》,沈雲龍主編《近代中國史料叢刊》第三十
　　輯文海出版社影本。民國經世文編社編,《民國經世文編》
　　第三冊,臺北文星書店民國 51 年影本。

《民立報》,黃季陸主編,中華民國史料叢編,中國國民黨黨史史
　　料編纂委員會民國 58 年 6 月影印初版。

托津等奉敕撰,《欽定大清會典》(嘉慶朝),文海出版社影印本。

朱廷立等撰,《鹽政志》,續修四庫全書史部正史類上海古籍出版
　　社 1995 年影印本。

江鳳蘭編,《國民政府時期的鹽政史料》,國史館民國 82 年 6 月初
　　版。

沈括,《夢溪筆談》,四部叢刊續編子部臺灣商務印書館民國 55
　　年影本。

《李煦奏摺》,里仁書局 74 年 8 月出版。

李鴻章,《李文忠公全集》,文海出版社影本。

李振華輯,《近代中國國內外大事紀》,文海出版社影印本。

林振翰編,《鹽政辭典》,中州古籍出版社 1988 年 12 月 1 版 1 刷。

金安清,《水窗春囈》,北京中華書局 1997 年 12 月湖北二刷。

周學熙,《周止菴先生自敘年譜》,近代中國史料叢刊三編第一輯,
　　文海出版社影本。

周昌晉，《鹺政全書》，續修四庫全書史部正史類上海古籍出版社 1995 年影印本

段玉裁，《說文解字注》，廣文書局有限公司民國 65 年 10 月再版

《政治官報》，文海出版社影本。

南通市圖書館張謇研究中心編，《張謇全集》，江蘇古籍出版社 1994 年出版。

南開大學經濟研究所經濟研究室編，《中國近代鹽務史資料選輯》，1985 年 12 月 1 版 1 刷。

班固，《漢書》，〈食貨志〉，藝文印書館影本。

桓寬撰、陳宏治校注，國立編譯館主編，《新編鹽鐵論》，臺灣古籍出版有限公司 2001 年 5 月初版 1 刷。

孫承澤，《春明夢餘錄》，王雲五編四庫全書珍本，民國 65 年影本。

席裕福、沈師徐輯，《皇朝政典類纂》，文海出版社民國 71 年影本。

財政部鹽務署鹽務稽核總所編，《中國鹽政實錄》，民國 22 年出版，文海出版社影本。

許慎原著、朱駿聲注，《說文通訓定聲》，藝文印書館民國 64 年 8 月 3 版。

清王謨輯，《漢魏遺書鈔》《世本》，嚴一萍選輯，《叢書菁華》，藝文印書館原刻影本。

《國語》，〈齊語〉，百部叢書集成原刻景印本。

清高宗敕撰，《清朝文獻通考》，臺灣商務印書館民國 76 年影本。

陸費垓編，《淮鹺分類新編》，北京圖書館古籍珍本叢刊 57，史部政書類，書目文獻出版社影本。

《陶文毅公全集》，《續修四庫全書》集部別集類，上海古籍出版社影本。

盛康輯，《皇朝經世文編續編》，文海出版社影本。

陳滄來，《中國鹽業》，王雲五主編萬有文庫，上海商務印書館民國 18 年初版。

黃彰健校勘，《明太祖實錄》，中央研究院歷史語言研究所校印，民國 51 年出版。

黃掌綸等纂修，《長蘆鹽法志》，北京圖書館古籍珍本叢刊 57，書目文獻出版社影本。

崑岡等修，劉啓端等纂，《光緒大清會典事例》，續修四庫全書，上海古籍出版社影本。

賀長齡編，《皇朝經世文編》，文海出版社影本。

曾國藩，《曾文正公批牘》，華文書局民國 58 年影本。

張九齡等撰，《唐六典》，臺北商務印書館民國 65 年影印本。

張廷玉，《明史》，臺北成文出版公司民國 60 年仁壽本。

《聖祖仁皇帝實錄》，《清實錄》第五冊，北京中華書局 1985 年 8 月 1 版 1 刷。

《雍正朝漢文硃批奏摺彙編》，中國第一歷史檔案館編，江蘇古籍出版社 1991 年出版。

張佩綸，《澗于日記》，學生書局民國 55 年 4 月初版。

鄒琳編，《粵鹺紀實》，文海出版社影印本。

張怡祖編，《張季子(謇)九錄》，臺北文海出版社民國 72 年影本。

張心澂，《偽書通考》，台灣商務印書館民國 59 年 5 月台一版。

漢宋衷注、清孫馮翼集，《世本》，王雲五主編《叢書集成簡編》

《世本》，臺灣商務印書館印行民國五十五年臺一版。

《管子》，四部備要子部，中華書局據明吳郡趙氏本影印。

趙爾巽等撰，《清史稿》，續修四庫全書史部正史類上海古籍出版社 1995 年影印本。

《鄧析子》，叢書集成初編，北京中華書局 1991 年 1 版。

歐陽修、宋祁撰《新唐書》，洪氏出版社民國 64 年元月出版。

劉錦藻撰，《清朝續文獻通考》，臺灣商務印書館 76 年影本。

張耀如、侯元放譯述，《鹽業資料彙編》第一集，中國鹽業股份有
　　限公司民國 37 年 11 月初版。

蔡冠洛編纂，《清史列傳》，臺灣中華書局民國 72 年 2 月臺二版。

駱秉章，《駱文忠公奏議》，文海出版社影本。

歐陽修、宋祁撰，《新唐書》，洪氏出版社出版。

蘇昌臣輯《河東鹽政彙纂》，續修四庫全書史部正史類上海古籍出
　　版社 1995 年影印本。

簡朝亮撰，《尚書集注述疏》，鼎文書局民國 61 年影本。

黨史會編，《革命文獻》42.43 合集，《宋教仁被刺及袁世凱違法
　　大借款史料》，民國 57 年 3 月出版。

黨史會編，《中國國民黨 90 年大事年表》，民國 73 年 11 月出版。

鹽務署編纂處編，《鹽務法規》，鹽務署民國 15 年 5 月出版。

鹽務署編，《中國鹽政沿革史》（長蘆），民國 3 年 12 月出版，文
　　海出版社影本。

貳、專　書

丁文江編，《梁任公先生年譜長編初稿》，臺北世界書局，民國 61
　　年出版。

丁長清、唐仁粵主編，《中國鹽業史》近代當代編，北京人民出版
　　社，1999 年 4 月第 1 版 2 刷。

丁長清主編，《民國鹽務史稿》，北京人民出版社，1990 年 9 月 1
　　版 1 刷。

王瑜、朱正海等著，《鹽商與揚州》，南京江蘇古籍出版社 2001年 4 月 1 版 1 刷。

王磊，《徽州朝奉》，福建人民出版社，1997 年 3 月 2 版 2 刷。

方志遠，《明清中央集權與地域經濟》，中國社會科學出版社 2002年 1 月 1 版 1 刷。

中央研究院近代史研究所編，《近世中國經世思想研討會論文集》，中研院近史所民國 73 年 4 月出版。

田秋野、周維亮合編，《中華鹽業史》，臺灣商務印書館民國 68年 3 月初版。

左樹珍，《鹽法綱要》，北京新學會社民國 2 年 12 月出版。

安心編輯部著，林珮琪譯，《鹽療治百病》，世茂出版社 1992 年 3月初版 1 刷。

何維凝，《中國鹽業新論》，作者自印，民國 41 年 2 月出版。

李明明、吳慧，《中國鹽法史》，文津出版社民國 86 年初版 1 刷。

李潛龍，《明清經濟探微初編》，稻香出版社民國 91 年 7 月初版。

佐伯富，《清代鹽政之研究》，京都東洋史研究會昭和 37 年 2 版。

李雲漢，《中國近代史》，三民書局民國 74 年 9 月初版。

李劍農，《中國近百年政治史》，臺灣商務印書館民國 65 年影本。

宋希尚，《張謇傳》，臺北中央文物供應社，民國 43 年 4 月出版。

宋子剛編著，《甘地－印度聖雄》，臺北婦女與生活社 2001 年 6月初版。

李涵等著，《繆秋杰與民國鹽務》，中國科學技術出版社 1990 年10 月 1 版 1 刷。

何鵠志主編，《論陶澍》，岳麓書社 1992 年 7 月 1 版 1 刷。

周維亮，《鹽政概論》，鹽務月刊社民國 61 年出版。

孟森，《明清史講義》，里仁書局民國 71 年 9 月影本。

《東方雜誌》，臺灣商務印書館影本。

林能士、 胡平生合編，《中國現代史論文選輯》，華世出版社民
　　國 71 年 9 月 3 版。

吳惠林，《自由經濟大師神髓錄》，臺北遠流出版公司 1995 年 8
　　月 1 日初版 1 刷。

金子宏著、蔡宗羲譯，《租稅法》，財政部租稅人員訓練所，世界
　　租稅名著翻譯叢書 23，民國 74 年 3 月出版。

吳相湘主編，《中國現代史叢刊》，第二冊，正中書局民國 52 年臺
　　2 版。

段超，《陶澍與嘉道經世思想研究》，中國社會科學出版社 2001
　　年 9 月 1 版 1 刷。

范家驤、高天虹著，鄭竹園校訂，《西方經濟學主要學派》，五南
　　圖書出版有限公司 85 年 1 月初版 1 刷。

高田英夫原著，張豐榮譯，《鹽與生物－海洋生物開發的基礎》，
　　經濟部國際貿易局民國 80 年 12 月 1 日出版。

時雨音羽著，邱思敏譯，《鹽與民族》，文翔圖書公司民國 70 年印
　　行。

柴繼光，《運城鹽池研究》，山西人民出版社 1991 年 10 月 1 版 1
　　刷。

柴繼光，《中國鹽文化》，北京新華出版社 1991 年 12 月 1 版 1 刷。

徐泓，《清代兩淮鹽場的研究》，嘉新水泥公司文化基金會民國 61
　　年 5 月出版。

韋明鏵，《兩淮鹽商》，福建人民出版社 1999 年 9 月 1 版 1 刷。

唐仁粵主編，《中國鹽業史》地方編，北京人民出版社 1997 年 9
　　月 1 版 2 刷。

郭正忠主編，《中國鹽業史》古代編，北京人民出版社 1999 年 4

月初版 2 刷。

郭正忠,《宋代鹽業經濟史》,北京人民出版社 1990 年 1 版 1 刷。

郭廷以,《近代中國史綱》,臺北曉園出版社 1994 年 5 月初版 1 刷。

陳鋒,《清代鹽政與鹽稅》,中州古籍出版社,1988 年 12 月第 1 版 1 刷。

陳捷先,《明清史》,三民書局 2004 年 1 月增定 2 版 1 刷。

梁啟超,《清代學術概論》,水牛出版社民國 60 年 5 月 10 日初版。

陳其泰、劉蘭肖合著,《魏源評傳》,南京大學出版社 2005 年 4 月 1 版 1 刷。

陳然、謝奇籌、邱明達編《中國鹽業史論叢》,北京中國社會科學出版社 1987 年 12 月 1 版 1 刷。

陳國燦,《唐代的經濟社會》,文津出版社 1999 年 6 月初版 1 刷。

黃尙隆譯述,《糖、鹽與煤炭》,廣文書局民國 60 年 5 月再版。

曾仰豐,《中國鹽政史》,北京商務印書館 1998 年 4 月影印本。

景學鈐編,《鹽政叢刊》(上)(下),北京鹽政雜誌社民國 10 年出版。

景學鈐編,《鹽政叢刊》第二集,民國 21 年鹽政雜誌社增刊。

曾伯堯主編,《印度聖雄－甘地》,臺北市克寧出版社 1991 年 2 月初版。

黃仁宇著,阿風等譯,《16 世紀明代中國之財政與鹽稅》,聯經出版公司 2001 年 1 月初版。

張彭熹,《沈默的寶藏－鹽湖資源》,牛頓出版公司 2001 年 4 月 30 日初版。

張玉法主編,《中國現代史論集》第三輯,聯經出版公司民國 71 年第 2 次印刷。

張玉法,《現代中國史》,經世書局民國 69 年 4 月初版。

張小也,《清代私鹽問題研究》,社會科學文獻出版社,2001 年 10 月 1 版 1 刷。

張存武,《光緒卅一年中美工約風潮》,中國學術著作獎助委員會民國 54 年 8 月初版。

張光直,《考古學專題六講》,稻香出版社民國 82 年 10 月再版。

賈士毅,《民國財政史》正編,臺灣商務印書館民國 51 年影本。

賈士毅,《民國初年的幾任財政總長》,傳記文學出版社民國 74 年 9 月 1 日再版。

張孝若,《南通張季直先生傳記》,臺北文星書店 51 年影印本。

鄒魯,《中國國民黨史稿》,臺灣商務印書館民國六十五年十月臺三版。

董振平,《抗戰時期國民政府鹽務政策研究》,齊魯書社 2004 年 6 月 1 版 1 刷。

賈秀岩、陸滿平合著,《民國價格史》,中國物價出版社 1992 年 5 月 1 版 1 刷。

虞寶棠編著,《國民政府與民國經濟》,華東師範大學出版社 1998 年 12 月 1 版 1 刷。

鄭尊法·《鹽》,臺灣商務印書館人人文庫,民國 62 年 6 月臺一版。

劉淼,《明代鹽業經濟研究》,汕頭大學出版社 1996 年 6 月 1 版 1 刷。

錢穆,《國史大綱》,臺灣商務印書館民國 64 年 5 月修訂二版。

錢穆,《中國近三百年學術史》,臺灣商務印書館 1996 年 7 月臺二版二刷。

戴裔煊,《宋代鈔鹽制度研究》,北京中華書局 1981 年 3 月新一版。

蕭一山,《清代通史》,臺灣商務印書館民國 69 年 1 月修訂臺五版。

瞿同祖著，范忠信、晏鋒譯，《清代地方政府》，北京法律出版社
　　2003 年 6 月 1 版 1 刷。

魏秀梅，《陶澍在江南》，中研院近代史研究專刊（53），民國 74
　　年 12 月出版。

關文斌著，張榮明主譯，《文明初曙－近代天津鹽商與社會》，天
　　津人民出版社 1999 年 4 月 1 版 1 刷。

羅爾綱，《太平天國史》，北京中華書局 1991 年 9 月 1 版 1 刷。

韜園，《鹽務革命史》，精鹽總會、鹽政雜誌社發行，民國 18 年 4
　　月初版。

Mark Kurlansky 著、石芳渝譯，《鹽－人與自然的動人交會》，臺
　　北市藍鯨出版有限公司，2002 年 5 月初版。

Pierre Laszlo 著，吳自選、胡方譯，《鹽：生命的食糧》，百花文
　　藝出版社 2004 年 1 月 1 版 1 刷。

Robert · L · Heibroner 著，蔡伸章譯，《改變歷史的經濟學家》，
　　志文出版社 2000 年 11 月再版。

S. A. M. Adshead《The Modernization of the Chinese Salt
　　Adminstration, 1900 － 1920 》（ Cambridge,　Massachusetts
　　Harvard　University Press, 1970 ）。

參、論文及專文

丁長清，〈鹽務稽核所始末〉，《近代史研究》1994 年第 2 期。

王聿均，〈清代中葉士大夫之憂患意識〉，《中央研究院近代史研究
　　所集刊》第十一期，民國 71 年 7 月。

王綱領，〈列強對兩次善後大借款的控制政策〉（1912-1920），《史

學集刊》13 期，民國 70 年 5 月。

王綱領，〈列強銀行團與民國二年善後大借款〉，《思與言》16 卷 2
　　期，民國 67 年 7 月。

王紅，〈論張謇對淮南鹽政的整頓和改革〉，《鹽業史研究》1999
　　年第 1 期。

王伯棋，〈清代福建鹽業運銷制度的改革－從商專賣到自由販
　　賣〉，國立暨南國際大學歷史研究所碩士論文，民國 89 年 6
　　月。

中國鹽政討論會電臺演講稿，〈中國鹽務之現狀〉，民國 24 年 11
　　月中國鹽政討論會發行。

〈中國大事記〉，《東方雜誌》第八卷第五號。

玄永棟，〈鹽源與人類文化的發展〉，《山東社會科學雙月刊》1994
　　年第 2 期。

石璋如，〈殷代的鑄銅工藝〉，《中央研究院歷史語言研究所集刊》
　　第 26 本，1955 年。

吉成名，〈論劉晏鹽法改革〉，《鹽業史研究》2002 年第 4 期。

朱宗宙，〈明清時期揚州鹽商與封建政府關係〉，《鹽業史研究》1998
　　年第 4 期。

朱宗宙，〈外國資本主義勢力對清代鹽政主權的侵犯〉，《鹽業史研
　　究》1992 年第 3 期。

朱宗宙、張棪，〈清代道光年間兩淮鹽業中的改綱爲票〉，陳然、
　　謝奇籌、邱明達編《中國鹽業史論叢》，中國社會科學出版
　　社 1987 年 12 月 1 版 1 刷。

佐伯富著、魏美月譯，〈鹽與歷史〉，《食貨月刊》復刊第 5 卷第
　　11 期，62 年 5 月。

佐伯富著、楊合義譯，〈鹽與中國社會〉（上）（下），《食貨月刊》

復刊第 4 卷第 11、12 期，民國 64 年 2 月、3 月。

李寅生〈略論晚清鹽政及陶澍的鹽政改革措施〉，《學海》1996 年 1 期。

李福國，〈淺析唐代鹽的專賣制度〉，《玉溪師範學報》（社會科學版）第 11 卷 6 期，1995 年。

李珂，〈從洪武中鹽法看鹽商的歷史作用〉，《歷史檔案》1997 年第 4 期。

李紹強，〈論明清時期的鹽政變革〉，《齊魯學刊》1997 年第 4 期。

李國祁，〈道咸同時期我國的經世致用思想〉《中央研究院近代史研究所集刊》第十五期（下）民國 75 年 12 月。

汪崇篔，〈明中葉鹽政問題分析〉，《鹽業史研究》2000 年第 4 期。

汪崇篔，〈清嘉道時期淮鹽經營成本的估算和討論〉，《鹽業史研究》2002 年第 1 期。

汪崇篔〈清嘉道時期兩淮官鹽的壅滯〉，《鹽業史研究》2002 年第 4 期。

汪崇篔，〈清嘉道時期淮鹽經營成本的估算和討論〉，《鹽業史研究》2002 年第 1 期。

何烈，〈清代中期各種財政積弊的研究〉沈剛伯先生八秩榮慶論文集編輯委員會編《沈剛伯先生八秩榮慶論文集》，民國 65 年。

何漢威，〈阿謝德：《1900 至 1920 年中國鹽政的近代化》〉，香港中文大學《中國文化研究所學報》第 9 卷第 1 期，民國 67 年。

何克拉，〈私鹽流通及其危害初探〉，《鹽業史研究》1995 年第 3 期。

何旭艷，〈論蔡京變鹽法〉《溫州師範學院學報》（哲學社會科學版）第 23 卷第 5 期，2002 年。

何思眯，〈抗戰時期時鹽專賣制度的建立與發展〉，民國 82 年 9 月 9 日至 11 日中華民國史專題第二屆討論會。

何亞莉，〈二十世紀中國古代鹽業史綜述〉，《鹽業史研究》2004 年第 2 期。

杜英，〈嗚呼大借款成立矣〉，《革命文獻》，42.43 合輯，民國 57 年 3 月。

吳海波，〈清代兩淮榷鹽體制的演變與私鹽〉，《求索》2005 年第 3 期。

吳海波、李曦，〈清政府對私鹽的防範和打擊〉，《鹽業史研究》2005 年第 1 期。

林文勳，〈中國古代專賣制度的源起與歷史作用〉，《鹽業史研究》2003 年第 3 期。

林美莉，〈咸同之際洋商在兩淮行鹽區的販運私鹽問題〉，東吳大學《文史學報》第十一期，民國 82 年 3 月。

房建昌，〈歷史上青海省的鹽業〉，《鹽業史研究》1996 年第 4 期。

周啓榮、劉廣京，〈學術經世：章學誠之文史論與經世思想〉，中央研究院近代史研究所編，《近世中國經世思想研討會論文集》，中研院近史所民國 73 年 4 月出版。

周維亮，〈臺灣之製鹽工業〉，《臺灣銀行季刊》第 26 卷第 2 期。

洪均，〈論胡林翼整頓湖北鹽政〉，《理論月刊》2005 年第 5 期。

馬新，〈論漢武帝以前鹽政的演變〉，《鹽業史研究》，1996 年第 2 期。

芮和林，〈勤政清廉的長蘆巡鹽御史 —— 莽鵠立〉，《鹽業史研究》2000 年第 4 期。

宮崎市定，〈中國古代賦稅制度論〉，杜正勝編，《中國上古史論文選集》（下），華世出版社 68 年 11 月初版。

徐公喜，〈朱熹鹽法思想〉，《鹽業史研究》2002 年第 4 期。

徐泓，〈明代中期食鹽運銷制度的變遷〉，《國立臺灣大學歷史系學報》第二期，1975 年。

徐泓，〈明代鹽務行政機構〉，《國立臺灣大學歷史系學報》第十五期，1990 年。

徐泓，〈明代後期鹽政改革與商專賣制度的建立〉，《國立臺灣大學歷史系學報》第四期，1977 年。

徐泓，〈明代前期的食鹽運銷制度〉，台大《文史哲學報》第 23 期，1974 年。

徐泓，〈明代前期的食鹽生產組織〉，臺大《文史哲學報》第 24 期，1975 年。

徐泓，〈明代的私鹽〉，《國立臺灣大學歷史系學報》第七期，1982 年。

徐泓，〈明代後期鹽業生產組織與生產型態的改變〉，沈剛伯先生八秩榮慶論文集編輯委員會編《沈剛伯先生八秩榮慶論文集》，聯經出版公司民國 65 年出版。

徐泓，〈清代鹽務史料〉，《近代中國》139 期，民國 90 年 10 月。

郭正忠，〈宋代的鹽商與商鹽〉，《鹽業史研究》1996 年第 1 期。

高勞，〈大借款之經過及其成立〉，《東方雜誌》9 卷 12 號，民國 2 年 6 月。

高春平，〈論明中期邊方納糧制的解體〉，《學術研究》1996 年第 9 期。

殷定泉，〈試論張謇的鹽法改革思想〉，《大同職業技術學院學報》第 18 卷 4 期，2004 年 12 月。

〈記山東德人推廣鹽政權事〉，《東方雜誌》第七年第三期，宣統 2 年 3 月。

陳然，〈我國西南市場上曾流通的一種貨幣〉，《中國錢幣》59 期，1997 年 4 月。

陶用舒，〈陶澍和近代地主階級改革派〉，《淄博師專學報》1995 年第 1 期。

陶用舒，〈陶澍鹽課商辦述評〉，《鹽業史研究》1998 年第 3 期。

陶用舒，〈論魏源的鹽政改革思想〉，《鹽業史研究》1994 年第 4 期。

曹愛生，〈試論太平天國運動與淮鹽的運銷〉，《鹽城工學院學報》（社會科學版）2005 年第 1 期。

盛茂產，〈包世臣與兩淮鹽政的改革〉，《鹽業史研究》1994 年第 4 期。

陳南君，〈您鹽重了 ── 聰明用鹽健康美味一把抓〉，《常春月刊》第 204 期，民國 89 年 3 月。

陳鋒，〈清代鹽法考成述論 ── 清代鹽業管理研究之一〉，《鹽業史研究》1996 年第 1 期。

陳鋒，〈近百年來清代鹽政研究述評〉，《漢學研究通訊》第 25 卷第 2 期（總 98 期），民國 95 年 5 月漢學研究中心出版。

陳鋒，〈清代戶部的鹽政職權 ── 清代鹽業管理研究之二〉，《鹽業史研究》1998 年第 2 期。

黃錦城，〈低鹽醃漬微生物之抑制技術〉，《食品工業》18 卷 5 期，民國 75 年 5 月。

黃純艷，〈魏晉南北朝世族勢力的膨脹與鹽政演變〉，《鹽業史研究》2002 年第 2 期。

溫士勳，〈食鹽的探討〉，《食品工業月刊》31 卷 8 期，1999 年 8 月。

傖父，〈論依賴外債之誤國〉，《東方雜誌》9 卷 1 號，民國元年 7

月。

程龍剛，〈鄧孝可鹽政思想改革研究〉，《鹽業史研究》2002 年第 2 期。

曾仰豐，〈中國鹽政之新動向〉，《東方雜誌》第 34 卷第 7 號，民國 26 年 4 月。

楊華星、繆坤和，〈試論漢武帝時期的鹽鐵專賣〉，《鹽業史研究》2004 年第 3 期。

張家國，〈明代袁世振的鹽政思想論略〉，《黃岡師專學報》第 15 卷 4 期，1995 年 11 月。

楊久誼，〈清代鹽專賣制之特點 ── 一個制度面的剖析〉，中央研究院《近代史研究所集刊》第 47 期，民國 94 年 3 月。

張小也〈李衛與清代前期的鹽政〉，《歷史檔案》1999 年 3 期。

張榮生，〈古代淮南鹽區的鹽務管理〉，《鹽業史研究》2002 年第 1 期。

張水木，〈民國二年善後大借款初探〉，《東海歷史學報》第 2 期，民國 67 年 7 月。

張水木，〈民國二年列強銀行團對華善後大借款及中國政治風潮之激盪〉，《東海歷史學報》，第 3 期，民國 68 年 7 月。

張榮生，〈張謇清末民初的鹽務改革家〉，《鹽業史研究》1994 年第 1 期。

張世明，〈清代鹽務法律問題研究〉，《清史研究》2001 年 8 月第 3 期。

《解放日報》2003 年 10 月 15 日。

經濟部，《鹽品多樣化及利用之研究》（二），經濟部 82 年度研究發展報告，民國 82 年 7 月 31 日印行。

趙小平，〈試論滇鹽在商品流通中的歷史地位〉，《鹽業史研究》，

2002 年第 1 期。

蔣大鳴,〈中國鹽業起源與早期鹽政管理〉

　　http://www.guoxue.com/economics/ReadNews.

劉常山,〈陶澍與兩淮鹽務的改革〉,《逢甲人文社會學報》第 11
　　期,2005 年 12 月。

劉常山,〈丁恩與中國鹽務的改革（1913－1918)〉,《逢甲人文社
　　會學報》第 6 期,2003 年 5 月。

劉常山,〈張謇的鹽務思想與實踐〉,《逢甲人文社會學報》第九期,
　　2004 年 12 月。

劉常山,〈善後大借款對中國鹽務的影響〉（1913-1917),《逢甲人
　　文學報》第 5 期,2002 年 11 月。

劉常山,〈鄒魯與廣東鹽務的改革〉（1920－1922),《逢甲人文學
　　報》第 7 期,2003 年 11 月。

劉廣京,〈近世中國經世思想研討會論文集序〉,中央研究院近代
　　史研究所編《近世中國經世思想研討會論文集》,民國 73 年
　　4 月。

劉洪石,〈略論清代的票鹽改革〉,《鹽業史研究》1995 年第 4 期。

劉洪升,〈北洋初期的鹽務改革〉,《鹽業史研究》1997 年第 1 期。

劉經華,〈論民初食鹽就場專賣制與就場徵稅制之爭〉,《鹽業史研
　　究》中國經濟史論壇 2004 年 5 月。

劉經華,〈辛亥革命時期的鹽務改革〉,《廈門大學學報》哲社版,
　　2003 年第 1 期,中國經濟史論壇,

　　http://economy.guoxue.com/article.php/3934。

劉經華,〈民國初期鹽務改革思想論析〉,《鹽業史研究》2003 年
　　第 4 期。

劉經華,〈民國初期建立食鹽中央集權徵稅制述論〉,《鹽業史研究》

2002 年第 3 期。

劉經華,〈論洋會辦丁恩在民國初期的鹽務改革〉,《廈門大學學報》（哲社版）1997 年第 1 期。

魯子健,〈論川鹽濟楚〉,載陳然、謝奇籌、邱明達編《中國鹽業史論叢》,1987 年 12 月。

魯子健,〈試論丁寶楨的鹽政改革〉,《鹽業史研究》2000 年第 2 期。

劉壽朋,〈中華民國危亡瀝血書〉,《革命文獻》,42.43 合輯,民國 57 年 3 月。

燊甫,〈道光十年私鹽販黃玉林案〉,《歷史檔案》1999 年 2 期。

蕭國亮,〈清代兩淮鹽商的奢侈性消費及其經濟影響〉,陳然、謝奇籌、邱明達編《中國鹽業史論叢》,北京中國社會科學出版社 1987 年 12 月 1 版 1 刷。

魏淑豔、劉振軍,〈丁寶楨與四川的鹽政改革〉,《遼寧教育學院學報》1995 年第 4 期。

羅慶康,〈春秋齊國與兩漢鹽制比較研究〉,《鹽業史研究》1998 年第 4 期。

羅慶康、羅威,〈漢代鹽制研究〉,《鹽業史研究》1995 年第 1 期。

〈1800 噸死亡私鹽入川〉,《大紀元時報》,2005 年 10 月 15 日、2006 年 4 月 10 日。

〈河南破獲萬噸私鹽〉,《大眾標準化》,2003 年第 2 期。